いちばんわかりやすい

保 育 士

合格テキスト

下巻 '25 年版

成美堂出版

本 書 の 使 い 方

 重要度

過去の試験の分析結果
から、重要度をつけま
した。🍓が多いほど重
要度の高いものです。

出題
point

この項目で学習する内
容のうち、試験に頻出
のポイントです。どこ
に的をしぼって学習す
ればよいのかがわかり
ます。

👑check✨

本文の理解を助ける内
容や、本文から一歩進
んだ内容などをまとめ
ました。

🐛アドバイス🐛

試験に関するちょっと
した情報や、学習のヒ
ントなど、本文を読む
ときに役立つマメ知識
です。

図表やイラストでイン
プット！
本文の内容を覚えやす
いように、図表にまと
めたり、イラストを使
用してイメージしやす
くしました。

 1章　教育原理

section
2
教育の思想と教育方法の歴史的変遷

出題
point
・諸外国の教育思想と教育方法
・日本の教育思想と教育方法

1 諸外国の教育思想と教育方法

1 ギリシャ・ローマ時代

人間が他の誰かに何かを伝えるという営みは、人間が文
化を持ち始めた頃からと考えられていますが、教育史上で
はギリシャ時代が始まりとなります。ギリシャにはスパル
タとアテナイ（アテネ）という有名なポリス（都市国家）が
ありました。　　　　では自国を守る戦士を育成するため
に、男児は7歳になると共同の教育所で強靭な身体をつく
るために体操を中心とした厳しい訓練を受けました。

一方、　　　　では身体の　　　　のために体操が取
り入れられ、音楽による　　　　の育成も行われました。

(1) ソクラテス (470B.C.-399B.C.)

古代ギリシャの哲学者であるソクラテスは、アテナイの
街角に立ち、　　　の相手を見つけては「幸福とは何か」「勇
気とは何か」といった疑問を投げかけて巧みな問答を行う
ことで　相手に自らの無知を自覚させていきました。この
ように　無知の知」に達することで、真の知的欲求（エロス）
を起こし、自らの力で真理を発見していくとソクラテスは
考えました。

(2) プラトン (427B.C.-347B.C.)

ソクラテスに影響を受けたプラトンは、ソクラテスを主

👑check✨
ソクラテスは「無
知の知」を掲げてい
たが、ここでいう無
知とは「何も知らな
いこと」といった知
識などの欠如をいう
のではなく、知らな
いのに知っていると
思い込んでいる状態
を指す。

🐛アドバイス🐛
「無知の知」を引
き出そうとする対話
法は、自分の力で出
産する妊婦を助ける
産婆の働きにたとえ
て「産婆術」と呼ば
れている。

14

赤シートを活用！

本文の解説中、覚えておきたい
部分を赤字にしていますので、
付属の赤シートを使って確認・
暗記することができます。

2

※ここに掲載しているページは見本で、本文とは一致しません。

(6) フレーベル（Fröbel, F.W. 1782-1852）

　ドイツの教育家であるフレーベルは、1837年、ブランケンブルクに遊戯作業学校を開設し、創造的な遊びを育てるための遊具であるガーベ（恩物）の製作・普及に努めました。そしてこの施設を「**キンダーガルテン（Kindergarten）**◆」と名付けたのです。これが世界初の幼稚園です。また、『母の歌と愛撫の歌』は、絵や詩や手指の遊戯の図解を載せて、母親が子どもに読んであげることができるようになっています。他に『人間の教育』も著しました。

 覚えよう！

●教育に関する思想家（2）●
ルソー：『エミール』『社会契約論』を著し、子どもの発見者と呼ばれる。
カント：教育の目的を「人…
ペスタロッチ：『幼児教育の…『白鳥の歌』を著した。
フレーベル：『母の歌と愛撫…ダーガルテン（世界初の…

(7) オーエン（オーウェン）…

　オーエンはスコットラン…場を経営し、工場の経営は…で働く労働者家族のために…そこには1～6歳の幼児…ました。オーエンは人間に…をつくることを教育の課題…

(8) ヘルバルト（Herbart, J…

　ドイツの哲学者であり教…教育学を学問として体系化…学で、教育の過程を心理学…過程を「管理」「訓練」「教…示し、その中でも「教授」…ました。「教授」とは単に…

フレーベル
⋯▶上 p.127

👑 **check** ✦
恩物は、球、円筒、立方体、積み木などで構成されており、単純な物からより複雑なものへと進むようになっている。

（用語）
◆キンダーガルテン
ドイツ語で「子どもの庭」という意味。

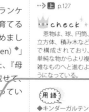

🐻 **ここで チャレンジ**

問題　次の記述で正しいものに○、誤っているものに×をつけよ。

1．モンテッソーリ（Montessori, M.）は、子どもが遊びに集中できる遊具として「恩物」を考案した。
2．デューイ（Dewey, J.）は、知識を構造として学習させることによって、科学的概念を子ども自らが発見していく方法を提唱した。
3．スキナーは、綿密にプログラム化された問題に対して、学習者が反応（解答）をすると、解答の正誤が与えられるといったプログラム学習を提唱した。
4．貝原益軒は、日本における陽明学の始祖といわれており、著書に『慎問答』がある。
5．倉橋惣三は、幼児の自発性を尊重した保育理論を展開し、「生活を、生活で、生活へ」という有名な言葉を残した。
6．澤知政太郎は、1936（昭和11）年に保育問題研究会を結成し、その会長に就任した。
7．玉川学園の創始者は、羽仁もと子である。
8．「日本国憲法」と「教育基本法」が施行されたのは、1945（昭和20）年である。

解答
1 × 　2 × 　3 ○ 　4 × 　5 ○ 　6 × 　7 × 　8 ×

1　「恩物」を考案したのはフレーベル（Fröbel, F.W.）である。モンテッソーリは「モンテッソーリ教具」を考案した。
2　知識を構造として学習させることで科学的概念を子ども自らが発見していく発見学習を提唱したのはブルーナー（Bruner, J.S.）である。
3　問題文は中江藤樹についての記述である。貝原益軒は子どもの発達段階に応じた「随年教法」を説き、『和俗童子訓』『養生訓』を著した。
4　保育問題研究会を結成したのは城戸幡太郎である。澤知政太郎は、成城小学校を創設し、そこで教育実践を行い、その成果を機関誌『教育問題研究』で紹介した。
5　玉川学園の創始者は小原國芳である。羽仁もと子は自由学園の創始者である。
6　「日本国憲法」は1946（昭和21）年公布、1947（昭和22）年施行で、「教育基本法」は1947（昭和22）年に施行された。

25

18

 参照ページ
関連する解説が掲載されているページです。
上「上巻」参照ページを示します。

📷 **覚えよう！**
試験に向けて覚えておきたい基本ポイントをコンパクトにまとめました。

（用語） 人物
本文中に出てくる用語や人物、専門的な用語を簡単に説明しています。

練習問題
ここで チャレンジ
項目ごとの内容を確認するための問題です。近年の過去問を基に作成していますので、本試験対策として知識を確認できます。

CONTENTS

保育士試験ガイダンス

試験内容等については変更になる可能性があります。事前に必ずご自身で、試験実施機関である（一社）全国保育士養成協議会の発表を確認してください。

1. 受験資格を確認

保育士は、児童福祉法 18 条の 4 に規定された資格で、「登録を受け、保育士の名称を用いて、専門的知識及び技術をもって、児童の保育及び児童の保護者に対する保育に関する指導を行うことを業とする者」と定義されています。

保育士試験の受験資格は、学歴によるものと、勤務経験によるものがあります。区分が細かく規定されているため、詳細は試験実施団体等にご確認ください。

2. 試験に関する問い合わせ先

一般社団法人 全国保育士養成協議会
〒 171-8536　東京都豊島区高田 3-19-10
保育士試験事務センター
フリーダイヤル　0120-4194-82
（オペレータによる電話受付は、月～金曜日 9：30 ～ 17：30　祝日を除く）
（代表電話）03-3590-5561
ホームページ　https://www.hoyokyo.or.jp/（e-mail）shiken@hoyokyo.or.jp

'25 年度後期試験に向けた法改正はブログでフォロー
本書編集後の法令等の改正のうち、'25 年度後期試験への出題が予想されるものについては、本書専用のブログに掲載する予定です。本書の最終ページに記載の正誤情報等確認用アドレスから閲覧してください。改正点は出題される可能性が高いので、必ずチェックしましょう。

1章

教育原理

学習ポイント

・憲法、教育基本法、学校教育法、幼稚園教育要領、保育所保育指針等から多く出題されています。穴埋め問題も多いので重要な条文については暗記できるくらい読み込んでおきましょう。
・国内外の教育思想家についても必ず出題されます。
・教育の歴史的変遷、カリキュラムや教育の評価、現代教育の諸問題等多角的な視点から学習し、教育動向や文部科学省の答申についても注意しておきましょう。

section 1 教育の意義、目的及び 児童福祉等との関連性

出題 point
- 教育の意義と目的
- 子どもの基本的人権
- 家庭や地域との連携

1 教育の意義

1 教育とは何か

　教育という熟語は、「教」と「育」という漢字で成り立っているように、教育には、**教える**ことと**育てる**ことという二面性があります。つまり、知識や文化を次世代に伝えて習得させる営みと、未熟な存在としての子どもが成人へと変化すること（人間形成、人格形成）を助ける営みです。

　人間の発達を促すことにつながるあらゆる働きかけが教育だといえます。

check
　教育基本法9条には、子どもを教育する教員の使命と職責について示されているので確認しておこう。

■ 保育所保育における養護と教育 ■

養護：子どもの生命の保持及び情緒の安定を図るために保育士等が行う援助や関わり
教育：子どもが健やかに成長し、その活動がより豊かに展開されるための発達の援助

2 生涯教育・生涯学習

　子どもだけでなく、今日では、高齢者を含めた成人に対しても、教育の果たす役割が大きくなっています。肉体的な衰えや瞬間的な記憶力の低下はありますが、人生経験の蓄積により人間的見識は深まるという**生涯発達**の考え方から、「生涯教育」「生涯学習」が重要視されています。

check
　実際の保育においては、養護と教育が一体となって展開されることに留意することが必要である。

生涯教育、生涯学習
•••> p.41 〜 42

2 教育の目的

　すべての子どもが人々との関係の中で、身体的・精神的に発達・成長していくことを目的として**教育**は営まれています。

　教育の目的は「**教育基本法**」や「**学校教育法**」「**幼稚園教育要領**」に示されています。

■ 教育の目的（教育基本法 1 条）■

> 　教育は、人格の完成を目指し、平和で民主的な国家及び社会の形成者として必要な資質を備えた心身ともに健康な国民の育成を期して行われなければならない。

　また、日本国憲法 26 条には「すべて国民は、法律の定めるところにより、その能力に応じて、ひとしく教育を受ける権利を有する」とあります。年齢等にかかわりなく、すべての国民が教育を受ける機会を与えられるよう、教育基本法などに規定されています。

■ 教育の機会均等（教育基本法 4 条）■

> 　すべて国民は、ひとしく、その能力に応じた教育を受ける機会を与えられなければならず、人種、信条、性別、社会的身分、経済的地位又は門地によって、教育上差別されない。
> 2　国及び地方公共団体は、障害のある者が、その障害の状態に応じ、十分な教育を受けられるよう、教育上必要な支援を講じなければならない。
> 3　国及び地方公共団体は、能力があるにもかかわらず、経済的理由によって修学が困難な者に対して、奨学の措置を講じなければならない。

3 子どもの人権と教育

　子どもは社会的責任が免除され保護されるべき存在ではありますが、大人となんら変わらない**独立した**存在、つまり大人と子どもは**対等な**存在として認められています。そこで、大人の利益が優先されないよう、子どもを権利をもつ

🐸アドバイス🐸

　学校教育法 22 条、「幼稚園教育要領」1章「総則」には、幼児期の教育の目的が示されている。あわせて確認しよう。
学校教育法 22 条
•••❯ p.28

1　教育原理

❶　教育の意義、目的及び児童福祉等との関連性

主体と位置付け、子どもの人権を尊重する必要があります。

　わが国では第二次世界大戦後の1951（昭和26）年に、子どもの人格や人間的権利を保障するため、「児童憲章」が制定されました。

■ 児童憲章の前文 ■

> 　われらは、日本国憲法の精神にしたがい、児童に対する正しい観念を確立し、すべての児童の幸福をはかるために、この憲章を定める。
> 　児童は、人として尊ばれる。
> 　児童は、社会の一員として重んぜられる。
> 　児童は、よい環境のなかで育てられる。

　また、子どもの人権に関する国際的な条約としては、1989（平成元）年の国連総会が採択し、1990（平成2）年に発効、1994（平成6）年に日本政府が批准した「児童の権利に関する条約」（通称「子どもの権利条約」）などがあります。

　すべての子どもには、生まれた時から生命を守られて生存する権利、そして発達の権利があります。大人は子どもの最善の利益を守らなければなりません。

■ 生命への権利・生存・発達の確保（児童の権利に関する条約6条）■

> 1　締約国は、すべての児童が生命に対する固有の権利を有することを認める。
> 2　締約国は、児童の生存及び発達を可能な最大限の範囲において確保する。

■ 最善の利益（児童の権利に関する条約3条）■

> 1　児童に関するすべての措置をとるに当たっては、公的若しくは私的な社会福祉施設、裁判所、行政当局又は立法機関のいずれによって行われるものであっても、児童の最善の利益が主として考慮されるものとする。

アドバイス

　児童憲章は前文以下12か条から成り立っている。前文の3つの理念は丸暗記しておこう。

check

　「児童の権利に関する条約」には、初等教育を義務的なものとし、すべての者に対して無償のものとすると規定している。

■ 人権に関する国際的な条約等 ■

1924 年	児童の権利に関するジュネーブ宣言
1948 年	世界人権宣言
1959 年	児童権利宣言
1966 年	国際人権規約
1989 年	児童の権利に関する条約

■ 人権に関する日本国内の条約等 ■

1946 年	日本国憲法
1947 年	児童福祉法
1951 年	児童憲章
1994 年	児童の権利に関する条約批准
2022 年	こども基本法

　2022（令和4）年、「日本国憲法及び児童の権利に関する条約の精神」に則り、「次代の社会を担う全てのこどもが、生涯にわたる人格形成の基礎を築き、自立した個人としてひとしく健やかに成長することができ、心身の状況、置かれている環境等にかかわらず、その権利の擁護が図られ、将来にわたって幸福な生活を送ることができる社会の実現を目指して、（略）こども施策を総合的に推進する」ための「**こども基本法**」が公布されました。

■ こども基本法 ■

第2条（定義）
　この法律において「こども」とは、心身の発達の過程にある者をいう。
2　この法律において「こども施策」とは、次に掲げる施策その他のこどもに関する施策及びこれと一体的に講ずべき施策をいう。
　一　新生児期、乳幼児期、学童期及び思春期の各段階を経て、おとなになるまでの心身の発達の過程を通じて切れ目なく行われるこどもの健やかな成長に対する支援
第3条（基本理念）
　こども施策は、次に掲げる事項を基本理念として行われな

❤アドバイス❤
　子どもだけでなく、大人も含めたすべての国民は「個人として尊重される」こと、そして「生命、自由及び幸福追求に対する国民の権利」については「最大の尊重を必要とする」ことが日本国憲法13条に示されているので、確認しておこう。

check
　2023（令和5）年4月に「こども家庭庁」が発足、同年12月には「こども大綱」が策定された。

❶ 教育の意義、目的及び児童福祉等との関連性

ければならない。

一　全てのこどもについて、個人として尊重され、その基本的人権が保障されるとともに、差別的取扱いを受けることがないようにすること。

4 家庭や地域との連携

子どもが元気に育つためには、保育所や幼稚園、認定こども園などと家庭、地域住民が連携を図る必要があります。教育基本法10条では「家庭教育」、11条では「幼児期の教育」、13条では「学校、家庭及び地域住民等の相互の連携協力」について規定されています。

■ 家庭教育（教育基本法10条）■

父母その他の保護者は、子の教育について第一義的責任を有するものであって、生活のために必要な習慣を身に付けさせるとともに、自立心を育成し、心身の調和のとれた発達を図るよう努めるものとする。

2　国及び地方公共団体は、家庭教育の自主性を尊重しつつ、保護者に対する学習の機会及び情報の提供その他の家庭教育を支援するために必要な施策を講ずるよう努めなければならない。

■ 幼児期の教育（教育基本法11条）■

幼児期の教育は、生涯にわたる人格形成の基礎を培う重要なものであることにかんがみ、国及び地方公共団体は、幼児の健やかな成長に資する良好な環境の整備その他適当な方法によって、その振興に努めなければならない。

■ 学校、家庭及び地域住民等の相互の連携協力（教育基本法13条）■

学校、家庭及び地域住民その他の関係者は、教育におけるそれぞれの役割と責任を自覚するとともに、相互の連携及び協力に努めるものとする。

●アドバイス●

家庭や地域との連携については保育所保育指針にも示されている。また、子どもと子育て家庭を支える環境を整えるために定められた「子ども・子育て関連3法」の一つである「子ども・子育て支援法」や「子ども・子育て支援新制度」もあわせて確認しよう。

check

国や地方公共団体も、幼児期の教育の振興に努めなければならないとされている。

問題 次の記述で正しいものに○、誤っているものに×をつけよ。

1.「児童の権利に関する条約」によると、児童に関するすべての措置をとるに当たっては、公的若しくは私的な社会福祉施設、裁判所、行政当局又は立法機関のいずれによって行われるものであっても、児童の健康と安全が主として考慮されるものとする。

2.「日本国憲法」では、教育の機会均等に関し、「すべて国民は、ひとしく、その能力に応じた教育を受ける機会を与えられなければならず、人種、信条、性別、社会的身分、経済的地位又は門地によって、教育上差別されない」と定めている。

3.「教育基本法」の10条には、父母その他の保護者は、子の教育について第一義的責任を有するものであって、「生活のために必要な技能を身に付けさせるとともに、人間性を育成し、心身の調和のとれた発達を図るよう努めるものとする」ことが示されている。

4.「教育基本法」では、「幼児期の教育は、生涯にわたる生きる力の基礎を培う重要なものであることにかんがみ、国及び地方公共団体は、幼児の健やかな成長に資する良好な環境の整備その他適当な方法によって、その振興に努めなければならない」としている。

解答

1 ✕ **2** ✕ **3** ✕ **4** ✕

1 児童の権利に関する条約3条によると、まずは児童の「最善の利益」が考慮されなければならない。

2 日本国憲法ではなく、教育基本法4条に定められている。

3 教育基本法10条には、保護者は、子の教育について第一義的責任を有し、「生活のために必要な習慣を身に付けさせるとともに、自立心を育成し」、心身の調和のとれた発達を図るよう努めることが示されている。

4 教育基本法11条では幼児期の教育を、生涯にわたる「人格形成」の基礎を培う重要なものとしている。

教育の思想と教育方法の歴史的変遷

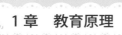

出題point
- 諸外国の教育思想と教育方法
- 日本の教育思想と教育方法

1 諸外国の教育思想と教育方法

1 ギリシャ・ローマ時代

　人間が他の誰かに何かを伝えるという営みは、人間が文化を持ち始めた頃からと考えられていますが、教育史上ではギリシャ時代が始まりとなります。ギリシャにはスパルタとアテナイ（アテネ）という有名なポリス（都市国家）がありました。スパルタでは自国を守る戦士を育成するために、男児は7歳になると共同の教育所で強靭な身体をつくるために体操を中心とした厳しい訓練を受けました。

　一方、アテナイでは身体の調和的発達のために体操が取り入れられ、音楽による美的情操の育成も行われました。

(1) ソクラテス（470B.C.-399B.C.）

　古代ギリシャの哲学者であるソクラテスは、アテナイの街角に立ち、対話の相手を見つけては「幸福とは何か」「勇気とは何か」といった疑問を投げかけて巧みな問答を行うことで、相手に自らの無知を自覚させていきました。このように「無知の知」に達することで、真の知的欲求（エロス）を起こし、自らの力で真理を発見していくとソクラテスは考えました。

(2) プラトン（427B.C.-347B.C.）

　ソクラテスに影響を受けたプラトンは、ソクラテスを主

check
　ソクラテスは「無知の知」を掲げていたが、ここでいう無知とは「何も知らないこと」といった知識などの欠如をいうのではなく、知らないのに知っていると思い込んでいる状態を指す。

アドバイス
　「無知の知」を引き出そうとする対話法は、自分の力で出産する妊婦を助ける産婆の働きにたとえて「産婆術」と呼ばれている。

人公とする対話篇のかたちで多くの著作を残しました。また、自ら創設した学園アカデメイアで、青年たちの教育活動に力を入れました。そこでは音楽、体育（槍投げ、乗馬、狩猟、レスリング、軍事訓練等）、読み書き、幾何学、天文学などの全体を通したカリキュラムを作成しました。

2 中世

　ヨーロッパではキリスト教が普及し、僧院（修道院）学校でキリスト教の教義を教え諭す教育が行われました。読み、書き、計算の基礎教育の後、**七自由科**◆が授けられ、最後に学問の最高位にあたる神学が教授されました。また、イタリア地方から誕生した中世大学は、**神学**、**法学**、**医学**、**文学**（学芸学）の4学科から成り立っていましたが、この時代の文学部は他の3学科に対して予備的な段階を成していました。

3 近世から近代

　14世紀から15世紀にかけてイタリアから始まり、16世紀にヨーロッパ各地へ広がったルネサンス◆を経て、都市では学校が発達していきました。また、印刷技術によって、書物が庶民の手にもわたるようになりました。それまで学問は特権階級のものでしたが、活字文化の成立は、大学の大衆化や民衆教育の普及を促したのです。

　近代に入り、産業革命の影響で大人が工場へ働きに行くようになると、町に残された子どもたちによる犯罪の増加や道徳的荒廃といった問題が生じてきました。そこで、子どもたちを学校に集めて教育をすることに目が向けられるようになりました。大勢の子どもたちに対し効率よく教育できるベル・ランカスター法は、産業革命時代の工場制大量生産方式に合致した教授法で、現在の一斉授業の起源といわれています。ベル・ランカスター法とは、大勢の生徒たちの中から優秀な何名かの生徒を助教（モニター）として任用し、助教は教師の指示を他の生徒に伝えるという方法で、助教法とも呼ばれています。近代には、思想家によっ

アドバイス

　プラトンの弟子であるアリストテレスは17歳でアカデメイアの門をたたき、プラトンが没するまでここで学んだ。

用語

◆七自由科

　3つの修辞学（文法、修辞学、弁証法）と4つの数学（算術、幾何学、天文学、音楽）のこと。

用語

◆ルネサンス

　教会の権威の下で束縛されていた人間性を解放し、古代の学芸を復興させようとする一大文化運動。

check

　ベル（1753-1832）とランカスター（1778-1838）は、別々の場所でこの助教法をほぼ同時に開発した。

アドバイス

　様々な思想家の教育方法を現在の教育方法と結びつけながら頭に入れていこう。

て教育に関する様々な実践や哲学的探求がなされ、次第に教育学成立へと発展する道筋ができました。

(1) コメニウス（Comenius, J.A. 1592-1670）

「近代教育学の父」と呼ばれているコメニウスはチェコの思想家で、あらゆる人にあらゆる事柄を教授するための普遍的な技法を考案しました。例えば、母国語を使用することで民衆教育の実現を目指しました。また、やさしいものから難しいものへ進んでいったり、生徒を学年別に分けたりといった方法も考案しました。これらは世界初の系統的な教育学を提示した書物といわれている『大教授学』に記されています。またコメニウスは、知識はものの観察（直観）から獲得されるべきだという考えから、絵や図を使って子どもの視覚に訴えることを主張し、世界初の絵入りの教科書といわれている『世界図絵』を著しました。

(2) ロック（Locke, J. 1632-1704）

イギリスの経験論の哲学者で、『教育に関する考察』を著しました。その中では、子どもの心は白紙のようなものであるため、外からの力によっていかようにも形成されるという白紙説（タブラ・ラサ説）を唱えました。同書序文にある「健全な身体に宿る健全な精神」という言葉をあげて、精神と身体の関係の重要性を明らかにしました。

 覚えよう！

●教育に関する思想家（1）
コメニウス：『大教授学』『世界図絵』を著した。
ロック：『教育に関する考察』を著し、白紙説（タブラ・ラサ説）を唱えた。

(3) ルソー（Rousseau, J.-J. 1712-1778）

「子どもの発見者」と呼ばれているルソーは、フランスで活躍した社会思想家で、『エミール』を著したことで有名です。その著書では、エミールという架空の男の子の誕生から結婚に至るまでの発達段階に応じた教育について論じま

✦check✦
　ルソーはその著書『エミール』の中で、「万物をつくる者の手をはなれるときすべてはよいものであるが、人間の手にうつるとすべてが悪くなる。」と説いた。また大人があれこれと手を出すものではないという消極教育を唱えた。

した。また、教育には「自然の教育」「人間の教育」「事物の教育」があると述べています。

ルソーの思想は、現実の社会に存在する悪や不幸を認識し、その起源を探求することを出発点としています。ルソーは『エミール』において、現実の社会が抱える矛盾の所在や構造や、自然と社会と教育の関係について論じました。また民主主義理論に基づいた『社会契約論』も著しました。

(4) カント（Kant, I. 1724-1804）

カントはドイツの哲学者で、ルソーが著した『エミール』の影響を受けたといわれており、人間を教育することがきわめて重要であると考えました。カントは教育の目的を、近代社会の担い手としての自由で自律的な個人の形成、すなわち「人格の完成」としました。ケーニヒスベルク大学の教育学講義録の始まりの言葉「人間は教育されなければならない唯一の被造物である」は有名です。

(5) ペスタロッチ（Pestalozzi, J.H. 1746-1827）

スイスの教育実践家であるペスタロッチは、孤児たちを収容する施設をシュタンツに建設し、そこで自分の信念に基づく教育実践を行い、そこでの実践記録『シュタンツ便り』を残しました。

また、『ゲルトルートは如何にしてその子を教えるか』では、「それはどんなかたちをしているか」「それはいくつあるか」「その名前は何か」といった形・数・語を基礎とする教授法や子どもの人間としての権利の重要性について論じました。その後、ペスタロッチは知育、徳育、体育の3領域にわたる調和的発達や、心と手と頭の調和的発達について説きました。

『隠者の夕暮』の冒頭の言葉「人間、玉座に坐っている人も、あばら家に住んでいる人も、同じであるといわれるときの人間、つまり人間の本質、それはいったい何であろうか」、『白鳥の歌』の中の「生活が陶冶する」という言葉は有名です。

🅦アドバイス🅦
「教育基本法1条」の教育の目的にも「人格の完成」がうたわれている。

ペスタロッチ
⋯▶ 上 p.128

17

(6) フレーベル（Fröbel, F.W. 1782-1852）

　ドイツの教育家であるフレーベルは、1837年、ブランケンブルクに遊戯作業学校を開設し、創造的な遊びを育てるための遊具であるガーベ（恩物）の製作・普及に努めました。そしてこの施設を「**キンダーガルテン（Kindergarten）◆**」と名付けたのです。これが世界初の幼稚園です。また、『母の歌と愛撫の歌』は、絵や詩や手指の遊戯の図解を載せて、母親が子どもに読んであげることができるようになっています。他に『人間の教育』も著しました。

覚えよう！

●**教育に関する思想家（2）**
ルソー：『エミール』『社会契約論』を著し、子どもの発見者と
　　呼ばれる。
カント：教育の目的を「人格の完成」とした。
ペスタロッチ：『幼児教育の書簡』『隠者の夕暮』『シュタンツ便り』
　　『白鳥の歌』を著した。
フレーベル：『母の歌と愛撫の歌』『人間の教育』を著した。キン
　　ダーガルテン（世界初の幼稚園）を創設し、恩物をつくった。

(7) オーエン（オーウェン）（Owen, R. 1771-1858）

　オーエンはスコットランドのニュー・ラナークの紡績工場を経営し、工場の経営に従事しながら、1816年に、工場で働く労働者家族のために「**性格形成学院**」を開設しました。そこには1～6歳の幼児を対象とした**幼児学校**も設けられました。オーエンは人間に必要な「**性格（考え方、感情、習慣）**」をつくることを教育の課題としました。

(8) ヘルバルト（Herbart, J.F. 1776-1841）

　ドイツの哲学者であり教育学者でもあったヘルバルトは、教育学を学問として体系化するために、教育の目的を倫理学で、教育の過程を心理学で基礎付けました。そして教育過程を「**管理**」「**訓練**」「**教授**」の3つの機能に分割して提示し、その中でも「**教授**」が中心的な位置を占めると説きました。「教授」とは単に知識の伝達にとどまらず、「教授」

フレーベル
•••➡ 上 p.127

check
　恩物は、球、円筒、立方体、積み木などで構成されており、単純な物からより複雑なものへと進むようになっている。

用語
◆キンダーガルテン
　ドイツ語で「子どもの庭」という意味。

アドバイス
　ペスタロッチとフレーベルは、ルソーの思想の影響を受けたといわれている。

オーエン（オーウェン）
•••➡ 上 p.128

check
　ヘルバルトはペスタロッチの学園を訪問しており、また『ペスタロッチの直観のABC』を著すなど、ペスタロッチの影響を強く受けている。

によって道徳的品性も陶冶されると考え、「**教育（訓育）的教授**」という概念を提示しました。また、『**一般教育学**』において「**明瞭・連合・系統・方法**」という4段階教授説を論じました。

　ヘルバルトの弟子のツィラーは「分析・総合・連合・系統・方法」、ラインは「予備・提示・比較・総合（概括）・応用」の5段階へと改変したことを覚えておこう。また、今日の日本の授業過程にみられる「導入・展開・まとめ」は、ヘルバルト主義の影響を受けている。

 **覚えよう！**

● **教育に関する思想家（3）** ●
オーエン：性格形成学院を創設し、そこに「**幼児学校**」を設けた。
ヘルバルト：明瞭・連合・系統・方法の4段階教授説を論じた。
　『**一般教育学**』『**ペスタロッチの直観のABCの理念**』を著した。

⑼ デューイ（Dewey, J. 1859-1952）

　アメリカの哲学者であるデューイはシカゴ大学の教授となり、そこに自らの哲学理論を検証する実験室として**シカゴ大学附属小学校（実験学校）**を創設しました。そこでは、木工、金工、編物、料理など社会的生活経験を反映させた教育実践が行われ、そこでの実践報告『**学校と社会**』を著しました。デューイは、教育をたえざる経験の**再構成**であるととらえており、子どもの学習経験が社会生活と連続性を持ち、民主主義の精神を獲得できるようなカリキュラムを組織しました。デューイが提唱した反省的思考に支えられた学習法は、今日の**問題解決学習**へとつながっています。

デューイ
•••▶ 上 p.129

　デューイは教育の中心は子どもであり、その周囲に様々な営みが組織されるとした。

⑽ モンテッソーリ（Montessori, M. 1870-1952）

　イタリアの女性医学博士であったモンテッソーリは、知的障害児の教育的治療に目を向けました。モンテッソーリは、子どもの知性は**手**を使うことで発達すると考え、子ども自らが**手**を使った作業をするための教具を開発しました。モンテッソーリは、ローマのスラム街につくられた「**子どもの家**」で知的障害児の教育のために開発した教育方法を取り入れました。そこでの教育実践は**モンテッソーリ・メソッド**、そこで使用される教具は**モンテッソーリ教具**と呼ばれ、各国の幼児教育関係者の関心を引くとともに、幼児教育界に影響を及ぼしました。

モンテッソーリ
•••▶ 上 p.130

 アドバイス
　「子どもの家」は、家庭でのしつけをされておらず、文化的で知的な環境が奪われた子どもを対象とした施設である。

覚えよう！

● **教育に関する思想家（4）**
デューイ：シカゴ大学附属小学校（実験学校）を創設。『学校
と社会』『子どもとカリキュラム』『経験と教育』『民主主義と
教育』を著した。
モンテッソーリ：スラム街に「子どもの家」をつくり、そこで
使用されたモンテッソーリ教具が有名。

⑾ キルパトリック（Kilpatrick, W.H. 1871-1965）

　アメリカの教育学者であるキルパトリックは、デューイ
の影響を受け、学習とは主体的に考えて行動することで成
り立つという生活経験論を主張しました。キルパトリック
が確立した**プロジェクト・メソッド**は、目的を設定し、計
画を立て、実行し、その成果を判断するという一連の過程
がカリキュラムや教材を規定するという活動主義を基礎と
しています。

⑿ ヴィゴツキー（Vygotsky,L.S.1896-1934）

　現在のベラルーシ共和国に生まれたヴィゴツキーは、教
育は発達を先回りするものでなければならないとする「**発
達の最近接領域**」という概念を提唱しました。

⒀ スキナー（Skinner, B.F. 1904-1990）

　アメリカの心理学者であるスキナーは、行動主義心理学
の立場から、刺激を与えれば反応が生起するという理論（S–
R理論）をもとに**プログラム学習**を提唱しました。スキナー
は、プログラム学習の開発によって現代の教育理論に対し
て大きな影響を与えました。

⒁ ブルーナー（Bruner, J.S. 1915-2016）

　アメリカの心理学者であるブルーナーは、知識を構造と
して学習させることで、科学的概念を子ども自らが発見し
ていくという**発見学習**を提唱しました。著書に『**教育の過程**』
があります。

●アドバイス

　モンテッソーリ教
具には「ピンクタ
ワー」や「差し込み
円柱」などがある。
これらの特徴は、始
めと終わりがわかり
やすいため、終わっ
たときに達成感が得
られることである。

check

　発達の最近接領
域とは、子どもが「自
力で解決できること」
と「大人が援助
したり、自分よりも
できる友達と共同し
たりして解決できる
こと」との間の距離
を大人が理解するこ
とで、子どもは試行
錯誤しながら与えら
れた多少難しい課題
を達成して次の段階
に進むことができる
というものである。

check

　プログラム学習で
は、学習者は細かい
ステップに分割され
ている学習内容を一
つ一つ解き、それに
対してすぐに解答の
正誤が与えられ、そ
の結果がすぐに学習
者の次の行動への
方向づけとなり、自
分に合ったペースで
学んでいく。

スキナー
⋯▶ 上 p.58

ブルーナー
⋯▶ 上 p.59

⒂ オーズベル（Ausubel, D.P. 1918-2008）

　アメリカの心理学者であるオーズベルは、意味を有する教材を使用し、新しい学習内容を学習者がすでに持っている知識と関連づける有意味受容学習を提唱しました。

 覚えよう！　・●・●・●・●・●・　●・●・●・●・

●教育に関する思想家（5）●
キルパトリック：活動主義を基礎とする「プロジェクト・メソッド」を確立。
ヴィゴツキー　：発達の最近接領域の概念を示した。
スキナー　　　：プログラム学習を開発した。
ブルーナー　　：発見学習を提唱し、『教育の過程』を著した。
オーズベル　　：有意味受容学習を提唱した。

2　諸外国の教育改革

　19世紀末から20世紀初頭にかけて、一斉授業の形式で教師が一方的に教える授業に対し、子どもの興味や関心に基づいた活動的な学習が追求されるようになりました。この動きは新教育運動と呼ばれ、世界的な学校改革運動として展開されました。

　アメリカでは、デューイがシカゴ大学附属小学校（実験学校）において、子どもが自発的に問題を見つけ、解決していくことで知識を身に付ける「問題解決学習」を提唱しました。デューイの思想はキルパトリックのプロジェクト・メソッドやウォッシュバーンのウィネトカ・プラン、パーカーストのドルトン・プランなどに大きな影響を与えました。

■ 諸外国の代表的な教育プラン ■

教育プラン	人物（国）	内容
ウィネトカ・プラン	ウォッシュバーン（アメリカ）	1919年にイリノイ州ウィネトカ市の小中学校で実践されたプラン。「一般共通科目」を個別学習として、「社会的・創造活動」を集団活動として行う。

ドルトン・プラン	パーカースト（アメリカ）	1920年にマサチューセッツ州ドルトンの学校で実践された「自由」と「協同」を原理とする新教育法。学習の個別化と社会化を目指し、教師と生徒がともに学習を進めていく。
イエナ・プラン	ペーターゼン（ドイツ）	1924年にドイツのイエナ大学附属学校で実践された教育計画。合科教育と共同体による集団教育。

 ## 3 日本の教育思想と教育方法

1 中世・近世

　わが国では貴族や武家の教育が中心でしたが、室町時代に入ると教育の対象は商人にも広がりました。その中で、世阿弥は芸道稽古論と呼ばれる『風姿花伝』を著しました。

　江戸時代に入ると、人間形成や教育に関心を持ち、論究する人が増えてきました。藩校や**私塾**◆では武家の教育が行われ、**寺子屋**によって庶民に対する教育の機会も増えていきました。また、国学や蘭学（後に洋学）といった学問も盛んに行われるようになりました。

■ 著名な私塾 ■

咸宜園	儒学者の広瀬淡窓が1805年に大分に開いた。
適塾	蘭学者で医者の緒方洪庵が1838年に大坂（大阪）に開いた。塾出身者には福沢諭吉、大村益次郎等がいる。
松下村塾	儒学者の吉田松陰が現在の山口県萩市で主宰した。高杉晋作、伊藤博文、山県有朋など、幕末・明治に活躍する多くの塾生を輩出した。

■ 江戸時代の主な研究者 ■

貝原益軒（1630-1714）	子どもの発達段階に応じた教授法や学習教材の配列についての「随年教法」を説き、『和俗童子訓』『養生訓』を著した。
荻生徂徠（1666-1728）	個人の徳の完成よりも、社会全体の政治課題の達成に重きを置いた。
中江藤樹（1608-1648）	「知行合一説」を唱え、陽明学の始祖といわれている。『翁問答』を著した。

2 近代（明治・大正）

(1) 学制と教育令

　1872（明治 5）年、政府は**学制**を公布しました。その趣旨には**国民皆学の理念**が示されています。

　1879（明治 12）年、**教育令**の公布により、教育の権限が国から地方に委譲されました。小学校は市町村が設置することになり、ようやく学校や学校に通う子どもが増えていきました。

(2) 森有礼と各種学校令

　1885（明治 18）年、**森有礼**は**初代文部大臣**に就任すると、教育を富国強兵の国家的な方針の実現のためのものと位置付け、国家主義的な国民教育制度の整備に着手しました。1886（明治 19）年には**小学校令**、**中学校令**、**帝国大学令**、**師範学校令**を公布して近代学校制度の基礎を定めました。小学校令では小学校を「**尋常小学校**」と「**高等小学校**」の 2 段階とし、それぞれ 4 年の課程と定めました。また保護者の児童を就学させる義務が法令化され、義務教育制度が確立しました。

　1900（明治 33）年の小学校令では授業料の徴収が禁じられ、**義務教育無償制**への歩みが始まりました。その後、就学率は 95％を超えるようになり、1907（明治 40）年に義務教育は 6 年間となりました。

■ 明治時代の教育制度 ■

1871（明治 4）年	文部省を設置
1872（明治 5）年	学制を公布
1876（明治 9）年	東京女子師範学校附属幼稚園開設（現、お茶の水女子大学附属幼稚園）
1879（明治 12）年	教育令を公布
1885（明治 18）年	森有礼が初代文部大臣に就任
1886（明治 19）年	各種学校令の制定
1890（明治 23）年	教育に関する勅語の公布

(3) 大正自由教育運動

　大正デモクラシー◆の影響のもと、教育においても児童を中心とした自由教育の主張と実践が盛んになりました。

:･check✨
「邑に不学の戸なく、家に不学の人なからしめん事を期す」と示された国民皆学の理念は、その後も義務教育の形で受け継がれている。

:･check✨
森有礼（1847 － 1889）は、西洋の知識を身に付けた啓蒙活動家からなる学術結社「明六社」を結成した人物である。

:･check✨
小学校令は 1890（明治 23）年にも改正され、尋常小学校の年限は 3 〜 4 年とされ、1900（明治 33）年の改正で再び 4 年とされた。

:･check✨
東京女子師範学校附属幼稚園の初代監事（園長）に東京女子師範学校の英語教師であった関信三、主任保姆にドイツ人の松野クララが就任した。

用語
◆大正デモクラシー
　期間については明治末期から昭和初期までの間で様々な説があるが、主に大正時代に政治、社会、文化の各方面にあらわれた民主主義的、自由主義的な運動、風潮。

■ 主な自由主義教育運動の実践者 ■

澤柳政太郎	1917（大正 6）年　成城小学校	
羽仁もと子	1921（大正 10）年　自由学園	
野口援太郎	1924（大正 13）年　池袋児童の村小学校	
赤井米吉	1924（大正 13）年　明星学園	
手塚岸衛 (きしえ)	1928（昭和 3）年　　自由ヶ丘学園	
小原國芳 (おばらくによし)	1929（昭和 4）年　　玉川学園	

　画一的な教育から子どもの心を解放しようとする芸術教育運動も盛んになり、童話教育運動である鈴木三重吉の『**赤い鳥**』運動、従来からの模範を写すだけの美術教育に異議を唱えた山本鼎(かなえ)の**自由画**教育運動が行われました。

(4) 大正期の幼児教育思想

　1917（大正 6）年、**倉橋惣三**が東京女子高等師範学校附属幼稚園の主事として着任しました。彼は、大人本位の教育を批判し、自発性を本領とする自由遊びを実践する中で充実した子どもの生活の展開を目指す「**誘導保育**」を提唱しました。

(5) 国民学校令

　昭和に入ると次第に皇国主義が強調されるようになり、教育に対する国家統制の色も濃くなりました。太平洋戦争勃発直前の 1941（昭和 16）年には小学校の名称が「**国民学校**」と改められ、学校も戦時体制へと組み込まれました。

3　現代

　1945（昭和 20）年に終戦を迎えると、日本の教育内容は一変しました。1946（昭和 21）年公布、1947（昭和 22）年施行の日本国憲法に基づき、1947（昭和 22）年に**教育基本法**や**学校教育法**が制定・施行されました。教育基本法では教育の機会均等、義務教育の無償、男女共学、教育の政治的・宗教的中立などの原則が示されました。また、学校教育法により、**6・3・3・4 制**の学校制度と **9 年間**の**義務教育制度**が確立されたほか、幼稚園は学校の一つと位置付けられました。

ここで **チャレンジ**

問題 次の記述で正しいものに○、誤っているものに×をつけよ。

1. モンテッソーリ（Montessori, M.）は、子どもが遊びに集中できる遊具として「恩物」を考案した。

2. デューイ（Dewey, J.）は、知識を構造として学習させることによって、科学的概念を子ども自らが発見していく方法を提唱した。

3. スキナーは、綿密にプログラム化された問題に対して、学習者が反応（解答）をすると、解答の正誤が与えられるといったプログラム学習を提唱した。

4. 貝原益軒は、日本における陽明学の始祖といわれており、著書に『翁問答』がある。

5. 倉橋惣三は、幼児の自発性を尊重した保育理論を展開し、「生活を、生活で、生活へ」という有名な言葉を残した。

6. 澤柳政太郎は、1936（昭和11）年に保育問題研究会を結成し、その会長に就任した。

7. 玉川学園の創始者は、羽仁もと子である。

8. 「日本国憲法」と「教育基本法」が施行されたのは、1945（昭和20）年である。

解答

1 × **2** × **3** ○ **4** × **5** ○ **6** × **7** × **8** ×

1 「恩物」を考案したのはフレーベル（Fröbel, F.W.）である。モンテッソーリは「モンテッソーリ教具」を開発した。

2 知識を構造として学習させることで科学的概念を子ども自らが発見していく発見学習を提唱したのはブルーナー（Bruner, J.S.）である。

4 問題文は中江藤樹についての記述である。貝原益軒は子どもの発達段階に応じた「随年教法」を説き、『和俗童子訓』『養生訓』を著した。

6 保育問題研究会を結成したのは城戸幡太郎である。澤柳政太郎は、成城小学校を創設し、そこで教育実践を行い、その成果を機関紙『教育問題研究』で紹介した。

7 玉川学園の創始者は小原國芳である。羽仁もと子は自由学園の創始者である。

8 「日本国憲法」は1946（昭和21）年公布、1947（昭和22）年施行。「教育基本法」は1947（昭和22）年に施行された。

教育の制度

出題
point
- 教育全般に関する教育法規
- 学校教育に関する教育法規
- 諸外国の教育制度

 教育全般に関する教育法規

　わが国における教育は「**日本国憲法**」と「**教育基本法**」
によって規定されています。

1 日本国憲法

　日本国憲法は、わが国の法律体系の頂点にある法律です。
その 26 条には誰もが**教育を受ける権利**を有することに加
え、親や大人たちの、子どもの教育を受ける権利に応える
義務と、義務教育の**無償**制について規定されています。

■ 日本国憲法 26 条 ■

　すべて国民は、法律の定めるところにより、その能力に応
じて、ひとしく教育を受ける権利を有する。
2　すべて国民は、法律の定めるところにより、その保護する
子女に普通教育を受けさせる義務を負ふ。義務教育は、これ
を無償とする。

2 教育基本法

　日本国憲法を受け、1947（昭和 22）年に成立した「教育
基本法」は日本の教育の根幹をなす法律です。

(1)教育の目的と目標

　教育基本法 1 条にはわが国の**教育の目的**、2 条には 1 条
の目的を実現するための**目標**が規定されています。

アドバイス
　教育基本法は
2006（平成 18）年
に改正された。改正
前と改正後の教育基
本法を比較しておこ
う。
教育基本法 1 条
▶ p.9

■ 教育の目標（教育基本法 2 条）■

> 　教育は、その目的を実現するため、学問の自由を尊重しつつ、次に掲げる目標を達成するよう行われるものとする。
> 一　幅広い知識と教養を身に付け、真理を求める態度を養い、豊かな情操と道徳心を培うとともに、健やかな身体を養うこと。
> 二　個人の価値を尊重して、その能力を伸ばし、創造性を培い、自主及び自律の精神を養うとともに、職業及び生活との関連を重視し、勤労を重んずる態度を養うこと。
> 三　正義と責任、男女の平等、自他の敬愛と協力を重んずるとともに、公共の精神に基づき、主体的に社会の形成に参画し、その発展に寄与する態度を養うこと。
> 四　生命を尊び、自然を大切にし、環境の保全に寄与する態度を養うこと。
> 五　伝統と文化を尊重し、それらをはぐくんできた我が国と郷土を愛するとともに、他国を尊重し、国際社会の平和と発展に寄与する態度を養うこと。

●アドバイス●
　教育基本法 4 条では教育の機会均等、5 条では義務教育、6 条では学校教育、11 条では幼児期の教育、16 条では教育行政について規定されているので、関係づけて確認しよう。

(2) 義務教育と授業料の無償制

　教育基本法 5 条では、**義務教育の目的**と、実施責任を**国及び地方自治体**が負うことが定められています。また、同条 4 項では、**授業料が無償**であることを規定しています。

■ 教育基本法 5 条 4 項 ■

> 4　国又は地方公共団体の設置する学校における義務教育については、授業料を徴収しない。

•••check
　教科書に関しては教育基本法とは別に「義務教育諸学校の教科用図書の無償に関する法律」と「義務教育諸学校の教科用図書の無償措置に関する法律」によって無償化が定められている。

2 学校教育に関する教育法規

1 学校教育法

　1947（昭和 22）年、教育基本法の下「学校教育法」が制定されました。小学校（6 年間）、中学校（3 年間）、高等学校（3 年間）である **6・3・3 制**の学校体系が導入され、義務教育期間は小学校と中学校の **9** 年間となりました。

●アドバイス●
　教育基本法と学校教育法は、教育制度において基本となる法律なので、試験に出題される可能性が高い。

(1) 法律上の学校

学校教育法１条では、学校を「**幼稚園**、小学校、中学校、**義務教育学校**、高等学校、中等教育学校、**特別支援学校**、**大学**及び高等専門学校とする」と規定しています。法律上で「学校」といえばこの９種類を意味します。この１条で規定する「学校」以外には専修学校（124条）、各種学校（134条）があります。

(2) 幼稚園の目的と目標

学校教育法22条から28条までは**幼稚園**に関する規定です。22条には幼稚園の**目的**、23条には22条の目的を実現するための**目標**が示されています。

■ 幼稚園の目的（学校教育法22条）■

幼稚園は、義務教育及びその後の教育の基礎を培うものとして、幼児を保育し、幼児の健やかな成長のために適当な環境を与えて、その心身の発達を助長することを目的とする。

■ 幼稚園教育の目標（学校教育法23条）■

一　健康、安全で幸福な生活のために必要な基本的な習慣を養い、身体諸機能の調和的発達を図ること。
二　集団生活を通じて、喜んでこれに参加する態度を養うとともに家族や身近な人への信頼感を深め、自主、自律及び協同の精神並びに規範意識の芽生えを養うこと。
三　身近な社会生活、生命及び自然に対する興味を養い、それらに対する正しい理解と態度及び思考力の芽生えを養うこと。
四　日常の会話や、絵本、童話等に親しむことを通じて、言葉の使い方を正しく導くとともに、相手の話を理解しようとする態度を養うこと。
五　音楽、身体による表現、造形等に親しむことを通じて、豊かな感性と表現力の芽生えを養うこと。

(3) 家庭及び地域における幼児期の教育の支援

学校教育法24条では、幼稚園は「**保護者及び地域住民**そ

check
　義務教育学校は、2015（平成27）年に学校教育法が改正され（2016〔平成28〕年４月１日施行）、新たに学校に加わった。

check
　保育所は学校ではなく、児童福祉法７条に規定される「児童福祉施設」である。

アドバイス
　学校教育法23条の幼稚園教育の目標は、先の教育基本法２条にある教育の目標と比較しておこう。

の他の関係者からの相談に応じ、必要な情報の提供及び助言を行うなど、家庭及び地域における幼児期の教育の支援に努めるもの」と規定しています。

(4) 入園資格

学校教育法 26 条では、「幼稚園に入園することのできる者は、満 3 歳から、小学校就学の始期に達するまでの幼児とする」と規定しています。

(5) 特別支援教育

学校教育法 72 条から 82 条には特別支援教育に関する規定があります。72 条では特別支援学校の目的、74 条では特別支援学校は幼稚園などの要請に応じて助言や援助を行うよう努めることが定められています。

■ 特別支援学校の目的（学校教育法 72 条）■

> 特別支援学校は、視覚障害者、聴覚障害者、知的障害者、肢体不自由者又は病弱者（身体虚弱者を含む。以下同じ。）に対して、幼稚園、小学校、中学校又は高等学校に準ずる教育を施すとともに、障害による学習上又は生活上の困難を克服し自立を図るために必要な知識技能を授けることを目的とする。

2 学校教育に関する規則と基準

「学校教育法施行規則」37 条には、幼稚園は年に 39 週以上教育しなければならないと定められています。また、38 条には教育課程と保育内容は文部科学大臣が別に公示する「幼稚園教育要領」によることと規定しています。

また「幼稚園設置基準」では、幼稚園の人的・物的環境について定めています。

覚えよう！

●幼稚園設置基準による規定●
・1 学級の幼児数は 35 人以下が原則（3 条）
・同年齢の幼児で学級を編制することが原則（4 条）
・園長と各学級ごとの教諭が必要（5 条）

check
学校教育法 26 条では幼稚園に入園できる幼児を規定しており、保育所の入所対象との対比で重要である。保育所は、児童福祉法 39 条により「保育を必要とする乳児・幼児」の保育をする施設と定められている。

check
学校教育法 80 条には都道府県における特別支援学校の設置義務、81 条には特別支援学級は、障害による学習上の困難又は生活上の困難を克服するための教育を行うものとすることが定められている。

3 諸外国の教育制度

(1) アメリカ合衆国

アメリカの学校教育の運営や内容は、**州政府**か市町村で統括されています。学校制度は、就学前教育、初等・中等教育、高等教育に大別され、就学義務教育の年限は9年から12年と各州によって異なります。

(2) フランス

フランスの義務教育は**3**歳から**16**歳の13年間ですが、留年や**飛び級**の制度があるため、義務教育終了時の教育段階は必ずしも一定ではありません。学校制度は、初等教育である小学校（5年）、前期中等教育である**コレージュ**（4年）、後期中等教育である**リセ**または職業リセ、高等教育に大別されます。

(3) イタリア

イタリアの義務教育は、**6**歳から**16**歳までとなっています。初等教育は6歳から10歳の5年間、前期中等教育は11歳から13歳の3年間、後期中等教育は14歳から18歳の5年間で、後期中等教育は高等学校や技術学校、職業学校で行われます。

(4) フィンランド

フィンランドの義務教育は**7**歳から**18**歳まで（基礎教育）です。6歳児を対象とする1年間の就学前教育が義務化されており、すべての6歳児は就学前教育を受ける権利をもちます。基礎教育後は、生徒は後期中等教育である高校か職業学校に進みます。

(5) ニュージーランド

ニュージーランドの義務教育は**6**歳から**16**歳の10年間ですが、多くの子どもが5歳から初等学校や地域学校に入学します。就学前教育分野では1996年に**テ・ファリキ**が策定されました。幼稚園や保育園、プレイセンターなどのカリキュラムはテ・ファリキに則っています。

🐛アドバイス

教育制度が日本と異なる国もあれば、似ている国もある。各国の事情を踏まえて考えることが大切。

🐛アドバイス

文部科学省の「諸外国の教育統計」には、日本、アメリカ合衆国、イギリス、フランス、ドイツ、中国、韓国の教育状況について示されている。

check

イタリアのレッジョ・エミリア市におけるレッジョ・エミリア・アプローチと呼ばれる実践が日本でも注目されている。

check

ニュージーランドでは、保育者が子ども一人一人に「学びの物語（Learning Stories）」と呼ばれる保育記録を作成する。「学びの物語（Learning Stories）」は子どもや保護者も日常的に見ることができるようになっている。

問題　次の記述で正しいものに○、誤っているものに×をつけよ。

1. 日本国憲法 26 条には「すべて国民は、法律の定めるところにより、その能力に応じて、ひとしく教育を受ける機会を有する」と定められている。

2. 学校教育法 24 条によると、幼稚園においては、「保護者及び地域住民その他の関係者からの相談に応じ、必要な子育て支援及び助言を行うなど、家庭及び地域における幼児期の教育の支援に努めるものとする」とされている。

3. 学校教育法 1 条では、学校を「幼稚園、保育所、小学校、中学校、義務教育学校、高等学校、中等教育学校、特別支援学校、大学及び高等専門学校とする」と定めている。

4. 学校教育法によると、幼稚園の目的は、義務教育及びその後の教育の基礎を培うものとして、幼児を保育し、幼児の健やかな成長のために適当な環境を与えて、その心身の発達を助長することである。

5. 学校教育法 81 条には、幼稚園、小学校、中学校、義務教育学校、高等学校及び中等教育学校においては、教育上特別の支援を必要とする幼児、児童及び生徒に対し、「障害による学習上又は生活上の課題」を克服するための教育を行うということが示されている。

6. ニュージーランドの就学前教育は、幼稚園やプレイセンターなど多様な就学前教育機関において提供されており、カリキュラム「テ・ファリキ」により幼児教育が展開されている。

解答

1 × **2** × **3** × **4** ○ **5** × **6** ○

1　日本国憲法 26 条には「ひとしく教育を受ける権利を有する」と定められている。

2　「必要な子育て支援」ではなく「必要な情報の提供」である。

3　保育所は「学校」ではなく、児童福祉法 7 条に規定される「児童福祉施設」である。

5　生活上の「課題」ではなく、生活上の「困難」である。

教育の実践

- 幼児期における教育の基本
- 教育課程とその歴史
- 教育の評価

 1 幼稚園教育要領

幼稚園では「**幼稚園教育要領**」、保育所では「**保育所保育指針**」、認定こども園では「**幼保連携型認定こども園教育・保育要領**」を踏まえて教育・保育を実施します。

1 幼児期における教育の基本

幼稚園教育要領1章「総則」には、幼児期の教育が「生涯にわたる**人格形成**の基礎を培う」ものであり、幼稚園教育は「幼児期の特性を踏まえ、**環境**を通して行う」ものであることが示されています。

さらに、「幼稚園教育において育みたい資質・能力」と「幼児期の終わりまでに育ってほしい姿」が明確化されています。保育所保育指針、幼保連携型認定こども園教育・保育要領にも同様のことが示されています。

■ 資質・能力の3つの柱 ■

①豊かな体験を通じて、感じたり、気付いたり、分かったり、できるようになったりする「**知識及び技能の基礎**」
②気付いたことや、できるようになったことなどを使い、考えたり、試したり、工夫したり、表現したりする「思考力、判断力、表現力等の基礎」
③心情、意欲、態度が育つ中で、よりよい生活を営もうとする「学びに向かう力、人間性等」

check
認定こども園のうち幼稚園型は幼稚園教育要領、保育所型は保育所保育指針に基づいて、保育・教育を行うことが前提となっている。

学校教育法22条 ••> p.28

❹ 教育の実践

■ 幼児期の終わりまでに育ってほしい姿 ■

（1）健康な心と体　　（2）自立心　　（3）協同性
（4）道徳性・規範意識の芽生え　　（5）社会生活との関わり
（6）思考力の芽生え　（7）自然との関わり・生命尊重
（8）数量や図形、標識や文字などへの関心・感覚
（9）言葉による伝え合い　　　　（10）豊かな感性と表現

2 教育課程の編成

　幼稚園教育要領1章「総則」には、幼稚園は、「**教育基本法及び学校教育法**その他の法令並びにこの幼稚園教育要領の示すところに従い、**創意工夫**を生かし、幼児の**心身**の発達と幼稚園及び**地域**の実態に即応した適切な教育課程を編成」しなければならないことが示されています。

学校教育法23条 ••> p.28

　また、幼稚園の1日の教育課程に係る教育時間は、**4**時間を標準とすることなどが定められています。

3 5領域のねらいと内容

5領域 ••> 上 p.97,138

　幼児の発達の側面を5つに分けて示したものを**5領域**といいます。5領域にはそれぞれに「ねらい」と「内容」が示されています。「ねらい」は幼稚園教育において育みたい資質・能力を幼児の**生活する姿**からとらえたもの、「内容」はねらいを達成するために指導する事項です。

■ 教育のねらい － 5領域 ■

健康	健康な心と体を育て、自ら健康で安全な生活をつくり出す力を養う。
人間関係	他の人々と親しみ、支え合って生活するために、自立心を育て、人と関わる力を養う。
環境	周囲の様々な環境に好奇心や探究心をもって関わり、それらを生活に取り入れていこうとする力を養う。
言葉	経験したことや考えたことなどを自分なりの言葉で表現し、相手の話す言葉を聞こうとする意欲や態度を育て、言葉に対する感覚や言葉で表現する力を養う。
表現	感じたことや考えたことを自分なりに表現することを通して、豊かな感性や表現する力を養い、創造性を豊かにする。

4 幼稚園教育要領と保育所保育指針の流れ

　2017（平成29）年に「幼稚園教育要領」と「保育所保育指針」が改訂・改定され、2018（平成30）年4月1日より施行されました。

■ 幼稚園教育要領・保育所保育指針の変遷 ■

1947 年 （昭和 22）	「教育基本法」「学校教育法」「児童福祉法」公布
1948 年 （昭和 23）	「保育要領－幼児教育の手引きー」（刊行）
1952 年 （昭和 27）	「保育指針」（刊行）
1956 年 （昭和 31）	「幼稚園教育要領」（刊行） 6 領域：健康・社会・自然・言語・音楽リズム・絵画製作
1964 年 （昭和 39）	「幼稚園教育要領」（告示）第 1 次改訂
1965 年 （昭和 40）	「保育所保育指針」（通知） 幼稚園教育要領にあわせて 4 歳から 6 歳を 6 領域に
1989 年 （平成元）	「幼稚園教育要領」（告示）第 2 次改訂 5 領域：健康・人間関係・環境・言葉・表現
1990 年 （平成 2）	「保育所保育指針」（通知）第 1 次改定 3 歳から 6 歳を 5 領域に。3 歳未満は領域を廃止
1998 年 （平成 10）	「幼稚園教育要領」（告示）第 3 次改訂
1999 年 （平成 11）	「保育所保育指針」（通知）第 2 次改定
2008 年 （平成 20）	「幼稚園教育要領」（告示）第 4 次改訂 「保育所保育指針」（告示）第 3 次改定 養護（生命の保持、情緒の安定）と教育（5 領域）
2014 年 （平成 26）	「幼保連携型認定こども園教育・保育要領」（告示）
2015 年 （平成 27）	子ども・子育て新制度の実施
2017 年 （平成 29）	「幼稚園教育要領」（告示）第 5 次改訂 「保育所保育指針」（告示）第 4 次改定 「幼保連携型認定こども園教育・保育要領」（告示）第 1 次改訂

check

　告示とは国や地方公共団体などの公の機関が官報に掲載する方法で公示するもので、法律と同様に法的な拘束力を持つ。各園、各学校は、その内容に従ってカリキュラムを作成することになる。

2 カリキュラム（教育課程）

1 カリキュラムの実際

　教育をスムーズに行うために教育の目的に沿った内容を選び、順序よく組み立てたものを**カリキュラム**といいます。何を、いつ、どのように教えるか（学習者にとっては学ぶか）を計画するために、幼稚園や小学校では**教育課程**、保育所では**全体的**な計画、年間指導計画や期間指導計画、月間指導計画（月案）、週間指導計画（週案）、一日の指導計画（日案）などを作成します。

　学習する内容をどのように選ぶか、どのように教えるかによってカリキュラムは異なってきます。まず、知識体系と生活経験のどちらに重点をおいて教育内容を組織するかという観点から、**教科カリキュラム**と**経験カリキュラム**に分けることができます。

教科カリキュラム		経験カリキュラム
学ばせたい内容を分野ごとに系統的に編成	特徴	子どもの興味・関心に基づいた編成で、体験学習・問題解決学習などが多く取り入れられる
効率よく学習できる	長所	子どもの意欲を引き出しやすい
子どもの理解度や興味・関心が反映されにくく、画一的になりやすい	短所	必要な知識や技能が網羅されない可能性がある

　また、教科間の関連をどのように配置するかによって、**教科並列型カリキュラム**、**相関カリキュラム**、**融合カリキュラム**、**広領域カリキュラム**、**コア・カリキュラム**に分けることができます。

⑴ 教科並列型カリキュラム

　多教科が1教科1教科、**並列**に配置されている形態です。例えば、地理、歴史、公民、生物、化学、物理、地学をそれぞれ学習します。

💬**アドバイス**💬

　教育課程（curriculum）の語源は「走路」「競争」「経過」を意味するラテン語の "cursus" である。16世紀後半のヨーロッパでカリキュラムという用語が教育の場で使われるようになった。

💬**アドバイス**💬

　「幼稚園教育要領」の第1章「総則」には、幼稚園における教育課程の役割と編成及び指導計画の考え方や作成上の基本的事項、留意事項について示されているので確認しておこう。

(2) 相関カリキュラム

　2科目以上の内容を関連付けて学習できるようにしたカリキュラムです。例えば、地理、歴史、公民の共通要素を関連付けて組織していくので、教科間の相乗効果が期待できます。

(3) 融合カリキュラム

　教科の枠を残しながらも、複数の教科を融合してより大きな学習領域で編成するカリキュラムです。例えば、地理、歴史、公民を社会科という新しい教科として学習します。

(4) 広領域カリキュラム

　教科をいくつか合わせたり、教科内容を統合したりしてできたいくつかの領域を構成する形態です。

(5) コア・カリキュラム

　特定の領域や問題を中核（コア）とし、教科の統合を目指すカリキュラムをコア・カリキュラムといいます。子どもの生活上の問題解決のための単元学習を中心課程におき、その周辺に知識や技能を習得するための科目や領域をおくため、重層的な構造を持つ形態となります。

2　潜在的カリキュラム

　教育の場において、教える側が意図していないにもかかわらず、子どもたちが知らず知らずのうちに影響を受けたり、何かを学んだりすることがあります。例えば「男の子は青色の紙、女の子はピンク色の紙をもっていってね」と保育者が伝えたとします。保育者は何気なく言ったかもしれませんが、何度か続くうちに子どもは「男の子の色は青、女の子の色はピンク」だと学習してしまうことがあります。このように、子どもたちが学校の文化としての価値、態度、規範、慣習などを知らず知らずのうちに身に付けていく一連のはたらきのことを、潜在的カリキュラム（隠れたカリキュラム）といいます。それに対し、教育目標に沿って、意図的・計画的に編成されたカリキュラムのことを顕在的カリキュラムといいます。

check
　1930年代にアメリカのヴァージニア州で行われたヴァージニア・プランが、コア・カリキュラムの先駆けといわれている。

アドバイス
　カリキュラムは、日本では「教育の計画」の側面が強調されるが、学習者が受け止めるすべてのもの（学習者に与えられる学習経験の総体）も意味する。

3 教育指導の原理と形態

1 教授・学習の方法原理

　授業等を通して子どもが物事を身に付けるための方法には次のようなものがあります。

■ 教授理論 ■

問題解決学習	子どもが自らの生活の中で芽生えた問いを解決する過程を通して、科学的な思考や手法を学べるようにした学習方法
系統学習	基礎的な内容から徐々に応用的な内容に発展させていくなど、学習内容を段階的に配置し、順序立てて学習させる学習方法
プログラム学習	子どもがパソコンなどの機器を用いて、一人一人に提示されたプログラムに沿って、それぞれの速度で学習を展開していく学習方法
発見学習	子ども自身が課題や解答を探求し、知識体系の構造を発見するように導く学習方法

2 指導の形式的な段階

　現在、日本の教育実践では、3段階の形式的段階（例：導入 → 展開 → まとめ）や5段階の形式的段階（つかむ → みとおす → ふかめる → まとめる → ひろげる）が行われています。これは、ヘルバルト派のラインの**5段階教授法**（予備・提示・比較・総合〔概括〕・応用）が、明治期の日本の教育にも影響を与えたためです。

ヘルバルト
•••▶ p.18

 4 教育の評価

　評価とは、子どもがどのような状態であったかを理解し、その日の活動はどうであったかを振り返り、次の日からの実践をよりよいものにしていくための手がかりを得ることです。保育の評価には、「**保育者自身の自己評価**」と「**それぞれの子どもに対する評価**」があります。

1 評価の方法

　保育の場では、カリキュラムを作成したうえで実践を行っていきます。保育者は、子どもが帰った後に保育記録をとる中で、保育者自身の自己評価とそれぞれの子どもに対する評価を行っていきます。そして、そこでの反省をもとにカリキュラムを修正することで、次の日からのよりよい実践へとつなげていきます。

　それぞれの子どもを評価するときには、「どの程度できたか」を判断する基準が必要になります。その基準の違いによって、相対評価、絶対評価、個人内評価に分けることができます。

(1) 相対評価（集団準拠評価）

　子どもが集団のどの位置にいるかを、平均値などを評価基準として評価段階を設け、統計的処理などによって明らかにしていくのが相対評価です。集団に基づく評価のため、集団準拠評価ということもあります。相対評価は、評価する側の主観が入りにくく、定員が決まっているときの選抜試験などには向いています。しかし、個人の個性などを反映しにくい、偏差値教育に陥りやすい、集団の質によって結果が左右されるといった指摘もあります。

(2) 絶対評価（目標準拠評価）

　学習者が学習目標に照らして、どのくらい学習が達成されたかをみるのが絶対評価です。その意味で、目標準拠評価ということもあります。保育の振り返りにおいても、一人一人について、何をどのように達成できたかを理解するために必要な視点です。ただし、評価の基準の設定が難しく、多くは評価者の経験によるので、評価者が変わればその評価も違ってくるという問題もあります。

(3) 個人内評価

　本人の他の教科の成績や本人自身の前の成績を評価基準とする評価方法が個人内評価です。進歩の状況をとらえたり、よくなった点を明らかにしたりするなど、「本人として

●アドバイス
　それぞれの評価の利点と問題点を整理し、理解しよう。

はどうか」を解釈し、評価をつけていく方法です。本人の長所や短所を明らかにできるので、学習や指導の方針を立てやすいといえます。しかし、前の成績や他の教科の成績といった異質なものをどうやって比較できるのかといった解釈上の問題もあります。

2 教育評価の機能

教育評価の機能には、**診断的評価**、**形成的評価**、**総括的評価**などがあります。

(1) 診断的評価

まず、**学習活動に入る前**に、学習者がどのくらいの知識や技能を持っているか把握することを診断的評価といいます。

(2) 形成的評価

学習活動の途中で、その時点までの学習がどの程度理解されているかを確認することを形成的評価といいます。学習の進行中に評価するため、その評価情報を学習者や教師にフィードバックして、学習や指導を改善する目的で行われます。

(3) 総括的評価

学習活動の最後の段階で行われる評価のことを総括的評価といいます。学習者が学習内容をどこまで消化したかを調べるのが目的です。

3 ポートフォリオ評価

近年、教育実践に対する評価法の一つとして**ポートフォリオ**◆**評価**が注目され始めています。テーマを追求するような学習活動が行われる中で、保育者による記録はもちろん、子どもの作品（実物や写真）やそれらがつくられていく**過程**での子どものつぶやきなどの感想もファイルします。こうしたファイルのことを**ポートフォリオ**といいます。ポートフォリオを教師と子ども、時には保護者なども一緒にみながら評価します。

1 教育原理

❹ 教育の実践

check
アメリカの心理学者で評価論の研究者でもあるブルーム（1913-1999）は、これら3つの評価を適切に行い、学習条件を整えていくことで、多くの学習者にとって完全習得学習（マスタリー・ラーニング）は可能であると提唱した。

用語
◆ポートフォリオ（portfolio）
「紙ばさみ」や「折りかばん」というのが元の意味である。

ここで チャレンジ

問題 次の記述で正しいものに○、誤っているものに×をつけよ。

1. 「幼稚園教育要領」には、1日の教育課程に係る教育時間は4時間を標準とすると定められている。

2. 経験カリキュラムは、学ぶ内容をそれぞれの分野に分けて系統的に教えるように編成している。

3. 顕在的カリキュラムとは、教育の場において、教える側が意図していないにもかかわらず子どもたちが学校の文化としての価値、態度、規範や慣習などを知らず知らず身に付けていく一連のはたらきのことである。

4. 絶対評価は、子ども同士を比較して、どちらが優れているかを評価する。

5. 教育評価のうち、形成的評価は、学習過程における学習がどの程度理解されているか達成状況を評価するものである。

6. 診断的評価、形成的評価、総括的評価による完全習得学習（マスタリー・ラーニング）を提唱したのはスキナー（Skinner, B.F.）である。

7. ポートフォリオ評価とは、児童生徒の学習記録や作品、感想などを時間の経過に沿ってファイルなどに整理保管して評価に利用する方法であり、個人内評価の一つである。

解答

1 ○ **2** × **3** × **4** × **5** ○ **6** × **7** ○

2 教科カリキュラムについての記述である。経験カリキュラムは、学習者の興味・関心に基づいて学習内容を編成するカリキュラムである。

3 顕在的カリキュラムとは、教育目標に沿って、意図的・計画的に編成されたカリキュラムのことである。問題文は潜在的カリキュラムについての記述である。

4 絶対評価とは、個々の学習者が、学習目標のどこまで到達したかを評価するものである。

6 完全習得学習を提唱したのはブルーム（Bloom, B.S.）である。スキナーは、学習の一形態であるオペラント条件付けを提唱し、それを教科学習に応用させたプログラム学習を構想した。

1章　教育原理

重要度

生涯学習社会における教育の現状と課題

出題
point

- 生涯教育、生涯学習の概念
- 生涯学習の種類
- 現代の教育課題

1　生涯学習社会と教育

1　生涯教育の概念

　ラングランは、1965 年にパリで開催されたユネスコの第3 回成人教育推進国際委員会で、ワーキングペーパー『**生涯教育について**』を提出しました。これがきっかけとなり、生涯教育という言葉が広がりました。

　1968 年には、ハッチンスが『**学習社会論**』を著しました。ハッチンスはそこで、教育は子どもだけでなく大人にも必要であること、また教育の目的は人が生涯を通じて人間的な存在になることにあり、それらが社会的、制度的に保障されなければならないことを提言しました。

2　生涯学習社会における教育

　生涯教育は国民の学習に関する権利の生涯保障である、という観点で生涯教育をとらえ直そうとする動きから、1981（昭和 56）年、中央教育審議会答申「生涯教育について」において、わが国の答申で初めて「**生涯学習**」という言葉が用いられ、生涯教育と**生涯学習**の関係が整理されました。この答申では、生涯教育は、**生涯学習**を支援し、援助するための**体制**だと説明され、広く社会全体が生涯教育の考え方に立って、人々の生涯を通ずる自己向上の努力を尊び、それを正当に評価する学習社会への移行が望まれる、

★check
　ラングランは、人生すべての期間における様々な時期の教育や学習である垂直的統合と、様々な教育や学習の場の統合である水平的統合を提唱した。

★check
　生涯教育には、学校教育だけに負担や期待をかけることを防ぐために、家庭教育、学校教育、社会教育の三者を有機的に統合する役割もある。

アドバイス
　生涯教育と生涯学習は混同しやすいので気を付けよう。

と示されました。さらに、学習社会を実現することにより、学歴偏重の弊害を是正して、将来の日本社会を活力ある豊かな社会にすることを提唱しました。

●昭和56年中央教育審議会の答申における定義●
生涯学習：自己の充実・啓発や生活の向上のために、各人が自発的意思に基づいて行う学習で、必要に応じ、自己に適した手段・方法を選んで生涯を通じて行うもの。
生涯教育：国民の一人一人が充実した人生を送ることを目指して生涯にわたって行う学習を助けるために、教育制度全体がその上に打ち立てられるべき基本的な理念。

その後、1984（昭和59）年から1987（昭和62）年の**臨時教育審議会**では、学校教育中心の学歴社会から生涯学習社会への転換を目指して、「生涯学習体系への移行」が主張されました。1990（平成2）年には、各都道府県に**生涯学習センター**を設置することが提言され、同年「生涯学習振興法」が制定されました。そして、2006（平成18）年の教育基本法改正において、3条に「生涯学習の理念」が規定されました。

check
「生涯学習振興法」は、正式には「生涯学習の振興のための施策の推進体制等の整備に関する法律」。

●教育基本法3条（生涯学習の理念）
第3条　国民一人一人が、自己の人格を磨き、豊かな人生を送ることができるよう、その生涯にわたって、あらゆる機会に、あらゆる場所において学習することができ、その成果を適切に生かすことのできる社会の実現が図られなければならない。

生涯学習は都道府県の**教育委員会**が事業を推進していますが、**教員**には教育機関である学校を開放するにとどまらず、住民の学習に関する相談にのることが求められています。

2　現代の教育課題

1　いじめ問題

　いじめが原因で自殺したのではないかという疑いのある事件が後を絶たず、いじめは大きな教育問題となっています。近年ではインターネットの普及などにより、いじめのかたちも変化してきました。そこで文部科学省は、いじめの防止に関する法や基本方針を策定しています。

　2013（平成 25）年 6 月、「**いじめ防止対策推進法**」が公布されました。この法律ではいじめを再定義し、国及び地方公共団体等の責務を明らかにしています。同年 10 月には「いじめ防止対策推進法」11 条に基づき、**いじめの防止等◆**のための対策を総合的かつ効果的に推進するために「いじめの防止等のための基本的な方針」が制定されました。

　2017（平成 29）年 3 月には、学校の設置者及び学校がいじめの重大事態へ適切に対応できるよう「いじめの防止等のための基本的な方針」が改定され、さらに「いじめの重大事態の調査に関するガイドライン」が策定されています。

■ いじめ防止対策推進法 1 章総則 ■

第 1 条（目的）
　この法律は、いじめが、いじめを受けた児童等の教育を受ける権利を著しく侵害し、その心身の健全な成長及び人格の形成に重大な影響を与えるのみならず、その生命又は身体に重大な危険を生じさせるおそれがあるものであることに鑑み、児童等の尊厳を保持するため、いじめの防止等（いじめの防止、いじめの早期発見及びいじめへの対処をいう。以下同じ。）のための対策に関し、基本理念を定め、国及び地方公共団体等の責務を明らかにし、並びにいじめの防止等のための対策に関する基本的な方針の策定について定めるとともに、いじめの防止等のための対策の基本となる事項を定めることにより、いじめの防止等のための対策を総合的かつ効果的に推進することを目的とする。

第 2 条（定義）
　この法律において「いじめ」とは、児童等に対して、当該

💬アドバイス💬
　文部科学省の「令和 4 年度児童生徒の問題行動・不登校等生徒指導上の諸課題に関する調査結果について」によれば、小・中・高・特別支援学校におけるいじめの認知件数は 68 万 1,948 件であり、前年度より 6 万 6,597 件増加した。

用語
◆いじめの防止等
　いじめの防止、いじめの早期発見及びいじめへの対処をいう。

💬アドバイス💬
　「いじめ防止対策推進法」は 35 条から成り立っている。内容を確認しておこう。

児童等が在籍する学校に在籍している等当該児童等と一定の人的関係にある他の児童等が行う心理的又は物理的な影響を与える行為（インターネットを通じて行われるものを含む。）であって、当該行為の対象となった児童等が心身の苦痛を感じているものをいう。（2〜4項略）

第3条（基本理念）

いじめの防止等のための対策は、いじめが全ての児童等に関係する問題であることに鑑み、児童等が安心して学習その他の活動に取り組むことができるよう、学校の内外を問わずいじめが行われなくなるようにすることを旨として行われなければならない。

2　いじめの防止等のための対策は、全ての児童等がいじめを行わず、及び他の児童等に対して行われるいじめを認識しながらこれを放置することがないようにするため、いじめが児童等の心身に及ぼす影響その他のいじめの問題に関する児童等の理解を深めることを旨として行われなければならない。

3　いじめの防止等のための対策は、いじめを受けた児童等の生命及び心身を保護することが特に重要であることを認識しつつ、国、地方公共団体、学校、地域住民、家庭その他の関係者の連携の下、いじめの問題を克服することを目指して行われなければならない。

✦✦✦check✦✦
「いじめ問題への的確な対応に向けた警察との連携等の徹底について（通知）」（令和5年2月7日　文部科学省）には、「犯罪に相当する事案を含むいじめ対応における警察との連携の徹底」について示されている。学校は、いじめ事案に関して警察へ適切に相談・通報し、警察と連携することが求められている。

2　不登校

文部科学省によると、「不登校児童生徒」とは「何らかの心理的、情緒的、身体的あるいは社会的要因・背景により、登校しないあるいはしたくともできない状況にあるために年間30日以上欠席した者のうち、病気や経済的な理由による者を除いたもの」と定義されています。

文部科学省の「令和4年度児童生徒の問題行動・不登校等生徒指導上の諸課題に関する調査結果について」によれば、小学校、中学校における不登校児童生徒数は29万9,048人で、児童生徒数の3.2%を占めています。高等学校においては6万575人で、高等学校在籍者の2.0%を占めています。

不登校児童生徒数が増え続けていることから、文部科学省は「不登校児童生徒への支援の在り方について（通知）」（令

和元年）において、不登校児童生徒への支援に対する基本的な考え方を示しています。これまでの「学校へ行かなければならない」という考え方から、児童生徒が望めば、フリースクールなど**学校以外の場所**でも**学習の機会を確保**していくという考え方に変わりました。

■ 不登校児童生徒への支援の在り方について（通知）■
（令和元年　文部科学省）

（1）支援の視点

　不登校児童生徒への支援は，「学校に登校する」という結果のみを目標にするのではなく，児童生徒が自らの進路を主体的に捉えて，社会的に自立することを目指す必要があること。また，児童生徒によっては，不登校の時期が休養や自分を見つめ直す等の積極的な意味を持つことがある一方で，学業の遅れや進路選択上の不利益や社会的自立へのリスクが存在することに留意すること。

（2）学校教育の意義・役割

　（略）また，児童生徒の才能や能力に応じて，それぞれの可能性を伸ばせるよう，本人の希望を尊重した上で，場合によっては，教育支援センターや不登校特例校，ＩＣＴを活用した学習支援，フリースクール，中学校夜間学級（以下，「夜間中学」という。）での受入れなど，様々な関係機関等を活用し社会的自立への支援を行うこと。

　その際，フリースクールなどの民間施設やＮＰＯ等と積極的に連携し，相互に協力・補完することの意義は大きいこと。

---

3 子どもの貧困

　日本では 1990 年代半ばより、子どもの貧困率が上昇傾向にありました。貧困の連鎖によって、子どもの将来が閉ざされることはあってはならないという決意のもと、2013（平成 25）年に「**子どもの貧困対策の推進に関する法律**」が成立し、翌年には「**子供の貧困対策に関する大綱**」が策定されました。2019（令和元）年には、この法律や大綱が見直され、一部変更されました。

💬アドバイス💬
　さらに文部科学省は、2023（令和5）年3月に、不登校によって学ぶことができない子どもをゼロにするために「誰一人取り残されない学びの保障に向けた不登校対策」（COCOLOプラン）を取りまとめたので、内容を確認しておこう。

■ 子どもの貧困対策の推進に関する法律 ■

第1条（目的）
　　この法律は、子どもの現在及び将来がその生まれ育った環境によって左右されることのないよう、全ての子どもが心身ともに健やかに育成され、及びその教育の機会均等が保障され、子ども一人一人が夢や希望を持つことができるようにするため、子どもの貧困の解消に向けて、児童の権利に関する条約の精神にのっとり、子どもの貧困対策に関し、基本理念を定め、国等の責務を明らかにし、及び子どもの貧困対策の基本となる事項を定めることにより、子どもの貧困対策を総合的に推進することを目的とする。

　「**子供の貧困対策に関する大綱〜日本の将来を担う子供たちを誰一人取り残すことがない社会に向けて〜**」（令和元年内閣府）は、目的、基本的方針、子供の貧困に関する指標、指標の改善に向けた重点施策で構成されています。
　「**第2　子供の貧困対策に関する基本的な方針**」には、「親の妊娠・出産期から子供の社会的自立までの切れ目ない支援」「支援が届いていない、又は届きにくい子供・家庭への配慮」などが示されています。「**第3　子供の貧困に関する指標**」では、子どもの貧困状況を適切に把握できるように、子どもの貧困に関する39の指標を設定しています。さらに、「**第4　指標の改善に向けた重点施策**」には、全ての子どもが安心して質の高い**幼児教育・保育**を受けられるための幼児教育・保育の無償化や、保育士等の専門性を高め、**キャリアアップ**が図られるよう、職員の配置や処遇改善等を通じた幼児教育・保育・子育て支援の更なる質の向上を推進していくことが明記されています。

4 持続可能な開発のための教育（ESD）

　持続可能な開発のための教育（**ESD**◆）とは、環境や貧困、人権等の様々な現代社会の課題を**自らの問題**としてとらえ、身近なところから取り組むことで、それらの課題の解決につながる**価値観**や**行動**を生み出し、それによって**持続可能**

check
　「子どもの貧困対策の推進に関する法律」の8条には、政府は子どもの貧困対策に関する大綱を定めなければならないこと、9条には都道府県や市町村は、大綱を勘案して、子どもの貧困対策についての計画を定める必要があることが記されている。

用語
◆ ESD
　Education for Sustainable Development の略。

な社会を創造していくことを目指す学習や活動です。ESD
は、持続可能な社会を担っていく者を育むための教育であ
り、幼稚園教育要領や小・中・高等学校の学習指導要領には、
持続可能な社会を構築する視点について盛り込まれていま
す。

■ 幼稚園教育要領（前文）■

　これからの幼稚園には，学校教育の始まりとして，こうした
教育の目的及び目標の達成を目指しつつ，一人一人の幼児が，
将来，自分のよさや可能性を認識するとともに，あらゆる他者
を価値のある存在として尊重し，多様な人々と協働しながら
様々な社会的変化を乗り越え，豊かな人生を切り拓き，持続可
能な社会の創り手となることができるようにするための基礎を
培うことが求められる。このために必要な教育の在り方を具体
化するのが，各幼稚園において教育の内容等を組織的かつ計画
的に組み立てた教育課程である。

　日本ユネスコ国内委員会は、文部科学省のホームページ
上に、ESD の実施に必要な観点を示しています。

■ ESD の 2 つの観点 ■

・人格の発達や、自律心、判断力、責任感などの人間性を育む
　こと
・他人との関係性、社会との関係性、自然環境との関係性を認
　識し、「関わり」、「つながり」を尊重できる個人を育むこと

　そのため、環境、平和や人権等の ESD の対象となる様々な
課題への取組をベースにしつつ、環境、経済、社会、文化の各
側面から学際的かつ総合的に取り組むことが重要です。

　また、2015 年 9 月に国連で採択された「持続可能な開発
のための 2030 アジェンダ」には、17 の持続可能な開発の
ための目標（**SDGs**◆）が示されました。「持続可能な開発目
標」（SDGs）は、格差問題、持続可能な消費や生産、気候
変動対策など、すべての国に適用される目標です。

👀check✦
　日本が国際連合総
会で提案した「国連
持続可能な開発の
ための教育の 10 年
（UNDESD）」（2005
～ 2014 年）が採択
されて以降、文部科
学省は、学校教育
や社会教育において
ESD を進めてきた。
2015 年以降も ESD
を一層強く進めてい
くために、ESD の活
動を学校教育現場
などに波及させてい
く必要がある。

👀check✦
　「教育振興基本計
画」（平成 30 年閣議
決定）の「次期教育
振興基本計画につ
いて（答申）」（令和
5 年 3 月 8 日）には、
「主体的に社会の形
成に参画する態度の
育成・規範意識の醸
成」を実現するため
の施策の一つに「持
続可能な開発のため
の教育(ESD)の推進」
が示されている。

用語
◆ SDGs
　Sustainable Devel-
opment Goals の 略
（Gs は Goals の略）。
エス・ディー・ジー
ズと読む。

アドバイス
　17 の持続可能な
開発のための目標
（SDGs）には何があ
るかを確認しておこ
う。

ここで チャレンジ

問題 次の記述で正しいものに○、誤っているものに×をつけよ。

1. 教育基本法3条には、国民一人一人が、「その生涯にわたって、あらゆる機会に、あらゆる場所において学習すること」ができる「社会の実現が図られなければならない」と示されている。

2. 生涯教育とは、人々が生涯にわたって行う学習を援助し、推進するもので、家庭教育・学校教育・社会教育を有機的に統合するものである。

3. ラングランは、『学習社会論』の中で学習社会の構築を提言した。

4. 「いじめ防止対策推進法」には、「いじめの防止等のための対策は、いじめが全ての児童等に関係する問題であることに鑑み、児童等が安心して学習その他の活動に取り組むことができるよう、学校内ではいじめが行われなくなるようにすることを旨として行われなければならない」と示されている。

5. 「子供の貧困対策に関する大綱」には、「保育士等の専門性を高め、保育の質の向上が図られるよう、保育士等の給与状況を把握し、施策の効果を検証しながら更なる処遇改善に取り組む」ことが明示されている。

6. 国際連合は、2005年から2014年までを「国連持続可能な開発のための教育の10年（UNDESD）」とし、ユネスコ主導のもとESDの重要性を提唱した。

7. 幼稚園教育要領の前文には、これからの幼稚園には、学校教育の始まりとして、一人一人の幼児が「平和な国家」の創り手となることができるようにするための基礎を培うことが求められると示されている。

解答

1 ○ **2** ○ **3** × **4** × **5** × **6** ○ **7** ×

3 『学習社会論』を著し学習社会の構築を提言したのはハッチンスである。

4 いじめ防止対策推進法3条には、「いじめの防止等のための対策」は、「学校内」にとどめず、「学校の内外を問わず」行うよう示されている。

5 「保育の質の向上」ではなく、「キャリアアップ」である。

7 「平和な国家」ではなく「持続可能な社会」である。

2章

社会的養護

学習ポイント

・社会的養護の現状について出題されます。子どものいる家庭における
　子育てに対する支援並びに子どもの権利利益の擁護のとらえ方や、ニー
　ズに応じた養育の提供と施設の抜本改革なども押さえておきましょう。
・社会的養護にかかわる専門職の倫理と責務や援助技術などを理解しま
　しょう。
・こども家庭庁が設置されたことから、児童福祉法、児童虐待防止法を
　含め関連法等、幅広い法改正が続いています。それぞれの内容と関係
　を押さえておきましょう。

社会的養護の歴史と児童の権利擁護

出題
point
- 社会的養護の歴史
- 児童福祉法による児童福祉の理念
- 児童憲章、児童の権利に関する条約

1 近代における社会的養護

　明治時代の初め頃は堕胎や間引きなどで子どもが犠牲になることが後を絶たなかったため、1868（明治元）年に堕胎禁止令が定められました。その後、1871（明治4）年に棄児養育米給与方、1873（明治6）年に三子出産の貧困者への養育料給与方、1874（明治7）年に恤救規則◆が定められました。

　1900（明治33）年には、留岡幸助らの努力により、非行少年の教育・保護を目的とした感化法が制定され、現在の児童自立支援施設の前身となる感化院が各地に設置されました。

　昭和の時代に入ると、従来の救貧行政では応じきれない貧困問題に対応するため、1929（昭和4）年に救護法が制定され、貧困の公的救済が義務付けられ扶助内容も明記されました。救護施設の一つとして孤児院（現在の児童養護施設）がありました。

　1933（昭和8）年には、昭和恐慌や凶作の中、家計を助ける道具として子どもが扱われたことを背景として、(旧)児童虐待防止法◆が制定されました。また母子心中事件が多発したことを契機として1937（昭和12）年には母子保護法が制定され、母子の保護や不良防止の対策が講じられました。

◆恤救規則
　相互扶助や「無告ノ窮民」を対象と定めた居宅救済で、最大50日を限度として生活に最低必要な米代の支給を行う。行政による救済義務規定はなかった。また、救済の対象は15歳以下（後に13歳以下）の孤児に限られていた。

◆ (旧)児童虐待防止法
　同法は、1947（昭和22）年に制定された児童福祉法にその内容が引き継がれ、廃止されており、2000（平成12）年に成立した児童虐待防止法とは区別される。

2　宗教関係者や民間篤志家の慈善救済事業

　明治期に入ると、仏教やキリスト教といった宗教関係者や民間の篤志家による慈善救済事業も展開されるようになりました。こうした取り組みは欧米の養護理念の実践の影響を受けたものであり、現在の児童福祉施設の基礎となっています。

　児童福祉法制定以前の子どもの社会的養護に関わる施設の設立状況を中心にまとめると次のようになります。

■ 児童福祉法制定以前の主な社会的養護に関わる施設 ■

1869（明治2）年	松方正義：日田養育館
孤児・棄児・貧児の保護を行う。	
1887（明治20）年	石井十次：岡山孤児院
日露戦争や大地震、飢饉などによって孤児になった子どもの養護のため、岡山孤児院を設立。「孤児の父」と呼ばれる。	
1891（明治24）年	石井亮一：滝乃川学園
濃尾地震の被災孤児のための施設「孤女学院」を開設。後に、日本で最初の知的障害児施設「滝乃川学園」を設立。石井亮一は、「知的障害児教育の父」と呼ばれる。	
1899（明治32）年	留岡幸助：家庭学校
巣鴨家庭学校を設立し、非行少年に対する感化教育を夫婦小舎制により実践。1914（大正3）年に北海道にも設立。	
1900（明治33）年	野口幽香・森島峰（美根）：二葉幼稚園
東京四谷のスラム街でフレーベル教育を実践する。	
1903（明治36）年	伊沢修二：楽石社
日本で最初の言語障害児施設を設立。吃音矯正事業に取り組む。	
1921（大正10）年	柏倉松蔵：柏学園
日本で最初の肢体不自由児施設を設立。	
1942（昭和17）年	高木憲次：整肢療護園
肢体不自由という言葉を提唱し、「肢体不自由児の父」と呼ばれる。日本肢体不自由者リハビリテーション協会（現在の日本障害者リハビリテーション協会）を設立。	
1946（昭和21）年	糸賀一雄：近江学園
糸賀一雄は、「障害者福祉の父」と呼ばれる。「この子らを世の光に」の信念のもと池田太郎・田村一二とともに障害者福祉に取り組む。	

check
　石井十次は、キリスト教慈善思想の影響を受け、バーナードホームをモデルとして「岡山孤児院12則」をまとめた。これは、社会的養護にも大きな影響を残している。

check
　石井亮一は、アメリカの障害児教育、心理学、今日的な医学を学び、夫人の筆子とともに、知的障害児に対して、医学的治療、教育としての訓練、生活を通しての指導に努めた。

check
　留岡幸助は、家庭学校で、豊かな自然環境の中で家族主義に基づいて生活・教育・職業訓練を行った。

check
　野口幽香は、二葉幼稚園を開設し、貴族や有産階級に限られていた幼児教育を貧しい子どもたちに施した。

check
　糸賀一雄らは、「この子らに」ではなく「この子らを」と、障害のある子どもたちが世の中の光であるとした考えを示し、実践した。

3 社会的養護の制度

1 児童福祉法

　終戦後、街には戦災孤児、引き揚げ孤児などがあふれ、これらを緊急に保護する必要がありました。数回にわたる緊急保護対策が実施されたあと、1947（昭和22）年に児童福祉法が制定され、児童の社会的養護が体系化されました。旧児童虐待防止法などの法律の対象は、要保護児童などの一部の児童に限られていましたが、児童福祉法は、**すべての児童**を対象としました。

　翌年には、**児童福祉施設最低基準**（現在の「児童福祉施設の設備及び運営に関する基準」）により、施設の設備、職員の資格、配置する人員などが細かく規定されました。

　2016（平成28）年改正前は、「すべて国民は」と記載されていましたが、改正後には「全て児童は」と主語が大人から子どもに変わりました。また、「権利」という文言が導入されました。つまり、**子どもが権利の主体**として位置付けられたということになります。

　2019（令和元）年の改正においては、施設長等による体罰の禁止や児童相談所の機能強化などに関する規定が整備され、2022（令和4）年においては、「こども家庭センター」や「司法審査」導入など近年の動向に合わせた改正がされました。

2 児童福祉法による児童福祉の理念

　児童福祉法は、**児童養育の責任**を保護者とともに国及び地方公共団体が負うという**公的責任**を確立し、児童福祉審議会、児童福祉司、保育所、児童相談所などの規定や、福祉の措置及び**保障**、事業及び施設、**費用**などについて定めたものです。1条には児童福祉の理念が示されています。

check
　児童福祉施設最低基準は、児童が明るく衛生的な環境において、専門職員の指導のもと適切に育成されることを保障することを目的に定められた。

覚えよう！

●児童福祉法による児童に関する定義●
- ①乳　児：満 1 歳に満たない者
- ②幼　児：満 1 歳から、小学校就学の始期に達するまでの者
- ③少　年：小学校就学の始期から、満 18 歳に達するまでの者
- ④障害児：身体に障害のある児童、知的障害のある児童または精神に障害のある児童

3 児童憲章

　1951（昭和 26）年には国会で児童憲章が採択され「児童は、人として尊ばれる」「児童は、社会の一員として重んぜられる」「児童は、よい環境のなかで育てられる」と宣言されました。大人は、子どもが様々なニーズを持ち、生存権・生活権・発達権といった基本的人権を有する存在であることを認識し、その権利を尊重しなければならないとされたのです。

4 児童の権利に関する条約（子どもの権利条約）

　1989（平成元）年の国際連合総会において採択された「児童の権利に関する条約」では、子どもは年齢や成熟度に応じて「児童に影響を及ぼすすべての事項について自由に自己の意見を表明する権利を確保する」とされ、「権利を行使する主体」として位置付けられ、受動的な権利から能動的な権利へと変わりました。こうした規定は、子どもを、最善の利益が保障される存在、成長し発展する途上にある人間と位置付けたうえで、子どもが権利を行使しようとした時、周囲の大人がそれを支援する、という成長発達援助型子ども観◆を示すものだといえるでしょう。また、児童の権利に関する条約には、子どもの意見表明権が明記されています。

5 子どもの権利擁護と保育士の役割

　子どもは恩恵的に保護するものであるという恩恵的福祉観や、子どもは未熟な存在で大人から支配されるものであるという支配的子ども観は、現在でも根強く存在しており、子どもの権利が十分に守られているとはいえません。権利

check
児童福祉では公的責任を果たすための「措置（行政処分）」が存続している。

児童憲章
⇢ p.10
上 p.161,254

check
「児童の権利に関する条約」の発効は 1990 年で、日本は 1994（平成6）年に批准し、158 番目の締約国となった。

用語
◆成長発達援助型子ども観
　子どもは豊かに伸びていく可能性をその内に秘めており、保育者は子どもに寄り添い、一人一人の育ちを援助していくという考え方。「子ども中心の保育」ともいえる。

を侵害された子どもを、「癒し回復する」という過程を経るために、手厚い支援が必要であり、保育士には、高度な知識・技術と子どもの権利擁護の担い手としての役割が求められています。

6 その他の規定

このほかの子どもの権利擁護を目的とした法律としては、1999（平成11）年制定の「児童買春、児童ポルノに係る行為等の規制及び処罰並びに児童の保護等に関する法律（児童買春・児童ポルノ禁止法）」や2000（平成12）年制定の「児童虐待の防止等に関する法律（児童虐待防止法）」、2001（平成13）年制定の「配偶者からの暴力の防止及び被害者の保護等に関する法律（DV防止法）」などがあります。

また、国際的な児童福祉の理念を示すものとしては、1922（大正11）年の世界児童憲章、1924（大正13）年の児童の権利に関するジュネーブ宣言、1959（昭和34）年の児童権利宣言があります。また、1979（昭和54）年には、「児童権利宣言」の20周年を記念して国際児童年が実施されました。

そのうちの、児童権利宣言は、1948（昭和23）年の世界人権宣言を受けて宣言されたもので、子どもの権利について「児童の最善の利益」（2、7条）や「人格の完全な、かつ、調和した発展のため、愛情と理解とを必要とする」（6条）といった表現が用いられています。

check

児童福祉施設においては子どもの意見をくみとる体制が十分には整っていないため、今後は「子どもの権利ノート」などの活用が求められる。

児童買春・児童ポルノ禁止法
→ 上 p.178

児童虐待防止法
→ p.103
上 p.178,208

DV
→ p.104

DV防止法
→ 上 p.212

児童権利宣言
（児童の権利に関する宣言）
→ 上 p.157,254

■ 児童福祉の理念 ■

- **世界児童憲章**（1922〔大正11〕年　イギリス）
「すべての子どもは、身体的、心理的、道徳的および精神的な発達のための機会が与えられなければならない」
- **児童の権利に関するジュネーブ宣言**（1924〔大正13〕年）
（ジュネーブ宣言、国際連盟総会第5会期採択）
「児童に対して最善のものを与えるべき義務を負う」
- **児童権利宣言**（1959〔昭和34〕年）
（児童の権利に関する宣言、国際連合第14回総会採択）
「すべての児童が権利と自由を享有することができる」

4 子どもを取り巻く環境の変化と虐待

1 少子化の背景

少子化の背景としては、①ライフスタイルや家族観の変化による、**未婚化**や**非婚化**の進行、②女性の社会進出やワーク・ライフ・バランス（仕事と生活の調和）をとることによる**晩婚化**や**晩産化**の進行が要因としてあげられています。また、経済的な問題や家族・地域からの**孤立**、社会的支援の不足により、子どもの養育コストが増大していることも要因として指摘されています。一方、子育てよりも仕事やプライベートを充実させるために、「産まない」という選択をする女性も増えています。

2 世帯構造の多様化

少子高齢社会の進展に伴って、家族そのもののあり方も変化しています。世帯構造の変化をみると、高齢者単身世帯や高齢者以外の単独世帯、**夫婦のみ世帯**、**ひとり親世帯**◆が増加しているのに対して、夫婦と子世帯や三世代世帯を含むその他世帯が、減少傾向にあります。

3 社会経済状況の変化

近年の社会経済状況は、**共働き世帯**や**非正規雇用**を増加させるなど、労働環境を大きく変化させました。こうした変化は、男女平等社会や多様な働き方が推進されていると考えることができます。一方、非正規雇用による収入減やひとり親世帯の増加などにより、相対的貧困率が高くなっており、社会問題となっています。

4 養護問題としての児童虐待

家族と子どもを取り巻く環境の悪化は、安心して子育てすることや、子どもの成長・発達に、様々な影響を及ぼしています。特に、子どもの**心身の発達**や**人格形成**に大きな影響を与える児童虐待は、大きな問題となっており、その発生予防や早期発見・早期対応、保護と自立支援といった総合的な支援体制の整備が急務となっています。

2 社会的養護

❶ 社会的養護の歴史と児童の権利擁護

 check
養育コストと経済的問題は、「産みにくい」「育てにくい」社会となり、少子化を加速させている。

用語
◆**ひとり親世帯**
母または父と未婚の子から成る世帯のこと。

 check
「親権制限事件及び児童福祉法に規定する事件の概況（令和5年1月～12月）」（最高裁判所事務総局家庭局）によると、2023（令和5）年は親権喪失の審判で24件、親権停止の審判では79件が認められた。親権の喪失は実父が、停止されたのは実母が最も多い。

虐待介入において大きな課題だった親権に関する民法の規定が、子どもの権利利益擁護の観点から改正されました。2012（平成24）年4月施行の民法及び児童福祉法の改正により、従来の親権喪失に加え、2年以内の期間を定めて親権停止を行うことができる制度の導入と、法人または複数の未成年後見人の選任が認められるようになりました。

さらに、2019（令和元）年には児童虐待防止法の改正において、親権者等による体罰を禁止し、民法に規定されていた懲戒権は、2022（令和4）年12月に削除されました。

親権停止
⋯▶ 上 p.187

5 養護問題発生の理由

「児童養護施設入所児童等調査の概要（令和5年2月1日現在）」によると、養護問題発生理由は、里親では「母の精神疾患等」が14.8％、児童養護施設では「母の放任・怠だ」が16.4％、児童心理治療施設では「児童の問題による監護困難」が34.7％、児童自立支援施設では「児童の問題による監護困難」が64.3％、乳児院では「母の精神疾患等」が24.6％、ファミリーホームでは「養育拒否」が13.5％、自立援助ホームでは「父の虐待・酷使」が17.8％、が最も高くなっています。一般的に「虐待」とされる「放任・怠だ」「虐待・酷使」「棄児」「養育拒否」を合計すると、里親は全体の43.1％、児童養護施設は51.1％、児童心理治療施設は45％、児童自立支援施設は22.4％、乳児院は33.9％、ファミリーホームは48.2％、自立援助ホームは54％となっています。また、虐待を理由として児童福祉施設に入所する障害のある児童は増加傾向にあり、児童虐待が深刻化していることがわかります。

check

入所児童等の心身の状況は、里親については29.6％、児童養護施設においては42.8％が障害ありとなっている（児童養護施設入所児童等調査の概要〔令和5年2月1日現在〕）。

6 児童虐待相談対応件数

全国の児童相談所における児童虐待に関する相談件数は、過去最多の21万9170件となっています。前年度と比べ、心理的虐待に係る相談対応件数が4,760件増え、警察等からの通告が9,861件増えています。関係機関の児童虐待防止に対する意識や感度が高まり、関係機関からの通告が増

check

児童相談所に寄せられた虐待相談の経路は警察・近隣・知人・家族・親戚・学校等からが多くなっている。

えているという傾向がうかがえます。

■ 児童相談所における児童虐待相談対応件数 ■

年度	2017 （平成 29）	2018 （平成 30）	2019 （令和元）	2020 （令和 2）	2021 （令和 3）	2022 （令和 4）
件数	133,778	159,838	193,780	205,044	207,660	219,170

7 近年の法改正

　児童虐待の相談対応件数の増加など、子育てに困難を抱える世帯がこれまで以上に顕在化してきている状況等を踏まえ、子育て世帯に対する包括的な支援のための体制強化等を行うことから、児童福祉法等の一部を改正する法律が2022（令和 4）年 6 月に成立しました。**こども家庭センター**の設置、児童発達支援センターの一元化、**里親支援センター**の児童福祉施設としての位置づけ、児童自立生活援助の年齢による一律の利用制限を弾力化、「親子再統合支援事業」「社会的養護自立支援拠点事業」「意見表明等支援事業」「妊産婦等生活援助事業」等の新設などについて改正されています。

　また、2023（令和 5）年 4 月に「**こども基本法**」が施行されました。次代の社会を担う全ての子どもが、生涯にわたる人格形成の基礎を築き、自立した個人としてひとしく健やかに成長することができ、心身の状況、置かれている環境等にかかわらず、その権利擁護が図られ、将来にわたって幸福な生活を送ることができる社会の実現を目指し、子ども施策を総合的に推進することが規定されています。さらに、子ども施策を一元的に統括する「**こども家庭庁**」が2023（令和 5）年 4 月に発足しました。

　その他にも、近年の児童問題の複雑化・多様化に伴い、「児童相談所運営指針」が改正され、2024（令和 6）年 4 月1 日から適用されています。

ここで **チャレンジ**

問題 次の記述で正しいものに○、誤っているものに×をつけよ。

1. 親権喪失は、2年以内と期限が定められている。

2. 石井亮一は、非行少年の感化教育を行う家庭学校を設立した。

3. 児童福祉法の改正によって、児童福祉施設の長、里親、ファミリーホームの養育者に対しても体罰が禁じられている。

4. 晩婚化・晩産化は収入の安定が得られやすく少子化を改善する側面がある。

5. 保育士には、高度な知識・技術と子どもの権利擁護の担い手としての役割が求められている。

6. 児童養護施設に入所する際の養護問題の発生理由で最も多いのは、父・母の死亡である。

7. 少子化の背景には、その要因として、ライフスタイルや家族観の変化による未婚化・非婚化の進行、女性の社会進出やワーク・ライフ・バランスをとることによる晩婚化・晩産化の進行があげられている。

解答

1 × **2** × **3** ○ **4** × **5** ○ **6** × **7** ○

1 最長2年の期限が定められているのは、親権停止である。親権喪失は無期限である。

2 家庭学校を設立したのは留岡幸助である。

4 晩婚化・晩産化は親となる年齢を押し上げ、少子化を加速させる可能性がある。

6 養護問題の発生理由で最も多いのは「母の放任・怠だ」である。

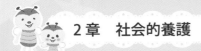

section 2　社会的養護の体系

出題point
- 社会的養護の定義と体系
- 施設養護（家庭的養護を含む）と家庭養護の種類と仕組み
- 里親委託ガイドライン

1　社会的養護の定義

　社会的養護とは、子どもの成長・発達を援助するための**保護**や**養育・教育・保育**を**社会が行う**ことを意味します。社会的養護が実践される場では、福祉と教育が統一的に営まれなければならず、子どもの**生存を保障**する機能だけでなく**人間形成**のための諸機能も持つ必要があります。

　また、社会的養護では、子どもの成長・発達の保障を行うことによって、子ども自身が、社会規範や自己肯定感を獲得し、一人の社会人として自立した生活を送れるように**エンパワメント**◆を行います。援助する側（大人）と援助される側（子ども）との間の相互作用に基づいて子どもの養護が実践されています。

覚えよう！

●**社会的養護の諸機能**●
①**予防機能**：家庭問題発生の防止を目的とした親支援等
②**補完機能**：家庭養護機能の欠如への対応
③**治療機能**：非社会的・反社会的行動、障害のある子どもの治療
④**代替機能**：家庭養護を代替する施設サービスや諸制度
⑤**その他**　：ひとり親家庭の支援的機能、親子関係の再構築機能

check
　児童憲章の2項において、「すべての児童は、家庭で、正しい愛情と知識と技術をもつて育てられ、家庭に恵まれない児童には、これにかわる環境が与えられる」と宣言されており、家庭養護の重要性が示されている。

用語

◆エンパワメント
　個人や集団の持っている潜在的なパワーを引き出す支援を行うこと。利用者の主体性の尊重やその形成支援を目的としている。

2 社会的養護の体系

　社会的養護は、施設養護（家庭的養護を含む）と家庭養護の2つに分けることができます。

■ 社会的養護の体系 ■

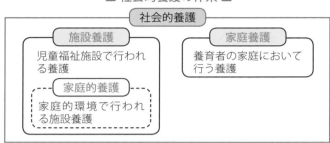

　施設養護とは、乳児院や児童養護施設等の児童福祉施設で行われる養護のことです。施設養護のうち、小規模でより家庭的な環境で行われる小規模グループケアや地域小規模児童養護施設が家庭的養護です。

　家庭養護とは、子どもを養育者の家庭において養護する形態で、里親、小規模住居型児童養育事業（ファミリーホーム）、養子縁組のことを指しています。

1 施設養護

(1) 施設養護の内容

　施設養護は、家庭が果たしていた機能を、補完・代替的に担うものとして展開されています。以前は、家庭の持つ機能を代替するサービス（インケア）を中心に展開されていましたが、家族の再統合や施設を退所した後の子どもたちにとって問題があることが指摘されるようになりました。

　現在では、インケアだけではなく、次のようなケアが積極的に行われ、子どもの自立を支援しています。

　アドミッションケア 子どもが施設を基盤とした社会的養護を利用するに当たって行われるケア

　インケア 衣食住を中心に施設生活の維持を目的としたケア

　リービングケア 社会に出て行くための準備としてリハビリ

これまで、保護者のもとで養育を受けることを家庭養護とし、里親、小規模住居型児童養育事業は家庭的養護と呼んでいたが、施設と里親を区別するために、用語が整理された。

近年では、ケアの充実を図るために施設の小規模化が図られている。

テーションや社会的自立のための援助を行うケア

アフターケア 退所して自立した後の子どもたちを取り囲むサポートネットワークの一つとしての役割を果たすためのケア

(2) 施設の種類

施設養護は、施設が提供するサービスの利用形態によって、施設に入所する**入所型サービス**、家庭から通う**通所型サービス**、誰もが利用できる**利用型サービス**があり、サービスを提供する施設は以下の表のように整理できます。

障害児のための入所施設には、**福祉型障害児入所施設**、**医療型障害児入所施設**、通所施設には**児童発達支援センター**があります。

児童福祉施設の対象・目的
••▷ 上 p.189

■ 社会的養護を行う様々な児童福祉施設 ■

分類	内容	施設
入所型	養育環境に問題がある児童の施設	乳児院、児童養護施設、母子生活支援施設
	心身に障害がある児童の施設	福祉型障害児入所施設、医療型障害児入所施設
	情緒・行動面に問題のある児童の施設	児童心理治療施設、児童自立支援施設
通所型	心身に障害のある児童の施設	児童発達支援センター
	情緒・行動面に問題のある児童の施設	児童心理治療施設、児童自立支援施設
利用型	一般児童に健全な遊びを与えて育成するための施設、専門的な相談・支援を行う施設	児童厚生施設、児童家庭支援センター、里親支援センター

2 家庭的養護

(1) 小規模グループケア

児童福祉施設が施設内外で実施し、小規模グループで行う家庭的養護を小規模グループケアといいます。**乳児院**、**児童養護施設**、**児童心理治療施設**、**児童自立支援施設**で実施されています。また、グループの人数は原則6〜8人ですが、乳児院は4〜6人、児童心理治療施設と児童自立支援施設は5〜7人です。

check

児童家庭支援センターは、市町村の求めに応じ、技術的助言その他必要な援助を行うほか、保護を要する児童又はその保護者に対する指導を行う。児童家庭支援センターに経験豊富な児童相談所OB等を配置することで、児童相談所、児童福祉施設等との連絡調整等が円滑に進めることができるように、予算が拡充されている。

(2) 地域小規模児童養護施設（グループホーム）

　地域小規模児童養護施設は、児童養護施設の分園（グループホーム）のうち、都道府県知事、指定都市市長または児童相談所設置市長の指定を受けたものです。**児童養護施設の分園のみ**が認められています。

　地域小規模児童養護施設は、**4 ～ 6** 人の子どもを専門職員が養育しています。職員としては、児童指導員または保育士を **2** 人置かなければなりません。

(3) 児童自立生活援助事業（自立援助ホーム）

　自立援助ホームは家庭的養護と家庭養護に重なるものの、施設にも里親にも分類されない「事業」として定められています。

　児童福祉法の規定では、18 歳未満が法律の対象ですが、社会的養護の施設等に措置された子どもに関しては、満 20 歳に達するまで措置の延長ができることとされています（児童福祉法 31 条）。改正児童福祉法では、高校や大学の在籍者、やむを得ない事情で児童自立生活援助の実施が必要な者については年齢制限が弾力的に運用されることとなっています。**児童自立生活援助事業**は義務教育終了後から **20** 歳未満の児童と **22** 歳の年度末までの間にある**就学中**のものを対象として、5 ～ 20 人以下の規模で運営することとされています。

♕ check
　グループホームでは、虐待などにより心身に有害な影響を受け、人間関係を築くことが困難となった児童などに対しても、きめ細かな対応ができる。

■ 小規模化と地域分散化の状況（形態ごとの定員数）■

	定員総数	敷地内				敷地外
		大・中・小舎	小規模グループケア			地域小規模児童養護施設
			本体施設内	別棟	分園型	
児童養護施設	28,976 人〔100%〕	12,601 人〔43.5%〕	8,976 人〔31.0%〕	2,000 人〔6.9%〕	1,837 人〔6.3%〕	3,562 人〔12.3%〕
乳児院	3,785 人〔100%〕	1,971 人〔52.1%〕	1,593 人〔42.1%〕	173 人〔4.6%〕	48 人〔1.3%〕	―

資料：「社会的養育の推進に向けて（令和 6 年 4 月）」（こども家庭庁）

③ 家庭養護（里親制度）

里親制度は家庭養護の大きな柱で、対象となる子どもの年齢は原則 18 歳未満ですが、都道府県知事が必要と認めた場合、満 20 歳まで延長できます。

(1) 里親になる手続き

里親を希望する場合は、管轄の児童相談所を通じて都道府県知事に対して申請を行い、認定を受けます。児童相談所は、こうした申請の窓口となるとともに里親の委託や子どもの紹介を行うなど、里親制度の中心的な役割を担っています。

(2) 里親の種類

里親には、下記の 4 種類があります。

養育里親：要保護児童を養育する里親として認定を受けた者。

専門里親：2 年以内の期間を定めて、要保護児童のうち児童虐待等の行為により心身に有害な影響を受けた児童等を養育する里親として認定を受けた者。

養子縁組里親：養子縁組により養親となることを希望する里親。

親族里親：要保護児童の扶養義務者及びその配偶者である親族であり、要保護児童を監護するべき両親その他の者が死亡、行方不明または拘禁、疾病による入院等の状態となったことでこれらの者による養育を期待できなくなった場合に、要保護児童を養育する里親として認定を受けた者。

■ 専門里親の認定要件 ■

①養育里親として 3 年以上委託児童の養育を経験している者。

②3 年以上児童福祉事業に従事した者で、都道府県知事が適当と認めた者。

③都道府県知事が①又は②に該当する者と同等以上の能力を有すると認定した者。

④上記①〜③のいずれかに該当し、専門里親研修の課程を修了している者。

⑤上記①〜③のいずれかに該当し、委託児童の養育に専念できる者。

里親
⋯▶ 上 p.191

2
社会的養護

❷ 社会的養護の体系

⋯check⋯
養育里親名簿の登録の有効期間は 5 年で、専門里親の登録の有効期間は 2 年である。登録更新時には研修を受けなければならない。

⋯check⋯
里親制度の運営機関は、都道府県知事、児童相談所長、福祉事務所長、児童委員、児童福祉施設の長等であると里親家庭養育運営要綱に定められている。

⋯check⋯
児童相談所は、里親希望者の家庭訪問を行い、里親の適否について調査を行う。

⋯check⋯
専門里親は養育里親の一種であるため、認定要件は、養育里親の認定要件に加えて満たす必要がある。

(3)小規模住居型児童養育事業（ファミリーホーム）

　ファミリーホームは、2008（平成 20）年の児童福祉法改正によって新たに規定された、第二種社会福祉事業です。養育者の住居に子どもを迎え入れる家庭養護の養育形態で、施設が小さくなったものではありません。委託児童の定員は **5～6** 人で、職員として 2 人の養育者（夫婦）と **1** 人以上の補助者が必要です。事業者は、都道府県知事（指定都市及び児童相談所設置市にあっては、その長）が適当と認めた者で、主な対象は次のような場合です。

①養育里親（専門里親を含む）としての経験者が自らが事業者となって自宅で行う場合。

②児童養護施設、乳児院、児童心理治療施設または児童自立支援施設の職員経験者自身が事業者となって自宅で行う場合。

③②にあげた施設を設置する法人が事業者となって、その職員に住居を提供してその住居において行う場合。

(4)養子縁組

　里親制度以外の公的な取り組みとしては、養子縁組と特別養子縁組があります。養子縁組（普通養子縁組）では実の親子関係が存続し、戸籍上も養子・養女といった事項が記載されるのに対して、特別養子縁組では実の親子関係が解消され、戸籍上も里親との間に新たに親子関係が生まれ、実子として記載されます。

　特別養子縁組は、原則として **15** 歳未満が対象です。

(5)里親数・委託児童数

　福祉行政報告例によれば、2022（令和 4）年 3 月末における認定・登録里親数は、1 万 5,607 世帯、実際に委託を受けている里親数はそのうち 4,844 世帯、また、委託されている児童数は、6,080 人です。いずれも前年度より増えています。委託されている児童を年齢別にみると、**7** 歳以上が多いです。

check
福祉行政報告例によると、ファミリーホームの委託児童数は 1,718 人となっている（2022〔令和 4〕年 3 月末現在）。

check
委託児童の養育にふさわしい家庭的環境が確保される場合は、1 人の養育者と 2 人以上の補助者でもよい。

check
ファミリーホームは 2022（令和 4）年 3 月末現在 446 か所、自立援助ホームは 2023（令和 5）年 10 月 1 日現在 317 か所、児童家庭支援センターは同、164 か所である（こども家庭庁「社会的養育の推進に向けて〔令和 6 年 4 月〕」より）。

check
「民法等の一部を改正する法律」により、特別養子縁組制度の利用推進が図られることになった。本人の同意があるなど、15 歳以上 18 歳未満の特別養子縁組も可能となる場合がある。

(6) 里親制度の改正ポイント

改正年	改正のポイント
1987 （昭和62）年	・単身里親の容認、里親認定基準の簡素化、秘密保持の責任、受託意思のなくなった者の認定取り消しなど ・虚弱児童や知的に障害のある児童も対象化
2002 （平成14）年	・「親族里親」と「専門里親」を新たに創設
2008 （平成20）年	・「養子縁組により養親となることを希望する里親」を創設 ・「短期里親」「職業里親」の廃止
2016 （平成28）年	・養子縁組里親が法定化（研修義務化・欠格要件・名簿の登録） ・都道府県児童相談所が養子縁組に関する相談・支援業務を担う
2019 （令和元）年	・特別養子縁組の年齢上限が原則15歳未満に引き上げ ・成立手続きを2段階に分け養親の負担を軽減
2022 （令和4）年	・児童福祉法改正により、「里親支援センター」を児童福祉施設として位置づける

(7) 里親委託ガイドラインの策定

　2011（平成23）年に里親委託の推進を図るために「里親委託ガイドライン」が定められました。その後社会の状況に応じ、改正が重ねられています。

■ 里親委託ガイドラインの主な内容 ■

・家族を基本とした家庭は子どもの成長、福祉及び保護にとって自然な環境であるため、保護者による養育が不十分又は養育を受けることが望めない社会的養護のすべての子どもの代替的養護は、家庭養護が望ましく、里親委託を原則として検討する。
・里親家庭に委託することにより、子どもの成長や発達にとって、次のような効果が期待される。
　①特定の大人との愛着関係の下で養育されることにより、自己の存在を受け入れられているという安心感の中で、自己肯定感を育み、基本的信頼感を獲得することができる
　②適切な家庭生活を体験する中で、将来、家庭生活を築く上でのモデルとすることが期待できる
　③家庭生活の中で適切な人間関係を学んだり、身近な地域社

check
　特別養子縁組の役割も大きくなっていることから、養子縁組のあっせん業者は許可制とするための新しい法律「民間あっせん機関による養子縁組のあっせんに係る児童の保護等に関する法律」ができた。

check
　1年以上（乳幼児では6か月）保護者の面会がない、保護者の面会があっても引き取ることが難しい、虐待のおそれがあって施設に保護しているなどの場合は、里親委託の検討をするとされている。

会の中で必要な社会性を養い、豊かな生活経験を通じて生活技術を獲得することができる
・保護者が養育できない場合、児童相談所が子どもの最善の利益となるよう里親や施設の選択を行うが、保護者へは十分説明を行い、里親委託について理解を求める。
・子どもの人間関係や育った環境との連続性を大切にし、可能な限り、その連続性を保てる里親に委託するよう努めることが望ましい。
・里親委託後は、児童相談所の担当者等が定期的な家庭訪問を行い、里親や子どもの状況を把握し、里親の相互交流、地域の子育て情報の提供、里親の一時的な休息のための支援（レスパイト・ケア）等の里親支援を行う。
・里親は子どもの最善の利益を実現する社会的養護の担い手であり、子どもにとって、最も近くで子どもの権利擁護を実践するものである。

⑻ 里親支援センター

子どもの置かれた状況に適した里親のマッチングについては、児童相談所や里親支援センター（フォスタリング機関）、児童養護施設等に配置された里親支援専門相談員が里親家庭を支援するなど、里親と関係機関が連携して行います。児童福祉法が改正され、2024（令和6）年4月1日より、里親支援センターは新たに児童福祉施設として位置づけられました。

⑼ 里親及びファミリーホーム養育指針

「里親及びファミリーホーム養育指針」では、里親及びファミリーホームは、社会的養護を必要とする子どもを、養育者の家庭に迎え入れて養育する「家庭養護」であり、社会的養護の担い手として、社会的な責任に基づいて提供される養育の場であるとされています。また、子どもの自己形成において、自己の生い立ちを知ることは不可欠と明記され、子どもの生きてきた歴史を振り返るライフストーリーワークが有効な支援法の一つとしてあげられています。

問題 次の記述で正しいものに○、誤っているものに×をつけよ。

1. 里親に委託する子どもは、施設入所が短期であることが明確な子どもと障害のある子どもを除き、新生児から高年齢児までの子どもが対象となる。

2. 施設における子どもへの支援は、アドミッションケアからアフターケアまで、できる限り特定の養育者による一貫性のある養育が望ましいとされている。

3. 社会的養護は、施設養護・家庭養護の2つに分けられる。

4. 小規模グループケアとは、家庭に近い形態であることから家庭養護に位置付けられる。

5. 子どもの将来を見通した支援では、退所後や委託解除後のアフターケアも重視する。

6. 地域小規模児童養護施設は、里親経験者やNPO法人でも開設することができる。

7. 社会的養護のもとで育った子どもには、自己の生い立ちや家族について知ることは自己を理解する上で重要である。

8. 里親委託ガイドラインには、社会的養護におけるすべての児童に対して、里親委託を優先して検討することを定めている。

解答

1 × **2** ○ **3** ○ **4** × **5** ○ **6** × **7** ○ **8** ○

1 「里親委託ガイドライン」に、保護者の養育の可能性の有無や子どもの年齢、委託期間等にかかわらず、すべての子どもが対象となることが定められている。

4 施設で実施されることから、施設養護の家庭的養護である。

6 地域小規模児童養護施設（グループホーム）は児童養護施設の分園のみが認められている。

重要度

section 3　児童福祉施設の運営と管理

出題 point
- 児童福祉施設運営と組織
- 第三者評価事業と児童福祉施設の配置基準
- 施設の財政

 1　社会福祉法による事業経営の規定

　児童福祉法に規定されている施設を経営する事業は、社会福祉法において、第一種または第二種社会福祉事業として位置付けられています。そのうち、第一種社会福祉事業は、**国、地方公共団体、社会福祉法人**が経営することが原則です。

■ 社会福祉事業に規定されている児童福祉法の事業 ■

第一種社会福祉事業	
・乳児院の経営	・障害児入所施設の経営
・母子生活支援施設の経営	・児童心理治療施設の経営
・児童養護施設の経営	・児童自立支援施設の経営

第二種社会福祉事業	
・障害児通所支援事業	・親子再統合支援事業
・障害児相談支援事業	・社会的養護自立支援拠点事業
・児童自立生活援助事業	・意見表明等支援事業
・放課後児童健全育成事業	・妊産婦等生活援助事業
・子育て短期支援事業	・子育て世帯訪問支援事業
・乳児家庭全戸訪問事業	・児童育成支援拠点事業
・養育支援訪問事業	・親子関係形成支援事業
・地域子育て支援拠点事業	・助産施設の経営
・一時預かり事業	・保育所の経営
・小規模住居型児童養育事業	・児童厚生施設の経営
・小規模保育事業	・児童家庭支援センターの経営
・病児保育事業	・里親支援センターの経営
・子育て援助活動支援事業	
・児童の福祉の増進について相談に応ずる事業	

 check
　社会福祉法は、社会福祉を目的とする事業の全分野における共通的基本事項を定めている。

社会福祉施設、社会福祉法人
…▶ 上 p.262,263

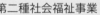 **check**
　児童福祉法37条において「乳児（保健上、安定した生活環境の確保その他の理由により特に必要のある場合には、幼児を含む。）」と定められており、必要があれば乳児院に1歳以上の幼児を入所させることができる。

社会福祉法61条では、社会福祉事業を経営するに当たっての基本原則が「事業経営の準則」として定められています。社会福祉事業の運営はこの準則に従いつつ、その経営主体の理念を実践しています。

 ## 2 児童福祉施設の組織運営

1 施設長の役割

児童福祉施設においても、組織運営に伴う人事・労務などの管理業務は必要であり、**民主的、効率的、効果的**に事業を運営する必要があります。施設の運営については、施設長が責任を持ちます。施設長の役割は、大きく2つに分けることができます。

①施設や職員に関する管理責任

事業計画や予算の執行、地域との連携・企画推進、個別の職員の指導（**スーパービジョン**◆）、労働条件の管理など。

②子どもの処遇に関する責任

子どもへの援助を**チームアプローチ**によって適切に行うために、職員会議やケース会議を開き意思統一を図るなど。

2 児童福祉施設における人材育成

現場で毎日子どもたちと触れあっている職員の物の見方や考え方、立ち居振る舞い、言葉づかいや文章は、子どもたちの**模倣の対象**（モデル）となります。したがって、職員の資質の向上と人材育成は施設が取り組むべきことであり、**義務として規定**されています。

児童福祉施設においては、人事・労務管理の一環として行われる**OJT**◆や**OFF-JT**◆として行われるほか、個々の職員が自発的にその専門性向上のために行うSDS（自己啓発援助制度）としても行われています。知識・技術・倫理は現場での経験の積み重ねだけではなく、体系的な教育訓練を受けることによって結晶化していくものであり、コミュニケーション力・共感力・プレゼンテーション力・連携力な

check
保育所保育指針でも、施設長の役割と責任について明記されている。

用語
◆スーパービジョン
熟練の援助専門家（スーパーバイザー）が、経験の浅い援助者（スーパーバイジー）に対して、専門的な能力を発揮できるように指導、援助する過程のこと。

用語
◆ OJT
On the Job Training
実際の仕事を通して、順次、難易度の高い仕事にチャレンジさせて育成する方法。
◆ OFF-JT
Off the Job Training
仕事から離れた場面で、講義を受けさせたり、グループワークを受けさせたりしながら教育する方法。

ど施設職員として必要な資質を高め、自己覚知と自ら調整する力を養うことが必要とされています。

さらに、2013（平成25）年度より職員研修への参加を促進するため、「児童養護施設等の職員の資質向上のための研修事業」が実施されています。

3 児童福祉施設の運営指針

2011（平成23）年に取りまとめられた「社会的養護の課題と将来像」において、施設等の運営の質の差が大きいことが指摘されました。これを受け、児童福祉施設の質の向上を図ることを目的として、2012（平成24）年に、児童福祉施設の運営指針が策定されました。指針は、児童養護施設、乳児院、児童心理治療施設、児童自立支援施設、母子生活支援施設について策定されています。

運営指針は2部構成となっており、第Ⅰ部総論（1. 目的、2. 社会的養護の基本理念と原理、3. 児童養護施設の役割と理念、4. 対象児童、5. 養育のあり方の基本、6. 児童養護施設の将来像）は、すべての施設に共通した内容、第Ⅱ部各論は各施設ごとに内容が定められています。

■ 児童養護施設運営指針（第Ⅱ部各論）より抜粋 ■

1．養育・支援
（1）養育・支援の基本
①子どもの存在そのものを認め、子どもが表出する感情や言動をしっかり受け止め、子どもを理解する。
②基本的欲求の充足が、子どもと共に日常生活を構築することを通してなされるよう養育・支援する。
③子どもの力を信じて見守るという姿勢を大切にし、子どもが自ら判断し行動することを保障する。
④発達段階に応じた学びや遊びの場を保障する。
⑤秩序ある生活を通して、基本的生活習慣を確立するとともに、社会常識及び社会規範、様々な生活技術が習得できるよう養育・支援する。
4．権利擁護
（1）子ども尊重と最善の利益の考慮
①子どもを尊重した養育・支援についての基本姿勢を明示し、

施設内で共通の理解を持つための取組を行う。
②社会的養護が子どもの最善の利益を目指して行われることを
　職員が共通して理解し、日々の養育・支援において実践する。
③子どもの発達に応じて、子ども自身の出生や生い立ち、家族
　の状況について、子どもに適切に知らせる。
④子どものプライバシー保護に関する規程・マニュアル等を整
　備し、職員に周知するための取組を行う。
⑤子どもや保護者の思想や信教の自由を、保障する。

4 児童福祉施設の第三者評価事業

　社会福祉施設の運営や管理に関して様々な面からの評価
が行われるようになっています。児童福祉施設においても、
経営の透明性や**処遇**、**職員の専門性**、**設備**といった様々な
点について、第三者評価が取り組まれています。

　第三者評価の受審は**努力義務**ですが、社会的養護関係施
設（**児童養護施設**、**乳児院**、母子生活支援施設、児童心理
治療施設、児童自立支援施設、里親支援センター）につい
ては、**3年に1回以上の実施と結果の公表**が**義務**付けられ
ています。**子どもの最善の利益**の実現のために、第三者評
価を通して、施設運営の質の向上を図ることが求められて
います。

3 児童福祉施設の目的と配置基準

　児童福祉施設は、種類ごとに人員配置、居室面積基準を
はじめとする設備と運営に関する国の基準が「**児童福祉施
設の設備及び運営に関する基準（旧児童福祉施設最低基準）**」
に定められています。国が定める基準には、都道府県が条
例で定める基準において必ず適合させなければならない「**従
うべき基準**」と、基準に従う範囲内で地域の実情に応じた
内容を定めることができる「**参酌すべき基準**」があります。
これに基づき、都道府県は条例を定めています。

check
　以前の最低基準
は、統一された内容
であったが、新しい
基準では地域の現
状に合わせることが
可能になった。

■ 都道府県の基準と国の基準の関係 ■

従うべき基準	参酌すべき基準
人員配置 居室面積基準 人権に直結する運営基準（虐待等の禁止、懲戒にかかる権限の乱用禁止、調理室の設置、秘密保持）	衛生管理 入所者・職員の健康診断 関係機関との連携

保育所の設備と職員配置の基準
…▶ 上 p.166

職員配置基準については、2015（平成27）年度予算編成において、子ども・子育て支援の一施策として児童養護施設等の職員配置に対して予算配置がなされ、職員配置が施行されました。

 4 施設の財政（事務費と事業費）

　児童福祉施設を運営するための財源は、公的な資金である**措置費**◆や**補助金**、共同募金からの**配分金**、法人独自の自主財源、貸付金などがあります。財務管理は、措置費や補助金、配分金の使途に関する福祉施設の**説明責任（アカウンタビリティ）**を果たすものであり、社会福祉法人会計基準や経理規程準則に従った正確な処理が必要となります。

　措置費は**事務費**と**事業費**に分かれます。事務費は、施設を運営するために経常的に必要な職員の人件費や施設維持などの執行に伴う諸経費にあたります。また、事業費は、事務費以外の経費のことで、施設等の子どもたちのために**直接必要**な諸経費のことです。さらに施設の専門的な知識・技術を活かすために、「施設機能強化推進費」が加算されます。

　また、職員配置の改善のため、里親支援専門相談員加算・心理療法担当職員加算・看護師加算・職業指導員加算・小規模グループケア加算などによって職員の人件費が補われるとともに、施設の財政面が支えられています。

　なお、保育所には「保育所運営費」が支弁されてきましたが、子ども・子育て支援新制度で「施設型給付」が新たに創設されています。

◆措置費
　法律に基づいて都道府県・市町村といった措置権者がとるべき福祉の措置に必要な経費のこと。措置権者は、国と分担して措置費を支弁する義務がある。

　会計、経理に関する計算書類は処理方法が統一されている。また、文書の保存年数も決められている。

問題 次の記述で正しいものに○、誤っているものに×をつけよ。

1. 児童養護施設は、3年に1回以上、第三者評価事業を受けることが義務づけられている。

2. 児童福祉施設において、職員の人件費や子どもたちのための費用である児童処遇費は、事業費にあたる。

3. 小規模住居型児童養育事業（ファミリーホーム）と児童自立生活援助事業（自立援助ホーム）は、第一種社会福祉事業に位置付けられており、社会福祉法人でなければ運営することはできない。

4. 乳児院は「児童福祉法」に定める「乳児」のみを対象とした施設である。

5. 都道府県が条例で児童福祉施設の基準を定める場合には、国が定める「児童福祉施設の設備及び運営に関する基準」の居室面積の基準に従わなければならない。

6. 児童養護施設運営指針には、子どもは未熟な存在であり、大人が積極的に関わり、生活全般における活動を代替するべきことが示されている。

解答

1 ○　**2** ×　**3** ×　**4** ×　**5** ○　**6** ×

2　児童処遇費は事業費であるが、職員の人件費は事務費に含まれる。

3　第二種社会福祉事業で、NPO 法人などでも運営することができる。

4　2004（平成 16）年の児童福祉法改正によって、安定した生活環境を確保するために必要がある場合は、乳児院に1歳以上の幼児を入所させることができ、同様に児童養護施設に1歳未満の乳児を入所させることも可能になった。

6　「子どもの力を信じて見守るという姿勢を大切にし、子どもが自ら判断し行動することを保障する」ことが示されている。

施設を基盤とした社会的養護

- 施設養護の基本原理「個別化」「親子関係の尊重と調整」「集団の活用」「自立支援」
- 施設養護の家庭代替機能と学習保障機能
- 施設養護の専門職

1 施設養護の特質と支援のすすめ方

　社会的養護における児童福祉施設は、虐待や貧困等の事情により家庭での生活が困難な子どもが、職員の支援を受けながら生活を営む場です。人為的につくられた生活空間である施設には、家庭とは異なる次のような特質があります。

①集団の中で子ども同士の相互作用を通じた成長や人間性の回復が促進される。

②専門的知識や経験・技術を持った職員がケアを提供することができる。

　その一方で、弊害として**ホスピタリズム**◆と呼ばれる施設特有の身体的・情緒的なゆがみが発生することが指摘されており、ロレッタ・ベンダーは「最悪の家庭といえども最高の施設に優る」と述べたほどです。また、行動の自由の制限、自己決定の制限、プライバシーの制限など集団生活に伴う多くの制限が家庭で暮らす子ども以上に課されています。

　これらの考え方を踏まえ、社会的養護には、施設における集団の有効性を積極的に活用しようという集団主義養護論と、ホスピタリズム論において指摘された集団的ケアの欠点を修正するために、生活単位の縮小化や里親制度の充実を図ろうとする家庭的養護論の2つの立場があります。

check
子どもの問題の多様化によって、職員の専門的知識、技術の向上などが課題となっている。

用語
◆ホスピタリズム（施設病／施設症）
家庭から分離され、施設や病院などの環境におかれた子どもに生じる身体的発達や言語・認知的発達、情緒的発達の遅れやゆがみのこと。

２ 施設養護の基本原理

　施設養護においては集団の特性を十分に生かすと同時にその弊害を最小限に抑える努力が必要です。そのために、子どもと接するうえでは、「個別化」「親子関係の尊重と調整」「集団の活用」「自立支援」という４つの基本原理が重要となります。

1 個別化

　集団生活を営む施設では、多くの制限があります。これに対し、いかに子ども一人一人のニーズを充足し、その子なりの成長を支援できるかが大きな課題となります。

　そのための具体的な方法としては、継続的なカウンセリングや情緒的関係の構築による心の触れあい、施設における自治生活への参加を通じた自己認識の改善、将来の希望に向けた目的意識の明確化などがあります。いずれにせよ、子どもを集団としてとらえるのではなく、個別の存在としてとらえることが必要となります。

2 親子関係の尊重と調整（親子関係の再構築支援）

　親の病気や放任、養育拒否など様々な事情により施設に入所している子どもと親の間の絆や信頼感を保つことは、子どもの情緒の安定につながります。

　具体的方法には、家庭訪問による施設での生活状況の報告や保護者との面談、子どもの帰宅機会を増やすことなどがあります。また、電話や手紙、電子メールといったコミュニケーション手段を活用することで、子どもが親を思う気持ちを伝えたり、子どもの作品や手紙、写真などを通じて、成長する姿を伝えていくことも大切です。

3 集団の活用

　施設であるからこそ可能な集団生活の中で起こる子ども同士の相互作用があります。遊びや行事は、子どもの自主性や協調性を育み、社会性を獲得する場となります。また、施設での暮らしの中で、受け入れられたり、助け合ったり、共感し合ったりすることで、個々の子どもが抱えている問

題を解決・克服したり、成長・発達することができるなど、**ピア・カウンセリング**◆の機能も期待されます。

4 自立支援（リービングケア・アフターケア）

　施設養護の目的の一つは子どもの「自立を支援すること」です。子どもの自立を支援するということは、子どもに基本的生活習慣や就労習慣、社会規範を身に付けさせて社会化するとともに、自分の行動を律する力を身に付けさせることです。そのためにも本人が望む生活が実現されるとともに、社会適応として他者と折り合い、協調する力が必要不可欠です。自立に向けた支援は発達段階に応じ、生活の見通しを立てることが必要となります。

　また、自立には経済的、身体的、精神的の３つの側面がありますが、私たちは必ずしもすべての面において全く支援を受けずに生活しているわけではありませんし、支援を受けたら自立していないということではありません。必要（ニーズ）に応じて人的・物的な支援を受けながら自立することも、依存的自立として概念化されるものであり、人の自立には様々な形があるといえます。

3 施設養護の機能

　施設養護の果たす機能は大きく分けると、次の４つに整理することができます。

覚えよう！

●施設養護の機能●
①家庭代替機能
②学習保障機能
③治療的機能
④家庭復帰と社会的自立のための機能

　施設職員は、こうした施設養護が持つ機能を実際の現場で担うものであり、子どもの権利擁護のための**アドボケー**

ター（代弁者）◆としての役割を果たすことが、子どもの自立支援の実践だといえます。子どもの意見表明権を保障するために、子どもの年齢にかかわらず、子どもの希望も踏まえ、必要に応じてアドボケーターをつける制度が求められます。また、**特別な配慮**を必要とする、何らかの障害のある子どもや性的マイノリティの子どもなどについて、差別されることがあってはならず、このような子どもに対し、児童福祉施設の職員や里親等は適切な対応ができるような技能を身につけることが求められています。

1 家庭代替機能

　衣食住など生活全般にわたる生存のための快適条件を確保するもので、保健・衛生に関する機能を含んでいます。**基本的生活習慣**の獲得と**人格形成**の基礎作りを目的に、規則的で安定した日常生活を営めるよう、家事援助などの生活上の支援が行われます。支援は、子どもの自立を阻害することのないように、本来持っている子ども自身の力や強みを生かせるよう、施設職員が**エンパワメント**することが重要です。

　子どもが獲得すべき基本的生活習慣としては、食事や排泄、睡眠、衣服の着脱などがあります。幼児期から学童期には、友人同士の約束事を守るなどの**ルールに関する理解**が必要となります。成長に伴って生活圏が拡大すると、生活者としての**人間観**や**価値観**を培うことも必要となります。子どもは、身近な職員をモデルとして生活への関心や自発的意欲を持てるようになり、自らの生活を構造化する力や家庭を経営する力を獲得することができるようになっていきます。

2 学習保障機能

(1) 低学力状態への対応

　貧困や不安定な生活状況にある子どもたちは、落ち着いて学習する環境が与えられないことから、家庭学習が不足するため、**低学力状態**にある場合があります。これは本人の能力が不足しているのではなく、問題のある養育環境によって低学力がつくり出されているということであり、様々な**学習支援**を行

用 語

◆アドボケーター
（代弁者）
　子どもの代弁・権利擁護（アドボカシー）を行う者のことで、自らの意思表示が困難な主体の権利や日常生活上のニーズを援助者が代わって主張すること。

エンパワメント
･･･▷ p.59

2 社会的養護

❹ 施設を基盤とした社会的養護

うことが求められます。学習支援を行うに当たっては、施設が独自に学習ボランティアを活用したり、塾を利用したりするだけではなく、学校との連携も必要となってきます。なお、教育にかかる費用については、措置費として国庫が負担しています。

■ 措置費により支弁される費用 ■

①幼稚園費
②入進学支度金（小学校・中学校進学時）
③教育費（学用品費、教材代、通学費、学習塾費、部活動費）
④特別育成費（高校生対象）
⑤学校給食費（小中学生、特別支援学校高等部在学中のもの）
⑥見学旅行費
⑦夏季等特別行事費（小中学生対象）
⑧就職支度費、大学進学等自立生活支度費

(2) 就学支援金

2013（平成25）年の改正により、法律の名称は高等学校等就学支援金の支給に関する法律に改められ、高等学校等の授業料に対する支援の制度が変わりました。

この制度では、公立、私立に関係なく、市町村民税所得割額（両親合算）が一定額未満の世帯に対して就学支援金が支払われるというものです。

児童福祉施設に入所しているために、施設長が保護者である場合には、生徒本人の所得により判断されます。

(3) 進学保障

子どもの学ぶ意欲を引き出すためにも、進学保障を行うことも必要です。2023（令和5）年5月の調査において高等学校等を卒業した児童養護施設に暮らす子どもの大学等への進学率は20.9%で、全国平均の57.0%と比べ大幅に低いものとなっています。子どもの学習機会をどのように保障していくかは、今後の大きな課題です（こども家庭庁「社会的養育の推進に向けて」）。

3 治療的機能

心理・精神面への治療と障害のある子どもへの療育的支

check
学校教育法19条では、「経済的理由によつて、就学困難と認められる学齢児童又は学齢生徒の保護者に対しては、市町村は、必要な援助を与えなければならない。」と定められている。

check
令和2年度には、措置費による教育及び自立支援の経費として、教育費の対象に特別支援学校高等部に通う自立援助ホームの児童を追加するとともに、入進学支度金等の増額を行った。

check
2022（令和4）年より、見学旅行費の対象に自立援助ホームの児童が追加された。

援の2つの側面があります。

心理・精神面への治療

　情緒障害や社会的不適応などの問題を抱えた子どもに対する働きかけです。被虐待児個別対応職員や心理療法担当職員などの専門職員、福祉事務所や児童相談所、精神保健福祉センターと連携して専門的な治療を行います。それと同時に、日常生活における様々な触れあいの中で愛着関係◆（アタッチメント）の構築や、受容、見守りを行います。

　特に子どもの幼児的行動や退行現象、反抗的態度については、なぜそのような行動をとったのかということを十分に洞察し、受容的態度を持って支援することが大切です。

障害のある子どもへの療育的支援

　障害のある子どもに対しては、医療と発達の双方から理解することが必要です。心身の障害が何に由来するのか、また、障害によりどのような影響が起きるのかを、子どもの成長度合いの把握と、医療的な根拠に基づいて正しく理解することが重要です。

4 家庭復帰と社会的自立のための機能

　子どもの退所は、退所後の生活、つまり新たな環境への適応という意味を持ちます。そのため、退所に当たってはケース会議を開催し、子ども本人や保護者の意向を踏まえ、関係機関等と協議、検討を行うなど事前の調整が必要になります。また、家庭復帰に当たっては保護者が円滑に養育を行えるよう、その能力や経済力など、子どもの成長に必要な環境を整えるためのファミリーソーシャルワークが求められます。それに対応するために、家庭支援専門相談員◆が、乳児院、児童養護施設、児童心理治療施設、児童自立支援施設に配置されています。

　さらに、学校を卒業後、社会に出て自立していく子どもが、円滑に社会生活を営めるよう、生活知識・生活技術などの自己管理能力を習得させることも重要です。

用語

◆愛着関係
　他者に対して築かれる特別な情緒的結びつきのこと。乳幼児期における特定の養育者との愛着関係の形成は、その後の心身の発達に影響を与える。

愛着の発達
…▶ 上 p.24

check

　障害のある子どもを対象とした専門の施設以外の施設でも軽度の知的障害などのある子どもが入所するケースは多く、療育的支援は重要な機能の一つとなっている。

障害児施策
…▶ 上 p.221

用語

◆家庭支援専門相談員（ファミリーソーシャルワーカー）
　親子関係の調整や家庭の再構築など、入所前から退所後までのファミリーソーシャルワークを行う専門職。

家庭支援専門相談員
…▶ p.81
　　上 p.190

4 施設における日常生活支援

　子どもたちの日常生活は、食事や睡眠などの生理的要素を生活リズムの基盤として、様々な活動によって構成されています。子どもに対して、よりよい環境のもとで**安定した生活の場**を提供することは施設養護の基本です。そのために施設では様々なプログラムを用意します。

1 日課

　日課とは、子どもが起きてから寝るまでの1日の生活のプロセス全体の中で**プログラムされた課題**のことを指します。この日課は固定された普遍的なものではなく、子どもの **QOL（生活の質）** を考える柔軟性が必要です。また、子ども一人一人の状況に配慮して、生活単位ごとに、子どもと担当の職員が協働してつくりあげます。

　日課は、季節や**子どもの発達**、生育歴や抱えている問題に応じて変化を持たせ、生活に主体的に参加し、家事などの生活技術を自然に身に付けられるよう、それぞれの子どもに施設内での**役割**を持たせます。

2 遊び・余暇

　遊び・余暇については、子どもの要望を組み入れつつ、**生活リズム**に変化を与えるような四季折々の**レクリエーション活動**を展開します。日課と同様に子どもたちが自発的に参加し、グループで自主的に運営できるよう役割を与えることも大切です。また、子どもたちが自分の役割を果たせる環境作りも大切です。子どもたちが趣味を通して活動を広げていけるように工夫することも求められます。

5 施設養護の専門職

(1) 保育士

　支援における保育士の役割が拡大する中、ケアワーカーの役割だけでなく、関係機関や家族との**連絡調整**といった

　子どもの生活は、昼夜の交代や季節などの自然の影響だけでなく、一緒に生活する大人の影響を受ける。また、安定した生活リズムは、子どもの情緒の安定や意欲的な活動の支えとなる。

　児童福祉施設に入所している子どもには、生活指導訓練費として毎月一定の金額のこづかいが与えられている。

　「児童福祉施設の設備及び運営に関する基準」に施設に配置される職種が定められている。

ソーシャルワークとしての専門性も必要となっています。

(2) 児童指導員

　児童指導員は任用資格です。業務内容は、それぞれの施設や施設の種別によって異なりますが、児童相談所や学校などの関係機関や家族との連絡調整、生活指導、**アフターケア**や**リービングケア**といった自立支援を担っています。

(3) 個別対応職員

　被虐待児などは対人関係において問題を生じやすく集団との関わりが難しく、1対1で対応する方が子どもも安定しやすいため、個別対応や個別面談を専門とする職員です。

(4) 家庭支援専門相談員（ファミリーソーシャルワーカー）

　子どもの保護者などに対し、児童相談所と連携をとりながら支援を行う職員です。親子関係の**再構築**を図り早期の家庭復帰を目指した支援を行っています。

(5) 心理療法担当職員

　虐待などによって心にダメージを受けた児童や母子に対して、心理療法を用いて回復と自立を支援する職員です。また、心理療法を必要とする児童や保護者が **10** 人以上で配置されます。

(6) 児童自立支援専門員・児童生活支援員

　不良行為やそのおそれのある児童に対する支援を専門とする職員です。児童とともに生活しながら、自立に向けた教育や職業指導などを行い、退所後の集団生活に適応できるように児童の生活の全般にわたって**家庭的な雰囲気**の中で支援を行う職員です。

(7) 少年指導員

　母子生活支援施設に配置され、施設に入所している子どもが退所するまでに、**日常生活の援助**を中心に、学習や生活習慣が身に付くように援助をします。また、子どもが抱いている様々な悩みや相談などを受けアドバイスをします。

(8) 里親支援専門相談員（里親支援ソーシャルワーカー）

　児童養護施設及び乳児院に地域の里親及びファミリー

　家庭支援専門相談員は、児童養護施設などでの勤務経験を 5 年以上有すること等が必要である。

　里親支援専門相談員（里親支援ソーシャルワーカー）は、定期的な家庭訪問を行うほか、施設機能を活かした支援を含めた活動を行っている。

ホームを支援する拠点としての機能をもたせ、入所児童の
里親委託の推進、里親支援を行う職員です。

⑼ 職業指導員

　児童自立支援施設において、実習設備を設けて職業指導
を行う場合に配置されます。

⑽ 医療的ケアを担当する職員

　児童養護施設において、医療的ケアを必要とする児童が
15 人以上入所している場合に配置されます。

6　その他の支援

1　情緒的な交流を通した支援

　子どもは、他者との関わりを通して自分の存在価値に気
付き自信を持ち、意欲的に行動できるようになります。一
方で、対人関係の悩みから気付きを得たり、反省の機会を
得ることができます。適切な場面とタイミングで感情統制
を行いながら関わることで、人としての発達を支援するこ
とが重要です。

2　健康・安全の管理

　日常生活の中では、健康・安全に関する支援も重要です。
児童福祉施設には、 1 年に 2 回の定期的な健康診断などが
義務付けられており、感染症や病気の予防などの健康管理
も職員の務めです。健康管理は自立指導においても大切な
テーマで、職員とのスキンシップを通して、習慣化するこ
とが必要です。

3　性に関わる問題への支援

　子どもたちの成長過程で現れる性に関わる身体的・生理
的な変化に対しては、年齢や発達段階に応じて、正しい知
識とともにモラルを高めていくように支援を行います。思
春期における恋愛の悩みや性の悩みは、人間が本来持つ欲
求であり、タブー視することなく子どもの疑問や不安に応
えることが何より重要です。

check
「児童福祉施設の
設備及び運営に関す
る基準」により、児
童福祉施設では少
なくとも毎月1回は、
避難と消火の訓練を
行うことが定められ
ている。

問題 次の記述で正しいものに○、誤っているものに×をつけよ。

1. 社会的養護の下に、衣食住の基本的な生活管理、金銭管理、健康管理や、社会人に求められるマナーの習得や時間の使い方など、自立生活に必要な生活スキルや社会的スキルが身に付くような養育をホスピタリズムという。

2. 施設養護では、親子関係の尊重と調整も重要であることから、家庭訪問による保護者との面談や子どもの帰宅機会を増やす取り組みが行われている。

3. 里親支援専門相談員は、児童自立支援施設に配置されている。

4. 保育士はケアワーカーとして児童の衣食住に関する支援のみを担っている。

5. 社会的養護を必要とする子どもには、専門的ケアや心理的ケアなどの治療的な支援も必要となる。

解答

1 × **2** ○ **3** × **4** × **5** ○

1　ホスピタリズムは施設病（施設症）といわれ、衣食住の保障をしつつも情緒的な関わりが不十分な養育により、子どもに生じる身体的・情緒的なゆがみのことである。

3　里親委託の推進と里親支援を目的として、乳児院及び児童養護施設に配置されている専門職員である。

4　保育士にも関係機関・家族との連絡調整といったソーシャルワーカーとしての役割が求められている。

2章　社会的養護

重要度

里親推進の取り組みとフォスタリング業務

出題
point
- 里親委託率を上昇させるための取り組み
- 都道府県の権限としての里親委託
- 里親養育包括支援業務（フォスタリング業務）の理解

1　家庭養育優先原則と里親委託

　「新たな社会的養育の在り方に関する検討会」において、今後の社会的養育のあり方を示す「新しい社会的養育ビジョン」が2017（平成29）年に取りまとめられました。2016（平成28）年に改正された児童福祉法の理念等を具体化するとともに、「家庭養育優先原則」を徹底し、子どもが権利の主体であることを明確にし、家庭への養育支援から代替養育までの社会的養護の充実とともに、家庭養育優先の理念を規定し、実親による養育が困難であれば、特別養子縁組による永続的解決（**パーマネンシー保障◆**）や里親による養育を推進することを明確にしました。

　こども家庭庁「社会的養育の推進に向けて（令和6年4月）」によると、現在の里親等委託率（すべての年齢）は2022（令和4）年3月末時点で23.5％となっています。国は2019（令和11）年度までに、愛着形成に最も重要な時期である乳幼児の里親等委託率を**75**％以上、学童期以降を**50**％以上となるよう、数値目標と達成期限を設定しています。

用語

◆パーマネンシー保障
　子どもにとって永続的に安定した養育環境を提供すること。

check
　里親委託が不調となった場合、子どもと里親の双方に対する十分なフォローが必要になる。また、委託解除時には里親の喪失感を軽減できるような配慮が必要である。

2　里親支援事業

　「新しい社会的養育ビジョン」で掲げられた取り組みを通

じて、質の高い里親養育を実現するため、都道府県が行うべき**里親養育包括支援業務**（フォスタリング業務）のあり方が下記のように具体的に提示されました。特に就学前の子どもは、原則として施設への新規措置入所を停止して、乳幼児の**家庭養育優先原則**の徹底と、年限を明確にした取り組みを目標としています。

①里親制度等普及促進・リクルート事業

里親募集（リクルート）に向けた現状分析や企画立案を行うとともに、それらを踏まえた積極的な広報啓発活動の実施により新たな里親を開拓する。

②里親研修・トレーニング等事業

里親に対する登録前研修や更新研修を実施するとともに、未委託里親や委託後の里親に対して、事例検討やロールプレイ、実習などのトレーニングを実施することにより、**養育技術**の維持、向上を図る。また、フォスタリング業務を担当する**職員**の研修への参加を促進し、**資質向上**を図る。

③里親委託推進等事業

子ども、実親及び里親家庭のアセスメントを踏まえた情報をもとに、委託先の候補となる里親家庭の選定、委託の打診と丁寧な説明、子どもと里親の面会等を実施するとともに、委託後の**子どもの自立**に向けて、子どもや里親等の意向を踏まえた効果的な**自立支援計画**を作成する。

④里親訪問等支援事業

里親家庭等への**定期的**な訪問や夜間・休日の相談窓口の開設等により、相談に応じるとともに、子どもの状態の把握や里親等への援助を行う。また、里親等が集い、養育についての話し合い等相互の交流を定期的に行い、情報交換や養育技術の向上を図る。

⑤共働き家庭里親委託促進事業

企業に働きかけ、**里親委託**と**就業**の両立が可能となるような仕組みづくりを官民連携の下、共有し、分析・検証し、その成果を全国的に普及拡大する。

check
里親支援の事業に要する費用は、国と都道府県・指定都市・児童相談所設置市が 1/2 ずつ負担することが定められている。この事業は民間委託も可能。

3 都道府県社会的養育推進計画

　家庭養育優先原則の徹底を目指し、各都道府県で「都道府県社会的養育推進計画」が策定されています。

　この計画は、関係者全体に2016（平成28）年改正児童福祉法の理念等が徹底されるとともに、着実に進めることが必要です。また、子どもの権利や子どもの最善の利益はどの地域においても実現されるべきものであること、各都道府県は、国における目標を念頭に置き、具体的な数値目標と達成期限の設定と進捗管理を通じて取り組みを強化することなど、かなり踏み込んだ内容となっています。

4 特別養子縁組の推進と活用

　都道府県社会的養育推進計画には、「パーマネンシー保障としての特別養子縁組等の推進のための支援体制の構築に向けた取組」等を策定することが定められています。

　特に、棄児（きじ）や長期的に実親の養育が望めない子ども、長期間にわたり親との交流がない子ども、虐待等の理由で親子分離され、その後の経過からみて家族再統合が極めて困難と判断された子どもなど、特別養子縁組の検討対象となる子どもの数を把握しなければなりません。

　実際の縁組には、実親との関係が子どもにとってどのような意味を持つのかという点を含め、十分なアセスメントとマッチング等を行いつつ、「すべての子どもに、早く恒久的な安定した生活環境を実現する」というパーマネンシー・プランニングの理念に基づいて考えることが求められています。

check
　一方、国は、毎年、「評価のための指標」等をとりまとめ、進捗のモニタリングと評価を行い公表するとともに、進捗の検証を行って取り組みの促進を図る。

86

問題　次の記述で正しいものに○、誤っているものに×をつけよ。

1. パーマネンシー・プランニングとは、「すべての子どもに、早く恒久的な安定した生活環境を実現する」という理念のことである。

2. フォスタリング業務の事業については都道府県が実施責任者であることから、民間委託などは禁じられている。

3. 家庭養育優先原則から、施設入所等の必要のある児童については、里親委託の可否が検討されなければならない。

4. 都道府県社会的養育推進計画におけるフォスタリング業務の事業にかかる費用はすべて都道府県の負担である。

5. 里親は、登録の際に必要な研修が実施されていることから、委託後は、里親の責任において養育が実施される。

6. 包括的な里親養育支援として、里親のリクルート及びアセスメントがある。

7. 特別養子縁組は実親との関係が絶たれてしまうことから最終的な手段として選択されるべきものである。

解答

1 ○　**2** ×　**3** ○　**4** ×　**5** ×　**6** ○　**7** ×

2　民間委託可能である。

4　国と都道府県（指定都市または児童相談所設置市）がそれぞれ 1/2 ずつ負担することとされている。

5　委託後も、更新研修やトレーニング等事業が実施され、養育技術の維持や向上が図られる。

7　パーマネンシー保障の観点から、親の死亡や養育の意思がない場合や実親の養育が望めないなどの場合は積極的に推進するべきである。

子どもの社会的養護における今後の課題

出題
point
- 社会的養護の理念と原理
- 社会的養護の機能と役割
- 子育て支援施策との連携

1 社会的養護の今後の課題

1 社会的養護の基本理念と原理

　社会的養護の基本理念は「子どもの**最善の利益**のために」「**社会全体**で子どもを育む」です。子どもの最善の利益のためには、児童福祉法や児童の権利に関する条約に基づく取り組みが必要不可欠です。保護者の適切な養育を受けられない子どもを**公的責任**で社会的に保護養育し、養育に困難を抱える家庭への支援を行う等、社会全体で子どもを育む意識を高めることも必要です。

■ 社会的養護の原理 ■

---

①家庭養育と個別化
②発達の保障と自立支援
③回復をめざした支援
④家族との連携・協働
⑤継続的支援と連携アプローチ
⑥ライフサイクルを見通した支援

　社会的養護の原理を基に、施設などの養育環境の**小規模化**、さらには家庭養護としての里親委託を優先するといった変化など、基本理念に立ち返った具体的な取り組みがなされています。

check
　施設機能を地域内に分散して地域の社会的養護の拠点にすることで、地域の社会的養護の担い手と連携して児童虐待を早い段階で発見・援助し、親子分離に至らない段階での支援を充実させることを目指している。

2 社会的養護の役割

従来からの養育の場という観点に加え、虐待等からの保護と回復、虐待や貧困の世代間連鎖の防止、社会的包摂を社会的養護の役割としてあげています。

①養育の場：安全で安心した環境の中で心身及び社会性の適切な発達を促すような養育の場。

②虐待等からの保護と回復：親の虐待から子どもを護り、虐待を受けた子どもに「大切にされる体験」を提供する。

③世代間連鎖の防止：虐待を受けた経験を持つ親がその子どもに虐待をするという連鎖を断ち切り、子どもが受けた傷を回復させる。また、貧困の世代間連鎖を断ち切る。

④社会的包摂（ソーシャルインクルージョン）：社会的養護の下で育つ子どもや、そこから育った人が生きやすい社会をつくる。そのために当事者の参加を進める。

3 社会的養護の基本的方向

社会的養護の基本的方向や施策には、次のようなものがあります。

①家庭的養護の推進：特定の大人との継続的で安定した愛着関係の下で社会的養護を行う。

②専門的ケアの充実：他者に対する基本的信頼の獲得、安定した人格の形成、心の傷の癒しなどのために専門的な知識や技術を有する者によるケアや養育を行う。

③自立支援の充実：社会的養護の下で育った子どもが自立した社会人として生活できるように支援する。

④家族支援・地域支援の充実：施設のソーシャルワーク機能を高めて、虐待防止のための親支援、親子関係への支援、家族支援を充実させる。

⑤要支援児童という考え方の提案：保護者がいない、あるいは保護者に監護させることが不適当とまではいえないが、保護者の養育を支援する必要があると認められる児童を「要支援児童」と位置付け、要保護児童に至らないよう、予防的に保護者の養育を支援していく。

check
広義の社会的養護について、レスパイト・ケア、一時保護、治療的デイケア、家庭支援等、地域における子どもの養育を支える体制も含めたものととらえることができるとして、議論の範囲とされた。

レスパイト・ケア
⋯▶ 上 p.233

check
社会的養護は他の一般の子育て支援施策から断絶したものではなく、一体性と連続性を持つものとする必要がある。

⑥児童家庭相談における市町村の役割強化：児童相談所だけでなく**市町村**も児童家庭相談の役割を担う。

⑦子育て支援施策との連携：**要保護児童対策地域協議会**◆、児童相談所などと連携して子どもを支援する。

⑧退所後の支援の継続（アフターケア）：子どもが施設を退所した後も、施設の職員は様々な形で子どもたちの社会適応支援を継続する。

4 子どもの貧困対策

「子どもの貧困対策の推進に関する法律」が2014（平成26）年に施行されました。

この法律では教育・生活・就労・経済的支援等の施策推進を目指し、「子どもの貧困対策に関する大綱について」が示され、保護者の生活支援・子どもの生活支援（児童養護施設等を退所した子どものアフターケアの推進）・支援人員の確保などがあげられています。

2019（令和元）年6月の改正では、この法律の目的に、子どもの貧困対策を「子ども一人一人が夢や希望を持つことができるようにするため、子どもの貧困の解消に向けて、児童の権利に関する条約の精神にのっとり、（中略）推進すること」等が追加されました。また、市町村に対し子どもの貧困対策計画を策定する努力義務が課されました。

こうした背景には、施設入所児童の一般児童との学力格差や退所児童の一般児童との経済的格差、そしてそれらが次世代へと連鎖していくことが大きな問題となっている状況があります。

5 新しい社会的養育ビジョン

2017（平成29）年8月に策定された新しい社会的養育ビジョンでは、①虐待やネグレクトなど在宅のままで支援していくことが適切と判断される支援、②サービスの開始と終了に行政機関が関与するサービス形態については「在宅措置」として「社会的養護」の一部と位置づけて措置に含むものとして示されています。その他、家族と分離して行

用語

◆要保護児童対策地域協議会（子どもを守る地域ネットワーク）

市町村及び都道府県、特別区や地方公共団体の組合（一部事務組合や広域連合）等が設置主体となり、個別の要保護児童等に関する情報交換や支援内容の協議を行うもの。
➡️上 p.119,225

check

「児童自立生活援助事業」はアフターケアの主要な施策の1つで、義務教育終了後、入所措置が解除された子どもたちに対し、「自立援助ホーム」において相談その他の日常生活の援助および生活指導を行うことによって、子どもの自立支援を図ることを目的としている。

check

政府は年に1度、子どもの貧困の状況と子どもの貧困対策実施状況を公表しなければならないことも定められている。

う代替養育は一時的な解決であるとしています。そのため、実親による養育が困難で同居が不適当な場合においては、普通養子縁組や特別養子縁組といった永続的解決を目的とした対応を行うことが求められています。

6 地域に住む子どもとその保護者への支援

2022（令和4）年の児童福祉法の改正では、児童福祉施設の中にいる子どもだけではなく、地域に住む子どもとその保護者へのケア・子どもと保護者の関係性のケアなど、困難を抱えるケースに対して、一時的な住居や食事提供などを行う児童育成支援拠点事業が創設されました（2024〔令和6〕年4月1日施行）。

 2 子ども・子育て支援新制度

2012（平成24）年8月に成立した子ども・子育て支援法では、市町村が虐待を受けた児童等の要保護児童も含め、地域の子ども・子育て家庭を対象とした事業を行うとともに、都道府県が、社会的養護など、専門性の高い施策を引き続き担うため、都道府県の設置する児童相談所を中心とする仕組みを維持することとされています。

社会的養育の充実については、①児童養護施設等の小規模かつ地域分散化や職員配置基準の強化を含む高機能化等の推進など、質の向上、②児童養護施設等の受入児童数の拡大などがあげられています。

子ども・子育て支援の充実においては、すべての子ども・子育て家庭を対象に、市町村が実施主体となり、教育・保育、地域の子ども・子育て支援の量及び質の充実を図ることなどがあげられています。

その他にも、家庭養育優先原則に基づき、子どもの意見または意向や状況等を踏まえて、代替養育先を検討することなど、様々なケースマネジメントを実施するための体制の検討が図られています。

問題 次の記述で正しいものに○、誤っているものに×をつけよ。

1. 社会的養護の原理は児童の命の保証が何よりも優先するため、支援においても短期的な解決に基づいて行われる。

2. 社会的養護の役割として、虐待を受けた親がその子どもに虐待するという虐待の連鎖や、貧困の世代間連鎖の防止があるが、社会的包摂（ソーシャルインクルージョン）は含まれない。

3. 「新しい社会的養育ビジョン」においては、保護者と分離した代替養育は一時的な解決方法であるとしている。

4. 子どもに永続的な家族関係をベースにしたパーマネンシーを保障するために、特別養子縁組や普通養子縁組は実父母の死亡などの場合に限られる。

5. 貧困の連鎖は重要な問題ではあるが、成人以降において改善できなかった場合は自己責任である。

解答

1 × **2** × **3** ○ **4** × **5** ×

1 社会的養護の原理にはライフサイクルを見通した支援が必要とされており、短期的な解決とともに中・長期的な支援も視野に入れておかなければならない。

2 社会的包摂（ソーシャルインクルージョン）は、社会的な孤立や排除などから守り、社会の構成員として包み合う考え方であり、社会的養護の役割の一つである。

4 実親による養育が困難であれば、養子縁組による永続的解決（パーマネンシー保障）を目的とした対応を行う。

5 児童期の貧困は成人以降の社会的地位への多大な影響やその固定化を招くことから、単に自己責任として捉えることは適切ではない。

3章

子どもの保健

学習ポイント

- 子どもの身体発育、生理機能や運動機能の発達の基本的な重要項目について学びます。
- ケガ、病気の予防、応急処置について知識だけではなく、看護技術についても具体的に知る必要があります。
- 人口動態統計は、出生数などの動向や死因の順位などを確認しておきましょう。
- 保育所における感染症対策やアレルギーについても問われています。各種ガイドラインも含め、感染症予防や対策、アレルギーの原因等について学習しましょう。
- 事故防止と安全、保健計画、母子保健についても押さえておきましょう。
- 体調不良時の対応について、症例からの出題が多いので、保健的かつ実践的対応という視点から学習しましょう。

3章　子どもの保健

section 1 子どもの健康と保健の意義

出題
point
- 生命の保持と情緒の安定に係る保健活動の意義と目的
- 健康の概念
- 健康指標

1 生命の保持と情緒の安定に係る保健活動の意義と目的

1 生命の保持と情緒の安定

保育の目標の一つに、「十分に養護の行き届いた環境の下に、くつろいだ雰囲気の中で子どもの様々な欲求を満たし、**生命の保持及び情緒の安定を図ること**」があります。保育所保育において、子どもの保健の考え方の基本となるのは、養護に関わる「**生命の保持**」「**情緒の安定**」の内容です。

■ 子どもの生命の保持 ■

①一人一人の子どもが、快適に生活できるようにする。
②一人一人の子どもが、健康で安全に過ごせるようにする。
③一人一人の子どもの生理的欲求が、十分に満たされるようにする。
④一人一人の子どもの健康増進が、積極的に図られるようにする。

■ 子どもの情緒の安定 ■

①一人一人の子どもが、安定感をもって過ごせるようにする。
②一人一人の子どもが、自分の気持ちを安心して表すことができるようにする。
③一人一人の子どもが、周囲から主体として受け止められ、主体として育ち、自分を肯定する気持ちが育まれていくようにする。
④一人一人の子どもがくつろいで共に過ごし、心身の疲れが癒されるようにする。

check
保育所保育指針とは、保育所における保育の内容や、これに関連する運営について定めたものである。保育所においては、保育指針に基づき、子どもの健康及び安全を確保しつつ、子どもの1日の生活や発達過程を見通し、保育の内容を組織的・計画的に構成し、保育を実施する。

check
保育所保育指針には、子どもが自分の体や健康に関心を持って、心身の機能を高めていくことが大切であることが示されている。

2 保健活動の意義と目的

子どもの健康支援として、毎日の健康観察を行い、一人一人の健康状態を把握することは、施設全体の子どもの疾病の発生状況の把握、早期疾病予防策を立てることや不適切な養育の早期発見にも有効です。

子どもの心身の健康増進のため、定期的に健康診断を実施し、子どもの健康に関する保健計画を作成し、一人一人の発育・発達に応じた生活ができるように援助します。

保健計画
•••▷ p.181

2 健康の概念

1 健康の定義

1948 年、WHO（世界保健機関）は、「健康とは、完全な肉体的、精神的および社会的福祉の状態であり、単に疾病または病弱の存在しないことではない」（1951 年，官報）と定義しています。

また、WHO は、1986 年に「人々が自らの健康をコントロールし、改善できるようにする過程（プロセス）」を意味するヘルスプロモーションという概念を提唱しました。この考え方は、子どもの健康水準を向上させる対策にも導入されています。

2 21 世紀における国民健康づくり運動（健康日本 21）

健康づくりの具体的な施策として 2000（平成 12）年に「健康日本 21」が開始されました。その後すべての国民が共に支え合い健やかで心豊かに生活できる活力ある社会を目指し、2013（平成 25）年度から「健康日本 21（第二次）」が、2024（令和 6）年度からは「健康日本 21（第三次）」が始まりました。

3 健やか親子 21

ヘルスプロモーションに基本理念を置き、2000（平成 12）年に「健やか親子 21」が策定されました。2001（平成 13）年から 2014（平成 26）年までの第 1 次計画では、全体の 8 割に一定の改善がみられ、2015（平成 27）年度から

check
WHO（世界保健機関）の健康の定義は、第二次世界大戦によって心身ともに傷つき、飢えに苦しむ世界中の人々の再起への道標となった。「社会的」という部分が重要であり、基本的人権の考え方にも大きな影響を及ぼした。

check
健康日本 21（第三次）では、2024（令和 6）年度から 2035（令和 17）年度までの国民の健康増進の推進に関する基本的な方向として、健康寿命の延伸と健康格差の縮小、個人の行動と健康状態の改善、社会環境の質の向上、ライフコースアプローチを踏まえた健康づくりを挙げている。

はその課題を踏まえ、「すべての子どもが健やかに育つ社会」を目指す、10年間の第2次計画が始まりました。3つの基盤課題と2つの重点課題が設定されています。

4 子どもの健康の把握

個人差を考慮しながら把握することが大切です。

①それぞれの子どもの条件に応じて、発育・発達が順調か。

②その発育・発達段階に見合った生活が送れているか。

③その時点での生活が次の段階の発育・発達を促すことができるか。

●小児期の年齢による区分●
新生児：出生後から生後28日未満
乳児：満1歳未満（新生児期を含む）
幼児：満1歳以上から就学前
児童・生徒：小学校入学以上満18歳に満たない者まで

5 子どもの健康と安全・健康な心と体

保育所保育指針の目標の一つに「健康、安全など生活に必要な基本的な習慣や態度を養い、心身の健康の基礎を培うこと」があります。子どもの健康と安全は大人が守ると同時に子ども自らが健康と安全に関する力を身に付けていくことも重要であると明記されています。

■ 健康及び安全（3章前文）■

保育所保育において、子どもの健康及び安全の確保は、子どもの生命の保持と健やかな生活の基本であり、一人一人の子どもの健康の保持及び増進並びに安全の確保とともに、保育所全体における健康及び安全の確保に努めることが重要となる。

また、子どもが、自らの体や健康に関心をもち、心身の機能を高めていくことが大切である。

■ 健康な心と体（1章4（2）ア）■

> 保育所の生活の中で、充実感をもって自分のやりたいことに向かって心と体を十分に働かせ、見通しをもって行動し、自ら健康で安全な生活をつくり出すようになる。

 3 健康指標

1 保健統計

保健統計の資料の一つに**人口動態統計**があります。人口動態統計は、住民からの届出（出生、死亡、婚姻、離婚、死産等）に基づいて、年間（通常は1年間だが、6か月間、1か月間のこともある）の地域内の**人口の動き**をまとめたものです。**社会的指標**となるとともに、保健・医療・福祉の指標としても役立っています。

■ 主な人口動態統計（令和4年は確定数、令和5年は概数）■

	令和4年	令和5年	計算式など
出生率	6.3	6.0	（年間出生数／人口）× 1,000
合計特殊出生率◆	1.26	1.20	用語を参照
乳児死亡率	1.8	1.8	（1歳未満の年間死亡数／年間出生数）× 1,000
新生児死亡率	0.8	0.8	（出生後28日未満の年間死亡数／年間出生数）× 1,000
周産期死亡率◆	3.3	3.3	｛年間周産期死亡数*1／（年間出生数＋年間の妊娠満22週以後の死産数）｝× 1,000
死産率	19.3	20.9	（年間死産数／年間出産数*2）× 1,000

＊1：年間周産期死亡数＝年間の妊娠満22週以後の死産数＋年間の早期新生児死亡数

＊2：年間出産数＝年間出生数＋年間死産数

2 出生

2023（令和5）年の出生数は72万7,277人でした。8年連続で減少し、過去最少を更新しています。母親の年齢別（5歳ごと）にみると、**30〜34歳**が最も多くなっています。

●アドバイス

人口動態統計の結果や各統計の種類について出題されるので、読み取れるよう学習しよう。

❶ 子どもの健康と保健の意義

用語

◆合計特殊出生率

合計特殊出生率とは、15歳から49歳までの女子の年齢別出生率を合計したもので、1人の女性が一生の間に産む子どもの数の目安になる。約2.08を下回ると長期的に人口は減少する。

◆周産期

周産期とは、妊娠満22週以後から生後1週未満（早期新生児）の期間をいう。周産期死亡率を指標として検討し、妊娠中の胎児及び新生児の保健医療の課題が明確化されている。

第1子出生時の母親の平均年齢は2011（平成23）年に初めて30歳を超えて30.1歳となり、2023（令和5）年は**31.0**歳と上昇傾向にあります。

　　低出生体重児の出生割合は、2000（平成12）年は8.6%、2005（平成17）年には9.5%と増加傾向でしたが、それ以降はほぼ横ばいが続いています。

3 死亡

　2023（令和5）年の死亡数は157万5,936人で、高齢化を背景に過去最多となり、**人口減少**が加速しています。新生児死亡率や乳児死亡率の減少からは、小児保健・医療の充実を知ることができます。各死亡率の変化や死因の分析によって、保健・医療の歴史的変遷を知り、今後の課題を明らかにすることができます。この他、**周産期死亡率**や**妊産婦死亡率**◆についても母子保健の指標として重要です。

　また、乳幼児の**死亡原因**を知り、分析することで保健・医療の問題点及び課題を明らかにすることができます。

■ 令和5年　年齢別死亡原因の順位（概数値）■

	1位	2位	3位	4位	5位
0歳	先天奇形、変形及び染色体異常	呼吸障害等	不慮の事故	出血性障害等	乳幼児突然死症候群（SIDS）
1〜4歳	先天奇形、変形及び染色体異常	悪性新生物〈腫瘍〉	不慮の事故	心疾患	新型コロナウイルス感染症
5〜9歳	悪性新生物〈腫瘍〉	不慮の事故	先天奇形、変形及び染色体異常	インフルエンザ	その他の新生物〈腫瘍〉、心疾患
10〜14歳	自殺	悪性新生物〈腫瘍〉	不慮の事故	先天奇形、変形及び染色体異常	心疾患

資料：「令和5年人口動態統計（概数）」（厚生労働省）

用語

◆**低出生体重児**
　出生時に体重が2,500g未満の新生児のことをいう。低出生体重児が出生したときはその旨を市町村に届け出なければならない（母子保健法18条）。

低出生体重児
･･･▶ p.107,223
　📖 p.38

用語

◆**妊産婦死亡率**
　（妊産婦の年間死亡数／年間出産数）×100,000であらわされ、周産期死亡率及び死産率とともに母性保健や周産期保健の指標にされている。

子どもの事故の特徴
･･･▶ p.167

問題 次の記述で正しいものに○、誤っているものに×をつけよ。

1. 2023（令和 5）年出生数は 80 万人であり、前年と比べ横ばいである。

2. 新生児死亡率は乳児（生後 1 か月未満の児）の死亡数で、新生児死亡率は出生数千対で表される。

3. 2023（令和 5）年の「人口動態統計」によるわが国の子どもの死因について、0 歳で最も多いのは乳幼児突然死症候群（SIDS）である。

4. 母子保健法による新生児とは、生後 28 日未満の乳児をいう。

5. 乳児死亡とは生後 1 年未満の死亡をいい、乳児死亡率は出生千対で表し、2023（令和 5）年の乳児死亡率は 1.8 である。

6. 2023（令和 5）年の死亡数は約 158 万人である。

7. 合計特殊出生率とは、1 人の女性が生涯に生む子どもの数で、2023（令和 5）年の合計特殊出生率は 1.20 で、2022（令和 4）年の 1.26 より低下した。

8. 母子保健法における幼児とは満 3 歳から就学前までをいう。

9. 出生率とは、年間出生数を人口で割り、1,000 をかけたものであり、2023（令和 5）年は 6.0 である。

10. WHO は、「健康とは、完全な肉体的、精神的および社会的福祉の状態であり、単に疾病または病弱の存在しないことではない」と定義している。

11. 母子保健法による幼児とは、満 1 歳から就学前をいう。

12. 低出生体重児とは、出生時体重が 2,500 g 未満の新生児のことをいう。

13. 保育所保育指針の「情緒の安定」には、一人一人の子どもが自分の気持ちを安心して表すことができると明記されている。

解答

1 × **2** × **3** × **4** ○ **5** ○ **6** ○ **7** ○ **8** × **9** ○ **10** ○ **11** ○ **12** ○ **13** ○

1 2023（令和 5）年の出生数は 72 万 7,277 人で過去最少となった。

2 生後 1 か月未満ではなく生後 28 日未満である。

3 0 歳、1〜4 歳ともに、1 位は先天奇形、変形及び染色体異常である。

8 満 1 歳以上から就学前である。

 地域における保健活動と
児童虐待防止

出題
point
- 子育て支援
- 児童虐待の現状
- 児童虐待への対応

 子育て支援

1 保育者の子育て支援

　今日の保育活動では、子育て支援が重視されています。保育所保育指針においても、保育所における保護者に対する子育て支援は、すべての子どもの健やかな育ちの実現を目指し、家庭と連携し、保護者及び地域の子育てを自ら実践する力の向上につながることを目指すとしています。

2 保育所を利用している保護者に対する子育て支援

　子育て支援は、子どもの最善の利益を考慮しつつ、日々の保育と密接に関連しながら展開されます。子育て支援を行う際は、保護者に対して、子どもの日々の様子や保育所保育の意図を説明し、保護者との相互理解を図ることも重要です。保護者自身の主体性や自己決定を尊重するよう努めます。

■ 保護者に対する子育て支援の基本 ■

- 家庭の実態等を踏まえ、保護者の気持ちを受け止め、相互の信頼関係を基本とし、保護者の自己決定を尊重する。
- 保護者が子どもの成長に気付き、子育ての喜びを感じられるように努める。
- 保護者や子どものプライバシーを保護し、知り得た事柄の秘密を保持する。
- 保護者の就労と子育ての両立等を支援するため、保護者の状

check
　子育て支援活動は、保育所のみで行われるものではない。保育者は、地域の子育て支援に関する資源を積極的に活用し、地域の関係機関などと連携や協力を図ることも必要である。

check
　子育て支援とは、保護者支援を通して子どもたちの健全な成長を支援することである。

check
　1994（平成6）年のエンゼルプランにおいても、子育ては、夫婦や家庭の問題としてだけとらえるものではなく、企業・職場、地域社会も含めた社会全体で支援するものとされた。

況に配慮し、子どもの生活の連続性を考慮する。

・特別な配慮を必要とする場合は、関係機関と連携を図り、保護者に対する個別支援を行うよう努める。

3 地域の保護者等に対する子育て支援

地域社会全体の子育て力、教育力の低下が指摘されています。保育に関する知識や技術を持つ保育者は、**地域の実情**を踏まえて、保育所保育の**専門性**を生かした子育て支援を積極的に行うことが求められます。

■ 地域における子育て支援 ■

・地域に開かれた子育て支援。
・一時預かり事業。
・地域の関係機関等との積極的な連携及び協働を図る。
・子育て支援に関する地域の人材と積極的に連携を図る。

2 児童虐待の現状

現在、核家族化による家庭の孤立、離婚の増加、不況による経済的な困窮など、家庭には様々な問題が増えており、児童虐待も増え続けています。児童虐待は身体的な傷により子どもの**生命を危うくする**だけでなく、子どもの**心の傷**となって子どもの将来に影響しますので、虐待が深刻化する前の早期発見・早期対応が必要です。

■ 児童虐待の種類 ■

①身体的虐待：児童の身体に外傷を生じ、又は生じる恐れのある暴行を加えること。
②性的虐待：児童にわいせつな行為をすること又はわいせつな行為をさせること。
③ネグレクト：児童の心身の正常な発達を妨げるような著しい減食又は長時間の放置、保護者以外の同居人による同様の行為の放置その他の保護者としての監護を著しく怠ること。
④心理的虐待：児童に対する著しい暴言又は著しく拒絶的な対

✦check✦
子どもが病気になったとき、仕事を休めない親にかわって病気の子どもの世話をする病児保育のニーズが、近年高まっている。事業類型は「病児対応型」「病後児対応型」「体調不良児対応型」「非施設型（訪問型）」「送迎対応」に分けられる。病児保育の施設・事業所の施設類型は、「保育所等併設型」、「医療機関併設」、「単独型」などがある。

✦check✦
児童虐待の要因には、育児不安、養育者の虐待された経験、病気や精神的に不安定な状態、夫婦関係、経済的不安、周囲からの孤立などがあげられる。これらは、複数の要因が積み重なり虐待に至ることが多い。

✦check✦
虐待は単独の種類ではなく、重複していることもある。

児童虐待の定義
‥➡上 p.208

応、児童が同居する家庭における配偶者に対する暴力その他の児童に著しい心理的外傷を与える言動を行うこと。

1 虐待児への影響

虐待が子どもに及ぼす悪影響には、①頭蓋内出血、骨折、火傷などによる**身体的障害**、②暴力などを受けた体験から**トラウマ（心的外傷）**が生じ、それに伴う精神症状（不安、情緒不安定）があらわれる、③栄養・感覚刺激の不足による**発育障害**や**精神遅滞**、④安定した愛着関係を経験できないことによる**対人関係障害**（緊張、乱暴、ひきこもり）、⑤**自尊心の欠如**（低い自己評価）などがあります。

check
児童憲章には、「すべての児童は、家庭で、正しい愛情と知識と技術をもつて育てられ、家庭に恵まれない児童には、これにかわる環境が与えられる」と明記されている。

2 児童虐待の状況

児童相談所における児童虐待相談件数は、毎年**増え**、2022（令和4）年度は21万9,170件で、相談経路は警察からの通告が最も多く全体の約5割を占め、次に近隣の知人となっています。相談の種類別にみると「**心理的虐待**」が12万9,484件と最も多く、全体の約6割を占め、次いで「**身体的虐待**」が5万1,679件、ネグレクト（育児放棄）が3万5,556件で、性的虐待が2,451件です。

check
児童相談所虐待対応ダイヤル「189（いち・はや・く）」では、24時間体制で通報や相談を受けつけている。

■ 児童虐待に関する相談件数の推移 ■

年度	H30	R1	R2	R3	R4
相談件数（件）	159,838	193,780	205,044	207,660	219,170

資料：「児童相談所における児童虐待相談対応件数（速報値）」（こども家庭庁）

また、こども家庭庁の「こども虐待による死亡事例等の検証結果等について」によると、2021（令和3）年4月からの1年間に発生した虐待死事例（心中以外）は、50人でした。そのうち、0歳児が24人であり、1歳と3歳がそれぞれ6人で、低年齢の乳幼児への虐待は特に深刻な問題であることがわかります。

3 児童虐待のリスク要因

児童虐待が起こる背景は様々ありますが、主に4つのリスク要因に分類されます（「子ども虐待対応の手引き」より）。

check
リスク要因を持ち、養育支援を必要としている家庭であるか否かを判断し、早期に支援につなげることが大切である。

■ 虐待に至るおそれのある要因（リスク要因）■

保護者側の リスク要因	・望まぬ妊娠、10 代の妊娠 ・子どもへの愛着形成が十分に行われていない場合 ・マタニティブルーズや産後うつ病等精神的に不安定な状況 ・元来性格が攻撃的、衝動的　　・被虐待経験　　　等
子ども側の リスク要因	・乳児期の子ども、未熟児、障害児 ・何らかの育てにくさを持っている子ども　　　等
養育環境の リスク要因	・未婚を含むひとり親家庭　　　・夫婦の不和 ・人間関係に問題を抱える家庭 ・経済不安のある家庭　　　・転居を繰り返す家庭 ・親族や地域社会から孤立した家庭　　　等
その他	・母子健康手帳の交付を受けていない ・妊婦健康診査を受診しない ・乳幼児健康診査を受診しない　　　等

3　児童虐待への対応

1　児童虐待防止法の成立と改正

　2000（平成 12）年に児童虐待の防止等に関する法律（児童虐待防止法）が制定され、児童虐待を受けたと思われる児童を発見した者は、速やかに、市町村や、都道府県の設置する福祉事務所、児童相談所に通告しなければならないことが示されました。また、住民の**通告義務**、立入調査等における**警察官の援助**等も規定されました。

　同居人による虐待を**放置すること**等も児童虐待の対象とされたほか、通告義務の範囲の拡大、虐待通告先に**市町村**が追加され、要保護児童対策地域協議会の**法定化**、強制入所措置や保護者指導等の**司法関与**が強化されました。2020（令和 2）年 4 月 1 日施行の改正では、しつけのための**体罰禁止**が明記され、虐待をした保護者へのサポート体制を整えること、児童相談所の介入強化、関係機関の守秘義務の再確認がなされています。

2　児童虐待防止の対策

(1) 発生予防

　妊娠期や産褥期から母親と関わり、情報を把握し**虐待の徴候**を察知する努力がなされています。妊娠期では、妊娠届、

---

check

「子ども虐待対応の手引き」が 2024（令和 6）年 3 月に改正され、「虐待による乳幼児頭部外傷（AHT）が疑われる場合の対応」について、児童相談所が複数診療科のセカンドオピニオンを受け多角的に検討することの重要性等が追記された。

check

シェイクン・ベビー・シンドローム（SBS）に関して、虐待による乳幼児頭部外傷（AHT）が用いられるようになった。AHT とは、激しい揺さぶりだけに限らずこどもの頭部への鈍的外力や、またはその両方が意図的に加えられたことで頭蓋骨や頭蓋内に生じる頭部損傷も含めるものである。

check

要保護児童を発見した者は、これを市町村、都道府県の設置する福祉事務所若しくは児童相談所又は児童委員を介して市町村、都道府県の設置する福祉事務所若しくは児童相談所に通告しなければならない（児童福祉法 25 条・要保護児童発見者の通告義務）。

児童虐待防止法
‥▶ 上 p.178

3 子どもの保健

❷ 地域における保健活動と児童虐待防止

母子健康手帳交付、母親（両親）教室、妊婦健康診査等の機会に情報を把握しています。産褥期では、乳児健診や出生4か月までに行われる**乳児家庭全戸訪問事業（こんにちは赤ちゃん事業）**を通して母親をサポートしています。

(2) 早期発見・早期対応

　最近は児童虐待防止についての認識が広がり、児童相談所や福祉事務所等に通告や相談が数多く寄せられます。通告や相談には、子どもの**生命を守り**、**安全を確保する**ことを最優先して対応しています。

(3) 各種機関の連携

　児童虐待の防止には、**児童相談所**、**市区町村**と連携し、ネットワークの構築と、その活用を図ることが必要です。そのために、「**子どもを守る地域ネットワーク**」（要保護児童対策地域協議会）が設置されました。

4 ドメスティック・バイオレンス（DV）

　ドメスティック・バイオレンス（以下 DV）は、同居している配偶者・内縁関係者・交際相手、両親・子・兄弟や親せきから受ける暴力の総称で、下記のように分類できます。

■ DV の種類 ■

①身体的暴力：殴る、蹴る、引きずりまわす、物を投げつけるなど。
②心理的暴力：大声で怒鳴る、罵る、脅すなど。
③性的暴力　：性行為を強要する、避妊に協力しないなど。
④経済的暴力：生活費を渡さない、働きに行かせないなど。
⑤社会的暴力：行動の制限、友人に会わせないなど。

　配偶者等からの暴力により心身に受けた傷は、親としての行動を変えて、子どもへの虐待につながることがあります。また、子どもの目の前で家族に対してふるわれる暴力行為は児童に対する**心理的虐待**にあたり、子どもに**恐怖**と緊張を与えます。

check
　子どもの心身の状態等を観察し、不適切な兆候が見られる場合には、児童福祉法25条に基づき適切な対応を図る。

check
　乳児家庭全戸訪問事業の実施主体は市町村である。

check
　地域子育て支援拠点では、子育て親子の交流の場、子育て等に関する相談・援助、関連情報の提供、講習等、地域子育て支援のネットワークを作っている。支援拠点の実施主体は市町村である。

check
　DV は、生活の本拠をともにする交際相手からの暴力及びその被害者についても、配偶者からの暴力及びその被害者に準じて、DV 防止法の適用対象とされる。

DV 防止法
 上 p.212

check
　児童虐待と DV は重なって発生する例も多くみられる。

問題 次の記述で正しいものに○、誤っているものに×をつけよ。

1. 不適切な養育の兆候がみられる場合には「母子保健法」に基づき適切に対応する。

2. 不適切な養育の兆候がみられても、兆候の段階では児童相談所に通告してはならない。

3. 子どもへの虐待は、子どもの人権を侵害し、その後の子どもの心身の成長、知的発達、人格の形成、行動に影響を与えることがある。

4. 子どもに発育・発達の遅れや、不安、情緒不安定などがみられる場合、母子関係が過度に弱かったりする場合には、児童虐待の可能性が考えられる。

5. 児童相談所における児童虐待相談は、身体的虐待の割合が最も多い。

6. 児童虐待の相談経路は、近隣・知人からの通報が最も多くなっている。

7. 保育所で、虐待が疑われる事例への援助を行う際は、プライバシーを保護しながらも早期介入・対応が求められる。

8. ネグレクトとは、無視したり、脅えさせたり、いじめたりすることをいう。

9. 要保護児童対策地域協議会は、虐待を受けている子どもをはじめとする要保護児童を早期発見し関係機関と連携し対応する。

10. 虐待事例への介入は、保護者の意に反してはならない。

11. 2022（令和4）年度の児童虐待相談件数は約22万件である。

12. 乳児家庭全戸訪問事業は児童虐待の発生予防や母親をサポートするため、市町村が実施主体となり行われている。

解答

1 × **2** × **3** ○ **4** ○ **5** × **6** × **7** ○ **8** × **9** ○ **10** × **11** ○ **12** ○

1 母子保健法ではなく児童福祉法である。
2 子どもの生命を第一に考え、児童相談所や福祉事務所に通告しなければならない。
5 心理的虐待の割合が最も多く、次いで身体的虐待の割合が多い。
6 相談経路は、警察からの通告が約半数を占める。
8 健康・発育に必要な衣食住の世話をしないなど、育児放棄のことである。
10 子どもの生命を守るため、保護者の意に反しても介入していかなければならない。

必修

重要度

子どもの身体的発育・発達と保健

出題
point

- 子どもの発育と発達
- 身体発育と保健、健康診断
- 生理機能、運動機能、精神機能の発達と保健

1　生物としてのヒトの成り立ち

　ヒトの体は多くの構成要素から成り立っています。細胞は核と細胞質により構成され、約200種類あります。細胞の機能的な集合を組織といいます。ヒトを構成する元素には、炭素、酸素、水素、窒素、硫黄があり、微量ですが生体に不可欠な、亜鉛、銅、ヨウ素、鉄、マグネシウム、マンガン、リンなどもあります。

　ヒトの成長とは身体の大きさや形態面の**増大**をいい、発達とは知能や運動機能などの**成熟**をいいます。発育・発達は、環境との相互作用により次の原則で連続的に進みます。

アドバイス

　ヒトの体を構成する元素として、炭素（C）、水素（H）、酸素（O）、窒素（N）、硫黄（S）は、元素記号を並べてCHONS（チョンス）と覚えるとよい。

■ 発育・発達の原則 ■

（1）発育・発達は基本的方向性があり、一定の順序で進む。
　　①頭部から尾部へ　②中心から末梢へ
　　③粗大運動から微細運動へ
　　首がすわる→おすわり→つかまり立ち→ひとり歩き
（2）発育・発達には**臨界期**◆がある。
（3）発育・発達は連続的な現象だが、速度は一定ではない。

【スキャモンの器官別発育曲線】
　①**一般型**（身長・体重など）：乳児期と思春期に急速に発育
　②**神経型**：出生直後から4歳ぐらいにかけて急速に発育
　③**リンパ系型**：7歳から12歳ぐらいに急速に発育
　④**生殖型**：思春期より急速に発育

用語

◆臨界期
　ある特定の時期に必要な能力を獲得することができないとその能力は一生獲得できないというような、ある限定された時期のこと。

2 身体発育と保健（計測）

1 体重

　体重は、健康・栄養状態の指標として大変重要です。出生時の体重は約**3**kgですが、出生して間もなく**生理的体重減少**◆がみられ、その後は増加し、生後**3**か月で出生体重の約2倍、満**1**歳で約3倍になります。

　体重の測定は、授乳、食事の後を避け、条件を一定にします。立位がとれない場合は、**仰臥位**または**座位**で乳児用体重計を用いて測定します。

■ 乳児用体重計 ■

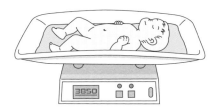

2 身長

　出生時の身長は、約**50**cmで、女児は男児よりやや小さい傾向があります。乳児期の身長の伸びは旺盛で、生後**1**年では出生時の約1.5倍に、**4**年で約2倍に、**12**年で約3倍になります。2歳未満の乳幼児は**仰臥位**で、2歳以上の幼児は**立位**で測定します。

■ 仰臥位身長の測り方 ■

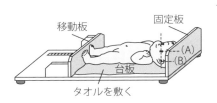

移動板　　　固定板
台板
タオルを敷く

眼（A）と耳（B）とを結んだ直線が台板に垂直になるように頭を固定する。

■ 立位身長の測り方 ■

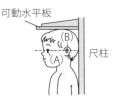

可動水平板
尺柱

眼（A）と耳（B）とを結んだ直線が水平になるように頭を固定する。

●●●check
　出生体重が2,500g未満の新生児を低出生体重児、1,500g未満の新生児を極低出生体重児、1,000g未満の新生児を超低出生体重児という。身体の未熟性が強い。

用語
◆生理的体重減少
　生後3〜5日頃の新生児に一時的に5〜10%の体重減少がみられること。これは、母体から外界に出て水分が失われるのに、十分な量の母乳を哺乳できないために起こる。

●●●check
　仰臥位で測定する場合は、頭部を固定板に、足底部を移動板につける。

●●●check
　立位で測定する場合は、あごをひき、足先を30度の角度に開き、両踵（かかと）、臀部、背部を尺柱につける。

3 頭部

(1) 頭囲

　脳の重量は、出生時が **350**g で、生後 **6 か月**で約 2 倍になり、乳児期に最も大きく増大します。頭囲も同様に最も旺盛に増大します。出生時の頭囲は約 33 〜 35㎝で、胸囲よりも大きく、生後 **1 年**で約 45㎝となり、**胸囲とほぼ同じ**になります。頭囲は、**中枢神経の異常**などを早期に発見するのに役立ちます。

■ 頭囲の測り方 ■

〔乳　児〕

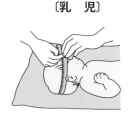

〔幼　児〕

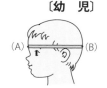

前方は眉間点（A）、後方は後頭部の一番突出しているところ（後頭点）（B）を通る周径を計測する。

📖アドバイス📖

　測定部位について出題されている。前頭部は左右の眉の上を通るので注意する。

(2) 大泉門

　出生直後は頭蓋骨相互の縫合が完成しておらず、骨と骨の間にすき間がみられます。これを泉門といい、前頭骨と頭頂骨で囲まれた菱形の部分を**大泉門**、後頭骨と頭頂骨に囲まれた部分を**小泉門**といいます。出生直後、大泉門は直径 2 ㎝ぐらいのすき間があり、**6 か月〜 2 歳頃**までに閉鎖します。小泉門は生後 2 か月頃には閉鎖します。乳児の大泉門がへこんでいる場合、脱水症を起こしていることがあるので全身状態に注意します。

check

前　大泉門
頭頂骨
後　小泉門

4 胸囲

　胸囲の発育は、栄養状態や**胸郭内の臓器**（肺や心臓など）の発育を評価することができます。扁平胸、漏斗胸、鳩胸などの胸郭の変形がないか観察します。

5 歯

　乳歯は生後 **7 〜 8** か月頃に下顎（かがく）の乳中切歯（真ん中の前歯）から生え始め、**2 〜 3** 歳頃までには 20 本が生えそろいます。永久歯は **6** 歳頃から生え始めます。

check

　乳歯は、妊娠初期から形成し始め、出生時にはかなり出来上がっている。永久歯は、妊娠中期に形成を開始し、石灰化は主として乳幼児期に行われる。虫歯の原因はミュータンス菌である。

3 身体発育と保健（評価）

　乳幼児の発育の評価には、乳幼児身体発育曲線、カウプ指数、肥満度などがあります。

1 乳幼児身体発育曲線

　一般的には評価の基準として、**10年ごと**に全国調査している乳幼児身体発育値の体重、身長、頭囲、胸囲の**パーセンタイル値**◆が用いられています。各々の年月齢の体重と身長の 3、10、25、50、75、90、97 パーセンタイル値を結んだものを**乳幼児身体発育曲線**といいます。

2 カウプ指数

　カウプ指数は、乳幼児の発育状態を判定する指数として用いられます。なお、**カウプ指数**の算出式は成人で用いられる **BMI**（body mass index）と同じです。

　カウプ指数＝〔体重（g）÷身長（cm)^2〕× 10
　または体重（kg）÷身長（m)^2

3 肥満度

　肥満度は、幼児にも用いることがあります。男女別、年齢別、身長別の**標準体重**をもとに算出されます。

> 肥満度＝（実測体重−標準体重）÷標準体重× 100
> 肥満度が 20% 以上〜 30% 未満は軽度の肥満、30% 以上〜 50% 未満は中等度の肥満、50% 以上は高度の肥満

　最近、子どもの**肥満**の増加が指摘され、運動能力の低下、動脈硬化、Ⅱ型糖尿病などの発症誘因になることが問題視されています。また、乳幼児の慢性的及び病的な**やせ**には、児童虐待、先天性心疾患、Ⅰ型糖尿病、消化器疾患などがあげられます。

用語
◆パーセンタイル値
　集団の中で小さい方から何 % 目に該当する値であるかを表す。例えば、身長の 10 パーセンタイル値は全体が 100 名なら小さい方から 10 番目の子どもの身長を表している。また、50 パーセンタイル値は中央値であって、平均値ではない。

check
　カウプ指数は 15 〜 18 くらいがほぼ正常域とするが、年齢により基準が異なる。

4 乳幼児健康診査

　市町村は、1歳6か月以上2歳未満児、3歳以上4歳未満児に対し、乳幼児健康診査を行わなければならないことが**母子保健法**に規定されています。一般的には健診と呼ばれ、病気の早期発見や、発育・発達の確認を目的とします。診断するのではなく、疑わしいものを**スクリーニング**し、二次健診へとつなげます。行政や教育機関（保健所、児童相談所、専門病院など）との連携が必要です。

1 方法と時期

　健診には**集団**健診と**個別**健診があります。**集団**健診は保健センター等で行われ、個別健診は小児科などの医療機関で行われます。1か月健診のみ、生まれた病院や産科で行います。

　主な健診の時期は、1か月、3～4か月、6～7か月、9～10か月、12か月（1歳）、1歳6か月、2歳、3歳（3歳6か月）、5歳などの、精神・運動発達が確認できる重要な年齢（**Key month, Key age**）に行います。

2 発育発達の把握と健康診断

　健康診断は、定期の健康診断と臨時の健康診断、就学前の健康診断があり、いずれも子どもの健康管理に重要な指標となります。

　保育所での健康診断は、嘱託医等により**定期的**に行い、その結果を記録し、**保育に活用**するとともに、保護者が子どもの状態を理解し、日常生活に活用できるようにすることと保育所保育指針にも明記されています。疾病や異常の**早期発見**、健康の**保持増進**を目的とし、職員全体が**共通理解**のもと、**計画的**に実施し、健康状態を把握します。

　健康診断の前には保健調査を行い、健康診断を的確かつ円滑に実施できるようにします。実施後は、結果を速やかに通知し、早期に対処することが子どもの生涯の健康を守るためには大切なことです。

　近隣の協力医療機関で健診が行われることもある。時期や費用は市区町村により異なる。

　保育所での健康診断は、「児童福祉施設の設備及び運営に関する基準」に規定されている。

■ 学校保健安全法施行規則に規定されている検査項目 ■

1	身長、体重	2	栄養状態
3	脊柱及び胸郭の疾病及び異常の有無並びに四肢の状態		
4	視力及び聴力	5	眼の疾病及び異常の有無
6	耳鼻咽頭疾患及び皮膚疾患の有無		
7	歯及び口腔の疾病及び異常の有無		
8	結核の有無	9	心臓の疾病及び異常の有無
10	尿	11	その他の疾病及び異常の有無

 5 生理機能の発達と保健

　分娩により胎児が胎外に出て、母体外生活に適応していく時期を新生児期と呼びます。

1 胎児から新生児への生理機能

(1) 胎児循環

　胎児の血液の流れを胎児循環と呼びます。胎児は胎盤・臍帯を介して母体の血液から酸素や栄養をもらっています。

　この循環は、出生して肺呼吸が開始すると消失し、肺循環が確立します。

(2) 免疫機能

　免疫機能とは、ウイルスや細菌が体内に侵入した場合、それを攻撃したり、活動を抑えたりする仕組みのことです。

　胎児期は、母子免疫ともいわれる受動免疫によって、ウイルスや細菌の感染を防いでいます。また、母乳哺育の場合、母乳から免疫を獲得しています。

> **受動免疫**：胎盤を介して母体内のIgG（免疫グロブリンG）を受け取り、生後半年間くらいは感染症を防止する。母乳からの免疫物質IgA（免疫グロブリンA）は、乳児を感染症から守っている。
> **能動免疫**：出生後は徐々に免疫機能が成熟し、予防接種や自分自身が感染することで、免疫を獲得していき、能動免疫に移行する。

 ✧･ｃｈｅｃｋ ✧
　新生児の体内では劇的な生理的変化が起きているため、安静や保温に注意する。

✧･ｃｈｅｃｋ ✧
　免疫は外からの病原体に対して攻撃するが、がん細胞を排除したりアレルギー反応を起こし自己細胞を攻撃することもある。

✧･ｃｈｅｃｋ ✧
　母乳栄養児に栄養障害としてビタミンK欠乏症が出ることがある。症状は出血傾向、凝固時間の延長があり、新生児メレナや頭蓋内出血の原因とも関連性がある。

■ 乳児の生理的特性 ■

- 胎盤経由のIgG（免疫グロブリンG）が生後半年頃から減少
し、感染症にかかりやすい。
- 鼻道や鼻腔が細く、粘膜が敏感で呼吸困難になりやすい。
- 体重あたりの水分量が多く、発熱、嘔吐、下痢等で脱水症を
起こしやすい。

2 中枢神経系の発達

中枢神経系は、**大脳**、**小脳**、**脳幹**（**間脳**、**中脳**、**橋**、**延髄**）と脊髄に分けられます。皮膚組織と同様に外胚葉に属し、妊娠初期に外胚葉がくびれて神経管が生まれ、次第に分化していきます。最後に、精神活動を行う脳、感覚神経、運動神経、自律神経の回路になる脊髄が形成されていきます。

脳の重量は、大人が約1,300〜1,400gに対し、新生児はその25%程度の約**350**gです。脳の重量は、満**3**歳では大人の約80%、満**5〜6**歳で約90%に達します。

3 中枢神経系の構造と機能

中枢神経系は、末梢神経を通じて感覚受容器から得た情報を処理し、身体の各部位に効果的に適応できるような情報を伝える役割を担っています。

■ 中枢神経系の構造 ■

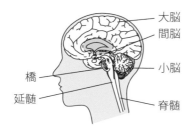

大脳
間脳
小脳
橋
延髄
脊髄

(1) 大脳

脳の中で最も主要な部位で、その皮質は主な溝によって前頭葉、側頭葉、頭頂葉、後頭葉に分けられています。前頭葉と頭頂葉を分ける中心溝の前部に運動野、後部に知覚野があります。

check
中枢神経系は、脳と脊髄を合わせたものともいえる。

アドバイス
大脳各部の名称と主な役割、その他の中枢神経各部の名称と主な役割は覚えておく。

前頭葉は、感情、意欲、創造、思考の機能、頭頂葉には、知覚、時間や空間認識、後頭葉には視覚機能、側頭葉は、嗅覚や聴覚機能に重要な役割を果たしています。

(2) 小脳

平衡機能、姿勢反射の総合的調整、随意運動の調整など運動系の統合、知覚情報の統合や感情の制御などを行っています。

(3) 間脳

視床と視床下部などに分けられます。視床は、運動、知覚や感情行動の調節機能を、視床下部は、自律神経機能や体温調節、内分泌機能の調節に重要な役割を果たしています。心身相関を考える際に重要になる部位です。

(4) 中脳

大脳と脊髄、小脳を結ぶ伝導路であるとともに、視覚反射や眼球運動に関する反射中枢、聴覚刺激に対し反射的に眼球や体の運動を起こす中枢、身体のバランス、姿勢の保持に関する機能の中枢などがあります。

(5) 橋

脳幹を経由する多くの伝導路が通過するほか、大脳皮質からの情報を小脳へと伝える経路などがあります。

(6) 延髄

循環や呼吸活動を制御し、生命の維持に重要な自律神経の中枢があります。運動神経は、錐体交叉◆（すいたいこうさ）しています。

(7) 脊髄

脊髄は、背骨（脊椎管または脊柱管）の中にあります。脊髄の外側は白質と呼ばれ神経線維からできていて、この部分を通して情報が伝達されます。内側には灰白質と呼ばれる神経細胞体からできている部位があります。

(8) 神経細胞（ニューロン）

中枢神経系を構成する最小単位が神経細胞（ニューロン）です。神経細胞は、本体の細胞部分と、複雑に枝分かれした樹状突起、末端で多数に枝分かれをする軸索から構成されています。樹状突起と軸索の結合部がシナプスです。

check
小脳に障害が生じると歩行困難になることがある。

3 子どもの保健

❸ 子どもの身体的発育・発達と保健

用語
◆錐体交叉
錐体路の線維の大部分は延髄で左右交叉している。そのため、大脳皮質運動野は反対側の半身の運動を支配する。

check
脊髄は、感覚情報や刺激伝達の経路として重要な役目を果たしている。

4 感覚機能の発達

感覚機能は、新生児期から機能しています。

■ 新生児期の感覚機能 ■

皮膚覚	圧覚、痛覚、温度覚が出生時から存在する。
味覚	新生児期から白湯より糖水の方を好む。生後3〜5か月から発達し始め敏感になる。
嗅覚	母親の母乳の臭いと他の母親の母乳の臭いを区別できる。
聴覚	胎児期から聴力がある。生後数時間で音に反応する。
視覚	光覚は、胎生30週頃に認められ、新生児には瞬目反射（まばたき反射）がある。生後1週間から固視機能が認められる。

6 運動機能の発達と保健

1 原始反射

大脳の未熟な新生児の行動は、**反射運動**が大部分を占めています。原始反射と呼ばれています。

■ 原始反射の種類と反応 ■

種類	反応
探索反射	口唇及び口角の刺激で、その方向に口や頭を向ける。
吸啜反射	口腔内に指や乳首を入れると吸いつく。
モロー反射	音や光などの大きな刺激に対し、手足を伸展させた後、抱きつくように屈曲する。
把握反射	手のひらや足の裏に触れた物を握ろうとする。
緊張性頸反射	仰臥位で頭を一方に向けると、その側の上下肢は伸展し、反対側は屈曲する。
バビンスキー反射	足の裏を刺激すると足の指が屈曲する。
自動歩行反射	両脇を支えて床に足の裏をつけると、足を交互に前に出すように歩くような動作をする。

2 月年齢と運動機能の発達

運動機能の発達は、身体の大きな運動である**粗大運動**と手指の細かい運動を指す**微細運動**に分けてとらえることができます。粗大→微細という方向で発達します。

check

母親と子どもは、相互に触覚、嗅覚、聴覚、視覚などの感覚を介して影響し合い、人間関係の基盤となる母と子の心の絆を深めていく。このメカニズムのことを母子相互作用という。

この作用により、子どもが母親に対する愛着を形成するだけでなく、母親も親としての喜びや責任を感じ、成長していく。

原始反射
···▷ 上 p.15

check

多くの原始反射は生後数か月で次第に消失する。バビンスキー反射は生後24か月頃までに消失する。

check

緊張性頸反射は寝返りをするときに役立つ。頭をどちらかに向けるとこの反射が起きる。

アドバイス

運動機能の発達順序は、しばしば出題されるので、月年齢とその特徴を整理すること。遊びの発達をイメージしながら粗大運動機能と微細運動機能を学習しよう。

粗大運動の発達は、「首がすわる→寝返り→おすわり→は
いはい→つかまり立ち→ひとり歩き」、微細運動の発達は、
「手を見つめる→手を伸ばしてつかむ→左右の手で物を持ち
かえる→小さい物をつまむ」という順に進みます。

■ 月年齢と標準的な運動機能 ■

	粗大運動機能	微細運動機能
3〜4か月頃	首がすわる、支えれば座る	手を出して物をつかもうとする
5か月頃	膝の上に立たせれば跳ねる	物に手を伸ばす、両手を使って物をつかむ
6か月頃	寝返りをする	左右の手に同時に物を持つことができる
7〜8か月頃	一人で座る	熊手形でつかむ、指を使う、両手でおもちゃを持つ
8か月頃	這う	両手に持った積み木を打ち合わせることができる
9〜10か月頃	つかまり立ちができる	積み木を持ち替えることができる
11か月頃	つたい歩きができる	親指と人差し指全体でつかむ
12か月頃	一人で立つ	つかむことと離すことができる
1歳〜1歳2か月頃	階段を這ってのぼる	指先だけでつまむ
1歳6か月頃	片手を支えられて階段をのぼる	スプーンで食事ができる、積み木を2〜3個積む
2歳頃	両足で跳ぶ、転ばないで走れる、ボールを蹴る	積み木を4〜6個積む
3歳頃	三輪車に乗れる、片足ずつ交互に足を出して階段をのぼる	ボタンを外す
4歳頃	片足跳びができる、でんぐり返しをする、片足ずつ交互に足を出して階段をおりる	はさみを使い細かい動作ができる
5歳頃	スキップができる	三角形をまねて描く

7 精神機能の発達と保健

1 言語

　言語の発達とは、言葉によって他人とのコミュニケーションを成立させる機能の発達です。言語機能の過程には、話す機能（表現）と聞く機能（受容）の2つと、その間にある脳中枢のプロセスが重要な役割をしています。

言語の発達
┅▶ 上 p.20

生後2～3か月ぐらいで、**クーイング**という喉の奥から
やわらかい声を出すようになります。生後3～4か月ぐら
いで喃語（なんご）を発するようになります。言語の認知は数か月遅
れて獲得されます。

■ 言語表出の過程 ■

叫声期	はじめは未分化な泣き声→生後1か月頃、区別できる空腹、痛みなどの泣き声
喃語期	生後3～4か月頃、アー、ブーなどの喃語
模倣期	生後7か月頃、人の言葉の真似→生後10か月頃、音の種類が母国語的になり、前言語jargon（あたかも話しているような発声）
発語期	1歳頃に初語（初めて意味のある言語）が出て一語文→1歳半で10～20語→3歳で900語→4歳で1500語、1歳半～2歳頃に二語文→3歳頃に従属文

2 情緒の発達

　情緒は精神生活の基礎であり、**社会性の発達**や**人格形成**
に大きな影響を与えます。乳児期前半の情緒は未分化で、**快・
不快**のみを表しますが、後半で快は喜びや愛情、不快は怒り、
恐れ、不満など、**分化**の傾向がみられます。

3 社会性の発達

　人は人との関わりを通して、生活様式、価値基準、言語、
行動などを学び、社会に適応できるようになります。これ
を**社会化**といいます。乳幼児は、家族との相互関係により、
他者に対する働きかけを学びます。あやすと笑うようにな
るのは、他者の刺激に反応し、自分が笑うとまた相手があ
やしてくれるという行動を認識するからです。

■ 社会性の発達 ■

6か月頃	身近な人の顔がわかり、あやすと笑う。
6～8か月頃	人見知りをする。
9か月頃	身近な大人に自分の欲求を指差しや身振りで伝えようとする。
1歳半頃～	自我が芽生え自己主張することも多くなる。
1歳半～2歳	集団的な遊びや共同的な活動がみられる。

check
　胎児期から音声の
刷り込み現象が行わ
れており、出生後、
父親と母親の声を識
別しているので、妊
娠期間より家族との
穏やかな会話や美し
い音楽、優しい音声
を聞かせることは、
言語の発達だけでな
く情緒の安定につな
がる。
　生後2～3か月
になると、はっきり
とした音の認識によ
り、音のする方向に
顔を向け活発に反応
するようになる。

アドバイス
　情緒の発達は社
会性の発達に大きな
影響を及ぼすととも
に、社会性の発達
は愛着形成に影響
を与えるので、相互
の関係性に注目して
学習する。遊びの意
義について、情緒的
発達や社会性の発
達を促進するという
内容が出題されてい
る。

check
　社会性の発達は、
愛着形成とも密接に
関係している。

問題 次の記述で正しいものに○、誤っているものに×をつけよ。

1. 出生時、脳の重量は約 350g で、出生後急速に増加する。

2. 頭囲の計測法は、後頭部の最も突出しているところに巻き尺を当て、前頭部にまわして交差し、額の最も突出している位置で計測する。

3. IgG（免疫グロブリン G）は母乳を通して乳児の消化管に送られ、IgA（免疫グロブリン A）は胎盤を介して胎児に移行して乳児の感染症を防止する。

4. 新生児は頭蓋骨相互の縫合が完成されておらず、前頭骨と頭頂骨で囲まれた菱形のすき間を小泉門といい、6 か月～2 歳頃までに閉鎖する。

5. モロー反射は音や光などの刺激に対し、手足を伸展した後、抱きつくように屈曲する反射である。

6. 乳歯の多くは妊娠初期から形成し始め石灰化が行われる。

7. 粗大運動の発達は「首がすわる→寝返り→おすわり→はいはい→つかまり立ち→ひとり歩き」という順にすすむ。

8. 小脳は循環や呼吸活動を制御する、生命の維持に重要な中枢である。

9. スキャモンの器官別発育曲線の神経型は、出生直後から 4 歳頃にかけて急速に発育し、生殖型の発育時期が最も遅い。

10. 新生児期の生理的体重減少では、出生体重の約 15％減少する。

11. ローレル指数は乳幼児の発育状態を判定する指数として用いられる。

12. 胎児の血液の流れを胎児循環といい、肺呼吸とともに心臓、血管系の解剖学的変化が生じる。

解答

1 ○ **2** × **3** × **4** × **5** ○ **6** ○ **7** ○ **8** × **9** ○ **10** × **11** × **12** ○

2 前頭部の左右の眉の直上を通る周径を計測する。

3 IgG は胎盤を介して、IgA は母乳を通して乳児を感染症から守る。

4 前頭骨と頭頂骨のすき間を大泉門という。

8 循環や呼吸など生命維持に関与しているのは延髄である。

10 出生体重の 5～10％減少することを生理的体重減少という。

11 乳幼児の発育状態を判定する指数はカウプ指数である。

子どもの心身の健康状態とその把握

出題 point
- 子どもの健康状態の観察
- 子どもに多い疾病の特徴
- 各症状の観察と予防及び適切な対応

1 子どもの健康状態の観察

　保育所保育指針では子どもの健康の保持及び増進、安全の確保の重要性が述べられており、保育所における子ども一人一人の丁寧な観察と判断が求められます。これを達成するためには、観察力、生活の援助の質、異常の防止に向けての養護の質を向上させ、子どもに見合った体力づくりの方法を検討することが必要です。

1 健康観察

　健康観察とは、子どもの健康状態の表れである顔色、表情、動作、反応、声の調子などに注目して、適切に対応するための情報収集の活動です。乳幼児期は、十分な意思表示ができないか、できたとしても情報が正確とは限らず、保育者は正しい情報を得るために注意深い観察が必要です。

■ 健康チェック項目 ■

①顔色、表情、機嫌、活発さ、姿勢、動作などの一般状態
②食欲の有無、栄養状態
③体重の増減
④皮膚の状態（蒼白、チアノーゼ、紅潮、湿しん、乾燥、むくみ）
⑤排泄の回数、量、状態など
⑥睡眠時間（夜間、昼寝）、目覚めの状態
⑦体温、脈拍、呼吸数など

＊＊＊check＊＊
　健康観察を行う機会は、保育中の心身の状況、登園・降園時の様子、行事での様子、保健室での様子がある。

＊＊＊check＊＊
　子どもの体調不良時には、原則として保育所では薬は与えない。保護者に連絡し、かかりつけ医と相談して適切な処置を行う。

2 子どもの健康状態

(1) 体温

　体温は、摂取した食物の消化吸収や代謝によって体内で**産生された熱**と、身体表面から**放散する熱**との差です。この産生と放散のバランスを取ることにより、脳の視床下部の体温調節中枢によって体温が一定に保たれています。乳幼児の体温は、**36.0℃**から**37.4℃**が正常範囲内であり、**37.5℃**以上を発熱の目安とします。特に乳児は体温調節機能が未熟であり、環境に影響されやすいので、**外気温**や**衣類の調整**に留意する必要があります。

①体温に影響する因子

　体温を上げる因子には、授乳、食事、運動、入浴、啼泣 <ruby>啼泣<rt>ていきゅう</rt></ruby>（声をあげて泣くこと）、興奮、精神的感動、温め過ぎ、水分不足などがあります。逆に、安静、睡眠、食事摂取不足、寒冷などの条件の下では体温が下降します。したがって、体温測定前30分は**授乳**や**食事**、**運動**、**入浴**は避け安静にします。また、環境温度や衣服の着せ方によっても変動しやすいので、できるだけ一定の条件で測定するよう心がけます。

②体温の日内変動

　体温には、年齢差や個人差があり、1日の中でも変動します。一般に、食事摂取や運動などによる体温産生が、朝から午後にかけて増加するので、午後**3～8**時が最も高く、睡眠中の早朝が最も低くなります。その差は通常、1℃以内です。

(2) 脈拍

　心臓の拍動に伴って**動脈中**に起こる**圧の変動**を脈拍といいます。脈拍測定により数、強弱、規則正しさを評価し、疾病や異常などの早期発見に役立てることができます。乳幼児は特に発育や運動が活発で、身体の各組織への酸素供給量が増大するので、成人に比べて脈が速く、脈拍数が多くなっています。

　脈拍数は体温、授乳や食事、運動、入浴、啼泣、感情な

check
　多くの場合、平熱よりも1℃以上高いと発熱とみなすことができるが、個々の平熱に応じて個別に判断する。

check
　体温は測定部位により異なり、腋窩温＜口腔温＜直腸温の順に高くなる。

check
　乳幼児の脈拍数は、年齢が高くなると少なくなる。
・新生児：
　120～160回／分
・乳児：
　120～140回／分
・幼児：
　90～120回／分

どに影響を受けるので、安静時に測定するよう心がけます。

(3) 呼吸

呼吸には胸郭を広げる筋肉を用いて行う**胸式呼吸**と、横隔膜を用いて行う**腹式呼吸**、2つを併用した胸腹式呼吸があります。乳児は肋骨が水平に走っており、胸部の拡大運動がしにくいので、腹式呼吸の型となります。

また、乳児は鼻呼吸が中心なので、**鼻汁**が増加するときは注意深く観察する必要があります。

呼吸も脈拍と同じで、乳幼児は年齢が低いほど呼吸が速く、呼吸数が多くなります。

(4) 血圧

血圧とは、心臓から送り出される血流が血管の内壁を押す力をいいます。**最高血圧**は心臓が収縮している時の値で収縮期血圧ともいい、**最低血圧**は心臓が拡張している時の値で拡張期血圧ともいいます。

乳幼児は年齢が低いほど血圧は**低く**なります。

(5) 排泄と水分必要量

①排尿のしくみ

腎臓は体内の代謝不要物を尿として排出します。生後2～3か月の乳児では、ある尿量が膀胱に貯留すると反射的に排尿しますが、精神運動機能の発達により、膀胱の内圧からの刺激が大脳に伝わり、**尿意**を感じるようになります。

②排便のしくみ

便は大腸で食物の未消化の部分や腸粘膜からの分泌物などが混ざり、最終的に直腸に貯留します。それがある量に達すると肛門から排出されます。直腸の内部にある神経受容器が**延髄→大脳皮質**に伝達し、**便意**を知覚し、いきみを用いて排便します。このプロセスで排便できるようになるのは、大脳皮質機能が整う**幼児期**です。

③排泄のトレーニング

個人差はありますが、2～3歳頃から**尿意・便意**を自覚できるようになるので、排泄のトレーニングを開始します。

check
乳幼児の呼吸数は、年齢が高くなると減少する。
・新生児：
　40～50回／分
・乳児：
　30～40回／分
・幼児：
　20～30回／分

check
幼児の便の観察では、硬さ（硬便、普通便、軟便、水様便）、混入物の有無（血液、粘液、未消化物）、色、臭い等の性状にも注意する。乳児期の母乳栄養児の場合、時間がたつと便中のビリルビンが酸化し卵黄色～緑色になることがある。人工栄養児の場合、有形で淡黄色～茶色になる。

排泄のトレーニングは少しずつ焦らずに行います。

④不感蒸泄と水分必要量

　私たちは、排尿と排便のほかに、呼吸や体表面から水分を放散して体温調節をしています。これを**不感蒸泄**といいます。不感蒸泄は、気温や湿度に影響を受け、外気温が**高く**湿度が**低い**ほど活発になり量が増えます。また、**発熱時**にも増えます。幼児は、容易に体内の水分を喪失し**脱水状態**になりやすいので、感染症などによる発熱時には水分補給を十分に行って**脱水を防止する**配慮が必要です。

(6) 睡眠

①睡眠の発達

　新生児期の睡眠時間は **3 〜 4** 時間間隔で 1 日計 15 〜 20 時間で、1 日に何回も睡眠と覚醒が交代します。生後 **2** か月 **〜 3** か月ぐらいで、昼と夜の区別がつき始め、昼間目覚めている時間が長くなり、夜まとめて眠るパターンをとるようになります。**3 〜 4** 歳までは、1 〜 2 回の昼寝をします。睡眠パターンの変化は脳の分化、発達と関係があります。新生児は授乳リズムに応じて睡眠覚醒を繰り返しています。

②レム（REM）睡眠とノンレム睡眠

　睡眠には全く性質の異なるレム睡眠とノンレム睡眠という 2 つの相があります。レム睡眠は、活動的な睡眠で身体の休息と記憶の整理が行われ、「**身体の眠り**」といわれます。一方、ノンレム睡眠は、安らかな静的な睡眠で、**脳は休息**しています。

　レム睡眠は平均 90 分間隔で 20 〜 30 分持続し繰り返します。新生児では、レム睡眠が全体の **50%** を占めますが、成人では睡眠全体の 20% です。

③睡眠周期

　新生児は、3 〜 4 時間ごとに目覚めて眠るという**多相性の睡眠**、大人は睡眠を夜にまとめてとる**単相性の睡眠**です。

check

　乳児の水分必要量が多いのは、不感蒸泄量と尿量を補うためである。発熱のほか、下痢、嘔吐のあるときは、さらに通常の 1.5 〜 2 倍多く必要である。

check

　1 日のおおよその睡眠時間。
新生児：15 〜 20 時間
生後 3 か月：14 時間
生後 6 〜 12 か月：12 時間
幼児期：10 〜 12 時間

check

　レム睡眠（REM：Rapid Eye Movement）は、目玉がキョロキョロ動く眼球運動を伴い、寝返りをうつ、呼吸が不規則、手足が動き、夢を見るなど浅い睡眠である。
　ノンレム睡眠は、眼球運動を伴わないもので睡眠が深くなる。夢を見ない睡眠で、成長ホルモンの分泌が活発になる。

睡眠障害
••▶ p.156

3 子どもの保健

❹ 子どもの心身の健康状態とその把握

 覚えよう！ •••••••••••••••••••••••••••••••••••••

●乳幼児突然死症候群（SIDS：Sudden Infant Death Syndrome）●
　SIDS は、それまでの健康状態及び既往歴からその死亡が予測できず、前ぶれもなく睡眠中に死亡する症候群であり、**乳児期の死因順位の上位に入っている**。原因不明だが、リスク要因として「**うつぶせ寝**」「**人工栄養**」「**両親の喫煙**」などがあげられている。

 check
　SIDS は、1歳未満の児に多く、発症頻度は出生 6,000 ～ 7,000 人に 1 人とされている。診断には剖検と死亡状況調査を行う。

 2 子どもに多くみられる主な疾病の特徴

1 **子どもに多くみられる主な疾病の特徴**

疾病	特徴
中耳炎	かぜの後、のどから耳管を通して病原体が中耳に達し炎症を引き起こす。耳漏が出て熱が上がる場合、急性化膿性中耳炎。抗生物質も投与する。耳を引っぱると痛がる。
腸重積症	生後 5 ～ 9 か月の発育のよい乳児に起こりやすく、突然腸の一部が腸の中に入り込んで閉塞してしまう。腸の蠕動運動に伴う周期的な激痛で激しく泣くことで気付くことが多い。嘔吐、粘液の混じった血便、腹部のしこり、顔色不良がみられ、緊急な対応が必要。発症から 12 時間以上経過すると、腸の穿孔を起こし開腹手術が必要である。
胃腸炎、消化不良	下痢以外に食欲不振、嘔吐、発熱、体重減少などの症状。治療は、食事療法、脱水の場合は輸液療法。
急性糸球体腎炎	**溶連菌感染症**◆に感染して 1 ～ 3 週間後に発症。浮腫、血尿、高血圧が 3 大症状。安静と保温、食事療法によって、90％ くらいは完全に治癒する。
ネフローゼ症候群	高度の浮腫、高度のたんぱく尿、低たんぱく血症、の 3 症状。副腎ステロイド治療、塩分、水分の制限の食事療法。長期療養になりやすい。
先天性心疾患	出生児の約 1％ に発症する。生まれつき心臓に奇形があり、ファロー四徴症（心室中隔欠損、大動脈騎乗、肺動脈狭窄、右室肥大の 4 つの特徴を持つ）や心房中隔欠損症などがある。チアノーゼを主症状とし、重篤な場合、手術を要する。
先天性股関節脱臼	股関節の寛骨臼の形成不全や生まれつき靭帯が弱いために大腿骨頭が寛骨の中に納まることができない状態をいう。股の開きが悪く（開排制限）、股を開いた時に音がすることによって気付く。女児に多い。
乳幼児突然死症候群	元気に発育していた乳幼児が、前ぶれもなく睡眠中に死亡する症候群。原因不明であるが「うつぶせ寝」「人工栄養」「両親の喫煙」などが要因としてあげられている。

アドバイス
　子どもにみられる疾病に関する問題として、症状の特徴が出題されているので覚えておこう。

用語
◆溶連感染症
　A 群 β 溶血性連鎖球菌の飛沫感染。高熱と咽頭熱で発症し、半日位で全身に紅斑のような細かい発疹が出る。いちご舌、口囲蒼白等の症状がみられ、急性糸球体腎炎のほかリウマチ熱を合併することがある。

check
　3 歳児の健康診査や学校検尿で血尿またはたんぱく尿が発見されても、特に症状や他の所見のないものを無症候群性血尿、無症候群性たんぱく尿という。

疾病	特徴
白血病	小児の悪性新生物の中で、最も多い疾患。幼若白血球が増加する。急性白血病が多く、発熱、貧血、出血傾向、リンパ節腫脹、肝脾腫などの症状がみられる。多剤併用化学療法を受ける。
川崎病	4歳以下の乳幼児に好発する原因不明の発疹を伴う熱性疾患。5日以上続く38℃以上の高熱、発疹、眼球結膜の充血、頸部リンパ節の腫れ、いちご舌、手足の硬性浮腫などの症状を認める。心臓の冠動脈の動脈瘤をひき起こすことがあるので、定期的に検診を受けさせる必要がある。
胆道閉鎖症	原因不明の肝臓および胆管の病気で、生後から数か月までの間に症状が現れる。肝臓から腸へ胆汁を流せないため肝臓の中に胆汁が溜まり、黄疸（皮膚が黄色く見える状態）と白っぽい便がみられる。
先天性代謝異常症	遺伝子の異常による疾病。脂質代謝、糖質代謝、アミノ酸代謝の異常など500種類以上ある。一般に、知的障害、運動機能障害、けいれんなどの症状が多くみられる。**新生児マススクリーニング検査◆**で早期に発見し、特殊食の摂取と蓄積物質の除去が重要。
先天性甲状腺機能低下症（クレチン症）	生まれつき甲状腺ホルモンの分泌が少ないために起こる疾患で、新生児マススクリーニング検査で発見される。クレチン症が最も多い。出生時体重は正常だが、黄疸が続き元気がない、体重が増えない、特徴的な顔つき、皮膚乾燥、腹部膨満、鼠径ヘルニア、頑固な便秘がある。甲状腺ホルモンの補充療法で症状は改善するが、放置すると精神遅滞や低身長症を生じる。
フェニルケトン尿症	生まれつきフェニルアラニンが体内に過剰に蓄積する病気。生後3〜4か月ころから症状があらわれ、知能障害、脳波異常、けいれんがみられる。新生児マススクリーニング検査で早期発見できる。フェニルアラニンを含まないか、含量を減らした特殊ミルクや食事、低たんぱく食で治療する。
神経芽細胞腫	副腎や交感神経節に発生する小児期の悪性腫瘍。1〜2歳に好発し、発熱、貧血、腹部腫瘤、眼球突出などの症状がみられる。
Ⅰ型糖尿病	膵臓のβ（ベータ）細胞の破壊によるインスリン分泌の絶対的な不足により急激に発症する。多飲、多尿、体重減少が進み、脱水、ケトーシス、昏睡に陥りやすい。インスリンによる治療が行われる。子どもに多い。
Ⅱ型糖尿病	過食、肥満、運動不足、ストレスなどにより、インスリンの分泌や作用が低下し、尿中に糖分が排出される。治療は、食事療法（食べすぎない）、運動療法（積極的に運動する）を行う。大人に多い。

2 医療的ケア児

2021（令和3）年に「**医療的ケア児及びその家族に対する支援に関する法律**」が施行されました。医療的ケア児を保育所で預かる場合は、看護師または一定の研修を修了し、

check
胆道閉鎖症の早期発見のため、母子保健法施行規則の一部を改正する省令（平成23年）により、母子健康手帳にカラーの便色カードを掲載している。

用語
◆ 新生児マススクリーニング検査
病院で生後4〜6日目くらいの新生児の踵や足の裏から採血、検査する。現在はタンデムマス法の導入により、内分泌疾患（ホルモン異常）と代謝異常症を合わせて20種類以上の検査ができるようになった。検査は公費負担である。
•••▶ p.178,259

check
医療的ケア児（人工呼吸器や胃ろう等を使用し、痰の吸引や経管栄養などの医療的ケアが日常的に必要な児童のこと。歩ける子どもから重症心身障害児まで幅広いケースが含まれている）は医療技術の進歩とともに増加傾向にあり、2021（令和3）年は20,180名である。

123

業務の登録認定を受けた**特定行為業務従事者**の保育士を配置します。緊急に医療的ケアが必要とされる場合には、医師に子どもの状態を報告し指示を仰ぎ、実施します。

3 アレルギー疾患のある子どもの保育

　アレルギーとは、免疫系が過剰に働き、人体に不利な反応を起こすことをいいます。代表的なアレルギー疾患には、気管支喘息、アトピー性皮膚炎、食物アレルギーなどがあります。アトピー性皮膚炎の人の多くが**アトピー素因**◆を持つといわれます。乳児期にあらわれやすい主なアレルギーは食物アレルギーとアトピー性皮膚炎です。

　アナフィラキシーは複数の臓器にアレルギー症状を示すことで、**アナフィラキシーショック**とはアレルギー反応により、呼吸困難・血圧低下・意識障害などを起こす重篤な状態です。緊

アレルギー	特徴
気管支喘息	アレルギー性の気管支の攣縮により、発作的に呼吸困難を起こす。呼気性の喘鳴が特徴。小児の約4%が罹患。アレルゲン（ハウスダストやダニも多い）、季節の変わり目、体調などが要因となる。軽い発作の時は水を飲ませ、腹式呼吸を促す。防ダニシーツを使用するなど、寝具にも留意する。
アトピー性皮膚炎	皮膚のバリア機能が低下し、かゆみのある湿疹が出たり治ったりを繰り返す。原因は不明であるが、環境条件として、ダニ、食物、プールの塩素、紫外線、汗、ストレスなどがある。環境整備、アレルゲン除去、スキンケア、爪を短く切ることが大切。
食物アレルギー	ある特定の食品を食べると、食べた後に嘔吐、下痢、腹痛、じんましん等が出現し、ひどいとショック状態に陥る場合もある。食物アレルギーの原因となる食物は、鶏卵、乳製品、小麦などである。アレルゲンとなる食品を把握し、調理過程で使用していないかも含めて献立の確認が必要。専門医や栄養士の指導を仰ぐ。
アレルギー性結膜炎	アレルギーを起こす原因物質（ハウスダスト、ダニ、花粉）に接触すると目の粘膜や結膜にアレルギー反応による炎症が起こり、目のかゆみ、目やに、充血などの症状を引き起こす。角結膜炎がある場合には、プールの消毒（塩素）が悪化要因となるため注意する。

◆**アトピー素因**
　日本皮膚科学会の定義では、①家族歴・既往歴（気管支喘息、アレルギー性鼻炎・結膜炎、アトピー性皮膚炎のうちいずれか、あるいは複数の疾患）があるか、② IgE 抗体を産生しやすい体質のこと。

アナフィラキシー
•••▶ p.137

check
　かゆみが強い場合、冷やすとよい。

check
　食物依存性運動誘発アナフィラキシーは、原因となる食物を摂取して2時間以内に激しい運動をすることにより起こるため、食事直後の激しい運動を避ける。

急時、アナフィラキシーショック等に対しては適切なタイミングでのアドレナリンの投与が非常に有効です。**アドレナリンの自己注射薬「エピペン®」**が使われます。アナフィラキシーの症状が出たら、すぐに救急車を呼び、太ももの前外側に注射をします。

保育所保育指針では、アレルギー疾患を有する子どもの保育について、保護者との**連携**や、適切な対応、安全な**環境**の整備等を行うべきことが示されています。アレルギー疾患と診断され特別な配慮が必要な場合、医師の診断指示に基づき生活上の留意点などを**アレルギー疾患生活管理指導表**に記載してもらい、職員間での共通認識をもって対応します。

check
アレルギー疾患生活管理指導表は主治医が記入し、保育所は指示に従って対応する。生活管理指導表の保育所での生活上の留意点には、外遊び、運動に対する配慮に関する項目がある。

4 子どもの疾病の予防と適切な対応

子どもは症状が急速に悪化しやすい傾向にあるため、子どもの状態をよく観察して、異常を**早期に発見**して対応する必要があります。日常生活における**観察力**は病状に影響します。異常発見のための観察・対応ポイントは症状によって異なります。

1 日常よくみられる症状の観察と対応

乳幼児の場合、日常よくみられる症状としては、発熱、腹痛、下痢、便秘、嘔吐、咳、発疹等があります。

症状	観察のポイント	対応のポイント
発熱	体温、脈拍、呼吸数の測定、機嫌、食欲の状態、便や尿の異常、その他の症状（吐き気、嘔吐、下痢、発疹、咳、疼痛、脱水、けいれん、意識障害 など） **主な病気** ・ウイルス、細菌による感染症 ・上気道炎 ・中耳炎 ・尿路感染症 ・気管支炎、肺炎 ・川崎病 など	1. 時間ごとに体温測定 2. 悪寒、ふるえに対して保温と安静に留意 3. 高熱時は薄着にし、冷罨法（氷枕・氷嚢等を使う） 4. こまめに水分補給。必要時イオン飲料で電解質補給 5. 嘔気・嘔吐がなければ消化がよく高たんぱく・高カロリーの物を与える。 6. 発汗時は保温に努めながら拭き、更衣させる。 7. 室内の温度、換気に注意 8. 感染症が疑われる場合、他児への感染防止 ＊解熱剤の使用には注意（check 参照）

check
感染症による発熱の場合、体温を上昇させることによって、細菌やウイルスが生存しにくい環境をつくっているので、発熱時に必ず解熱剤が必要なわけではない。特に、インフルエンザをはじめとするウイルス性の感染症では、解熱剤の投与で脳症を起こす場合があるので、勝手に投与してはいけない。

症状	観察のポイント	対応のポイント
腹痛	痛みの特徴（表情、泣き方、訴えなど）、姿勢、痛みの部位、発熱の有無、呼吸、脈拍、消化器症状、排便・排尿の状態、食事との関係、精神的問題の有無　など 主な病気 ・腸重積症 ・食中毒、大腸炎 ・虫垂炎 ・**周期性嘔吐症**◆ ・胃潰瘍 ・神経性腹痛　など	1. 苦痛の緩和（安静、痛みを軽減する体位の工夫、嫌がらなければ背中、腹部を軽くさする、声かけをして精神的安静を図る） 2. 嘔気や嘔吐がなく欲しがるようなら白湯を少量ずつ与える。 3. 痛みが激しい、吐血、下血がある、発熱、下痢、嘔吐が続く、腹部が固くなっているような症状を伴うときは、直ちに受診させる。
下痢	下痢の程度、回数、量、臭い、混入物（血液、粘液、不消化物、膿等）、その他の症状（発熱の有無、消化器症状の有無、食事との関係、食事時間との関係性、食事内容と量、精神的な問題の有無など） 主な病気 ・**ロタウイルス感染症**◆ ・食中毒、感染性胃腸炎 ・食物アレルギー ・神経性下痢症　など	1. 安静、楽な姿勢をとらせる。吐き気がなければ、白湯やイオン飲料などを少しずつ与える。人工栄養児にはミルクを薄めて与える場合がある。 2. 食事制限が解けたら、消化のよい食事にする。 3. 再び下痢を誘発しないようにジュースや乳製品、冷たい物、刺激性食品などは控える。 4. 保温に努める。 5. 乳児では特に肛門部、臀部の清潔を保つ。 6. 便の処理は、原因がわかるまでは感染防止のために使い捨て手袋を使用し、便やおむつの処理に注意する。
便秘	排便回数と間隔及び1日量、便の性状（硬さ、形、色、臭い、混入物など）、その他の症状（機嫌、排便に伴う苦痛、消化器症状、食欲、肛門の状態、食事との関係　など） 主な病気 ・便秘症 ・過敏性腸症候群便秘型　など	1. 乳児で便が硬ければ、果汁を与える。腸内で発酵し腸の動きを活発にするために、5〜10%しょ糖を与えてもよい。 2. 離乳食期は野菜を多く含む離乳食を、幼児期は、繊維食品を多く食べさせる。 3. お風呂上がりなどに、軽く腹部のマッサージをする。 4. 生後2か月くらいまでは、オリーブ油をつけた綿棒で肛門を刺激する場合もある。 5. 食事や生活習慣を見直す。 6. 適当な運動をさせる。 7. 3日以上排便がない、腹部膨満が強い、食欲がない、機嫌が悪いなどの場合は、受診させる。

腸重積症
•••〉p.122

◆**周期性嘔吐症**
　アセトン血性嘔吐症、自家中毒という病名もある。2〜10歳の子どもに好発。精神的緊張、過労、感染などが誘因となり、突然激しい嘔吐が起こる。嘔吐を繰り返し、ひどいときはコーヒー残渣様の吐物を認める。

◆**ロタウイルス感染症**
　最初、発熱と嘔吐がみられ、続いて下痢があらわれる。白色〜黄白色の水様便が1日十数回にも及ぶ。これを白色便性下痢症ともいう。

症状	観察のポイント	対応のポイント
嘔吐	吐き気の有無、食事・授乳との時間的関係、吐物の量、回数、性状、臭気など、その他の症状（消化器症状、発熱の有無、頭痛の有無、咳の有無、精神的な問題　など） **主な病気** ・周期性嘔吐症 ・食中毒・腸重積症 ・髄膜炎・幽門狭窄症　　など	1. 吐物が気管に入らないように顔を横に向かせる。 2. 吐きながら泣いたり、手足をばたつかせる場合、危険なので優しく声をかける。 3. 嘔吐が落ち着けば、水分を少量ずつ補給する。 4. 吐き気が続く、発熱、頭痛、腹痛がある、胆汁、血液などの混じった物を吐いた場合は、受診する。
咳	咳の種類（乾性、湿性、発作性）、程度、その他の症状（発熱の有無、呼吸状態、全身状態、痰の色や粘ちょう度、喘鳴の有無、呼吸困難の有無など） **主な病気** ・**肺炎、気管支炎◆** ・かぜ ・インフルエンザ ・百日咳（息を吸うときにヒューヒューと音がする咳発作） ・気管支喘息（激しい咳発作、喘鳴） ・クループ症候群（犬の鳴き声のような咳） ・肺結核（2週間以上続く咳） ・気道内異物　　など	1. 楽な姿勢（上体を起こす、側臥位など）を取らせ、衣服をゆるめ安静にさせる。苦痛の緩和（背中をさする）。 2. 適当な室温、湿度を保つ。 3. 水分を少量ずつ十分に与える。咳がひどいときは食事、授乳には注意する。 4. 口腔や皮膚の清潔を図る（発汗が多いので注意する）。 5. 年少であるほど、咳に誘発されて吐くので、誤嚥に注意する。 6. 咳が止まらない、呼吸困難、高熱を伴う、ゼーゼーと音がするなどがあれば直ちに受診させる。
発疹	発疹の状態、性状、出現時期、経過など、流行中の感染症との関係、発熱の有無、アレルギーとの関連の有無　など **主な病気** ・感染症(麻しん、風しん、水痘、突発性発疹、手足口病、溶連菌感染症、伝染性紅斑) ・とびひ ・水いぼ ・アトピー性皮膚炎 ・川崎病　　など	1. 感染症が疑われるときは、別室へ移動し、他児との接触を避ける。全身的な発疹を認め発熱を伴うときは、病院受診を勧める。 2. 爪を短くし、掻きむしらないようにし、必要なら手袋をする。 3. 室温を少し低めにして搔痒感が強まらないようにする。 4. 皮膚を清潔にする。 5. 粘膜疹があるときは、消化管粘膜も過敏となっているので、消化のよい食事を与える。 6. アレルギー性の場合は、自己判断しないで必ず医師の診断、指示を受ける。

用　語

◆肺炎、気管支炎
　肺炎は細菌、ウイルス、マイコプラズマなどが原因で起こる。かぜの症状から始まり、高熱、咳、呼吸困難を認め、顔色が悪くなる。マイコプラズマによる場合、乾いた咳が長く続いたり、夜間激しく出ることがある。
　気管支炎はかぜに続いて起こることが多く、発熱、激しい咳、痰が出るなどの症状がある。

川崎病
・・>p.123

127

■ 発疹の種類 ■

種類	内容	考えられる病気
紅斑	真皮の毛細血管が拡張し赤くなる。	伝染性紅斑（りんご病）、麻しん、風しん　など
丘疹	皮膚面より盛り上がったもの。ぶつぶつのこと。	麻しん、接触皮膚炎　など
水疱	表皮や表皮直下に漿液がたまって盛り上がったもの。水ぶくれのこと。	水痘、手足口病、帯状疱疹　など
膿疱	水疱の中に膿様のものを含み盛り上がったもの。うみのこと。	伝染性膿痂疹（とびひ）　など
びらん	水疱や膿疱が破れて生じる。ただれのこと。	ブドウ球菌による皮膚炎　など
苔癬化 （たいせん）	湿疹が慢性化し、皮膚が厚くなった状態。	アトピー性皮膚炎など

２ 脱水

　脱水は体内から水分と電解質が失われた状態をいいます。脱水は二次的症状としてあらわれてくることが多く、重症化しやすいので、**発熱**、**下痢**、**嘔吐**などの症状があるときは、注意を要します。口唇や皮膚の乾燥、目のくぼみなどを観察し、脱水が疑われるときには、こまめに少量ずつイオン飲料や白湯などの水分を補給します。

３ けいれん

　けいれんは、**中枢神経系の異常興奮**によって引き起こされ、急激で不随意な筋肉の収縮が生じます。けいれんを起こす病気としては、**熱性けいれん**◆や脳炎、髄膜炎、てんかん、頭蓋内出血などが考えられます。

　てんかんには、原因不明のもの（真性てんかん）と脳の外傷、脳炎、脳腫瘍などによる症候性てんかんがあります。小児期での発症が最も多く、点頭てんかんは、生後３か月から１歳で発症し、多くの場合、知的発達に障害が生じます。

check

　脱水症状が進行すると、頻脈、嘔吐、下痢、意識障害、けいれんなどが出現し、生命の危機を招くこともある。症状の悪化に気付いたときは、速やかに医療機関で治療を受けさせる。

用語

◆熱性けいれん

　中枢神経系に器質的な疾病を認めない発熱に誘発されるけいれんをいう。発熱時はすぐクーリングを行う。

check

　小児は成人よりも、けいれんを起こしやすく、小児の約10％にけいれんの既往があるといわれている。

■ けいれんの観察と看護 ■

症状	観察のポイント	看護のポイント
け い れ ん	けいれん発作の状態（突発的か、持続時間、部位、眼球の位置、意識状態の有無）、けいれん後の状態、けいれんが始まる前の発熱の有無、既往歴、生活歴、けいれん前の頭部打撲、意識状態、その他の症状（呼吸状態、チアノーゼ、脱水状態、嘔吐、下痢など）	1. 気道を確保し、顔を横に向ける。 2. 衣服をゆるめる。 3. 肩をゆすらない、強く押さえつけない、冷たい手で触れない。 4. タオルやその他の物を口に入れない（窒息や口腔内損傷の事故のおそれがある）。 5. 光や音の刺激を与えない。 6. 安全な場所で寝かせる。 7. 発作が10分以上続く場合は救急車を呼ぶ。

4 子どもの保育が可能な場合、体調不良時の受診の判断の目安

　保育所保育指針の養護に関するねらいでは「一人一人の子どもの平常の健康状態や発育及び発達状態を的確に把握し、異常を感じる場合は、速やかに適切に対応する」と明記されています。登園（所）時、保育中は、一人一人の子どもの健康観察を行い、健康状態を把握することが重要です。

　保育が可能な場合は、**発熱がないとき**、**感染のおそれがない**と診断されたとき、食欲があり、機嫌がよく元気なときです。

　受診が必要と考えられる場合は、機嫌が悪くぐったりしているとき、頻回の嘔吐・下痢、症状が悪化したとき、脱水症状が認められたとき、**発熱したとき**、**発熱とともに発疹が増えたとき**、**意識がはっきりしないとき**などです。

5 各症状への対応と看護のポイント

　各症状への対応は、**対症療法**（症状を和らげ苦痛を緩和）することです。保育中に体調が悪くなった場合、**身体的苦痛**や**精神的苦痛**を伴います。治療は医療機関で行いますが、保護者がお迎えに来るまでの間に、これらの症状を軽減するために**各症状に合わせて対応や看護**を行います。

♥check

　対応・看護の基本は、①体調不良時は速やかに保護者に連絡をし、必要があれば園医やかかりつけ医に相談する、②子どもの症状は刻々と変化するので、そばに付き添い急変時対応できるようにする、③子どもが安全で安心して過ごせるように配慮する、④病児・他児の保育士の役割を分担し対応する、⑤痛みやつらさに共感し、気持ちを寄り添い、励ます。

3

子どもの保健

❹ 子どもの心身の健康状態とその把握

ここで チャレンジ

問題 次の記述で正しいものに○、誤っているものに×をつけよ。

1. 紅斑とは皮膚表面より隆起した発疹のことをいう。

2. 体温は1日の中で夕方最も低くなる。また、腋窩温は口腔温より高い。

3. ファロー四徴症とは、先天性の心臓の病気である。

4. 糖尿病の原因となる臓器は膵臓である。

5. 乳幼児突然死症候群（SIDS）とは主に睡眠中に発症し、原因不明だがリスク要因としてうつぶせ寝、人工栄養、両親の喫煙があげられている。

6. アナフィラキシーショックを起こし、重篤な状態の時は「エピペン®」を使用し、救急車を要請する。

7. 皮膚のかゆみが強いときの対応としては冷やすとよい。

8. けいれんとは、全身または体の一部の筋肉が意志とは関係なく発作的に収縮することをいう。

9. 高熱時には、部屋を十分暖め、厚着をさせて、身体が冷えないようにする。

10. レム睡眠の最も深いときに成長ホルモンは多く分泌される。

11. 乳幼児の食物アレルギーの原因食物は鶏卵、乳製品、小麦が多く、じんましん、嘔吐、下痢、腹痛などの症状が発現する。

12. 食物アレルギーの場合、血液検査でIgAを測定する。

13. アナフィラキシーは複数の臓器にアレルギー症状が出現した状態をいう。

14. 医療的ケア児には、歩ける子どもや重症心身障害児も含まれる。

15. 嘔吐後は体を横向きにして寝かせ、落ち着いてから水分を少量ずつ摂取する。

解答

1× **2**× **3**○ **4**○ **5**○ **6**○ **7**○ **8**○ **9**× **10**× **11**○ **12**×
13○ **14**○ **15**○

1 紅斑とは真皮の毛細血管が拡張して赤色になっていることをいう。

2 体温は睡眠中の早朝が最も低く、腋窩温は口腔温より低い。

9 高熱時は、薄着にし、冷罨法を行い、脱水になりやすいため、こまめに水分補給をする。

10 眠りの深いノンレム睡眠時に成長ホルモンの分泌が活発になる。

12 血液中のIgEという物質を調べる検査やパッチテストなどを行う。

感染症と予防対策

出題
point
- 感染症の予防と対策・対応
- 予防接種の種類と方法
- 学校における感染症の種類と出席停止期間

1 感染症の予防

1 感染とは

感染とは、細菌やウイルスなど病原となる**微生物**（病原体）が、宿主（人など）の体内に侵入して増え続ける状態をいいます。**不顕性感染**と呼ばれる感染しても発病しないものもあります。感染によって引き起こされる疾病を**感染症**といいますが、感染症の成立には、**生体の抵抗力**や免疫力と病原菌の強さや量が関係しています。感染症には**潜伏期**（病原体が体内に入ってから発症するまでの期間）があり、発症するまで病気に気付かないこともあります。そのため、保育所では感染症の**予防対策**と発生後の**対応**が重要です。

2 感染経路

病原体が体内に侵入していく方法を感染経路といいます。感染経路は大きく①**飛沫感染**、②**空気感染**、③**接触感染**、④**経口感染**、⑤**血液媒介感染**、⑥**蚊媒介感染**の6つに分けることができます。

3 感染予防の原則

感染症成立の要因には、①**感染源**（病原体）、②**感染経路**、③**感受性宿主**（被感染者）の3つが必要になります。感染予防対策を検討する場合は、これら3つの要因を明らかにして、それを断ち切ることが必要です。

check
体内にある免疫を担当する細胞（リンパ腺、胸腺、血液中のリンパ球）が、侵入してきたウイルスや細菌などに対して、抗体をつくったり、細菌に対抗する細胞をつくって病気を防ぐことを免疫という。

check
子どもが病原体に感染しても発病しないような抵抗力や免疫力を持てるように援助することも、感染予防に含まれる。

■ 感染要因と集団発生の予防策 ■

要因	集団発生の予防策
感染源 ・感染のもととなるもの ・ウイルスや細菌などの病原体	病原体の付着や増殖を防ぐ ・定期的な清掃／清潔保持 ・発症者（感染症の症状がみられる子ども）の排泄物や汚染された物の消毒 ・保菌者の早期発見、別室での保育／登園を控える ・食材は適切な温度で管理し加熱
感染経路 ・病原体が人に伝わり、広まる経路や感染する方法のこと	感染する形式を考慮して予防対策をたてる
接触感染 ・直接接触（握手、抱っこなどで病原体に直接触れる） ・間接接触（病原体の付着したドアノブ、遊具などに触れる） ・ノロウイルス、ロタウイルス、インフルエンザなど	・手洗いや手指の消毒 ・タオルの共有を避ける ・ドアノブや遊具、玩具の消毒 ・子どもへの適切な手洗いの指導
空気感染（飛沫核感染） ・感染者の飛ばした飛沫が密閉された空間内で乾燥し、拡散した病原体を吸い込むことで感染。広範囲に及ぶ ・結核菌、麻しんウイルスなど	・発症者の別室保育、部屋の換気 ・ワクチン接種
飛沫感染 ・感染者が咳やくしゃみ、会話の際に飛ばした病原体の含まれた飛沫を吸い込むことで感染。飛沫の飛び散る範囲は1〜2m程度 ・インフルエンザウイルス、百日咳菌、肺炎球菌、麻しんウイルスなど	・飛沫を浴びないようにすることで防ぐ ・うがい、マスク着用など咳エチケット
経口感染 ・病原体が食品を介して体内に侵入し感染する ・病原性大腸菌（O157等）など	・食品を清潔に取り扱う ・十分な加熱、適切な温度管理 ・調理器具の洗浄・消毒
血液媒介感染 ・皮膚や粘膜から病原体を含んだ血液が体内に侵入して感染 ・B型肝炎ウイルス、C型肝炎ウイルスなど	・他人の血液や体液、傷口に触れない ・コップ、タオルは共有しない
感受性が存在する宿主 ・感染を受けるヒトの感受性（年齢、栄養、ストレス）などに影響される ・ワクチンの予防接種は、接種することで感染症が流行してもかかりにくく、重症化しにくくなり、病気を防ぐ方法の一つである	・感受性のある者に対し、あらかじめ予防接種によって免疫を与える ・入所（園）時、予防接種状況を把握し、年齢に応じた計画的な接種を保護者に勧奨する ・職員の予防接種状況等の把握と必要に応じた接種

check

新型コロナウイルスの感染拡大防止の基本的な対策は、「手洗い」「3密（密接、密集、密閉）回避」「換気」「マスクの効果的な場面での着用」などである。3密とは、①「密閉」空間にしないよう、こまめな換気②「密集」しないよう、人と人との距離を取る③「密接」した会話や発声を避ける。

check

咳エチケットとは、感染症を他人に感染させないために、咳・くしゃみをする際、マスクやティッシュ・ハンカチ、袖を使って、口や鼻をおさえる方法。特に電車や職場、学校など、集団の場で実践することが重要。

覚えよう！

①**飛沫感染**：感染者の咳やくしゃみによって病原体が拡散し、吸い込むことによって起こる。
②**空気感染**：感染者の飛ばした飛沫が乾燥し、密閉された空間内で拡散した病原体を吸い込むことで起こる。
③**接触感染**：病原体を持つ人や動物などに直接（握手、抱っこなど）・間接的（ドアノブ、手すりなど）に接触することで起こる。
④**経口感染**：病原体が付着している飲食物などを口にすることによって起こる。
⑤**血液媒介感染**：傷ついた皮膚や粘膜から病原体を含んだ血液が体内に侵入することで感染する。
⑥**蚊媒介感染**：病原体を持った蚊に刺されることで感染する。

4 感染症発生時の対応

感染症には**潜伏期間**（病原体が体内に入ってから**発症**するまでの期間）があり、発症するまで感染症に罹患していることに気がつかないことがあります。集団生活においては感染症が持ち込まれることを完全に避けることは不可能なため、子どもの体調の変化にいち早く気づき**迅速**に対応します。

感染症の学校等における感染症発生状況を把握するシステムとして「**学校等欠席者・感染症情報システム**」があります。学校（保育園）において子どもたちの欠席情報を毎日入力することで、地域の感染症の発生状況をリアルタイムに把握し、関係機関と情報を共有できるシステムで、早期の感染症対策に役立てることができます。

5 集団発生の予防とスタンダード・プリコーション

スタンダード・プリコーション（標準予防策）は、「すべての患者の血液や体液は感染する危険性があるものとして取り扱わなければならない（米国疾患管理予防センター）」という考え方による予防策です。感染の可能性のあるものへの接触を最小限にすることで感染の機会を少なくします。

集団の場において、菌を持ち込まない、持ち出さないといった感染を拡げないような対策をします。子どもの日常の健康管理と症状があるときは早期発見、受診が必要です。

感染の機会	対策
感染の可能性のあるものに触れた後	手洗い
咳、くしゃみ	マスク
感染の可能性のあるものに触れるとき	使い捨てビニール手袋
衣類が汚染しそうなとき	ガウン

 2 感染症の分類

1999（平成 11）年に**感染症予防法**◆が施行され、伝染病予防法等が廃止されました。また、感染症は 1 類から 5 類の 5 つに類型化され、**指定感染症**、**新感染症**が加えられています。その後、**新型インフルエンザ感染症**、**中東呼吸器症候群（MERS）**など新しい感染症に対応し、改正されています。また、2023（令和 5）年 5 月に新型コロナウイルス感染症が 2 類相当から季節性インフルエンザと同じ **5 類**に移行されました。

 3 予防接種

1 予防接種の目的と法律

能動免疫の一つとして、予防接種があります。感染症に対する免疫力を獲得させるために、人工的にワクチンを接種し、**抗体をつくります**。感染症にかかりにくくすることと、病気が流行しないようにするという目的があります。

予防接種は、かつては法律により接種を受けなければならない義務接種でしたが、1994（平成 6）年 10 月から予防接種法と結核予防法の一部が改正施行され**勧奨接種**（定期接種）になりました。ほかに希望者に行う任意接種があります。

勧奨接種（定期接種）とは、接種が積極的に勧奨され、接種期間や対象者について一定の決まりを設け、**公費負担**で行われています。任意接種は、接種を受けるか否かが保護者あるいは本人（成人の場合）に任されていて、**自己負担**、**一部公費負担**で行われています。

用 語
◆感染症予防法
　正式名称は、「感染症の予防及び感染症の患者に対する医療に関する法律」である。

check
　2016（平成 28）年 2 月、ジカ熱が 4 類感染症に追加された。

check
　追加接種によりワクチンの効果を持続させ、高めることを、ブースター効果という。

2 予防接種の種類と接種間隔

種類	成分	接種間隔
生ワクチン	病原体を弱毒化したもの	生ワクチン（注射）接種後に他の生ワクチン（注射）を接種する場合は、27日（4週間）以上間隔をあける
不活化ワクチン	病原体を不活化したもの	接種間隔の制限なし

3 予防接種の実際

■ 法律による定期の予防接種（勧奨接種）A 類 ■

対象疾病（ワクチン）		対象年齢	標準的な接種年齢	回数	間隔
5種混合ワクチン（DPT・IPV・Hib）ジフテリア（D）、百日咳（P）、破傷風（T）、急性灰白髄炎：ポリオ（IPV）ヒブ（Hib）**不活化**	5種混合（DPT・IPV・Hib）	生後2～90か月未満	1期：生後2～7か月未満	3回	20～56日
			1期追加：1期3回目終了後、6～18か月	1回	1期終了後、6か月以上あける
	2種混合（DT）	2期11歳以上13歳未満	11歳に達したときから12歳に至るまでの期間	1回	—
麻しん**生**（M）	MR混合ワクチン	1期生後12～24か月未満		1回	—
風しん**生**（R）		2期5歳以上7歳未満（小学校就学前1年以内）		1回	—
結核（BCG）**生**		生後12か月未満	生後5～8か月未満	1回	—
日本脳炎**不活化**		1期3回生後6～90か月未満	3歳	2回	6～28日
			4歳	1回	2回目終了から1年あける
		2期9歳～	9歳～13歳未満	1回	—

✦check✦
乳幼児期の定期接種の種類が増えたため、2種類以上の予防接種を同時に行うようになった。これを同時接種という。

✦check✦
麻しんは、感染力が非常に強いので、乳幼児は重篤になりやすい。MRワクチンとして、2回接種する。

✦check✦
日本脳炎ワクチンは、2005（平成17）年より一時積極的勧奨が中止されていたが、2010（平成22）年度より積極的勧奨が再開された。

対象疾病 （ワクチン）	対象年齢	標準的な 接種年齢	回数	間隔
肺炎球菌 不活化	生後2か月 〜5歳未満	生後2〜5 か月未満	初回免疫 通常3回	27日以上
		追加：生後 12〜16か 月未満	追加免疫 通常1回	初回接種後 60日以上あ けて1歳以降
水痘 生	生後12〜36か月未満		2回	1回目：1歳 0か月〜1 歳3か月の 間 2回目：定 期接種とし て、1回目 終了から3 か月以上あ ける
B型肝炎 不活化	出生直後〜 12か月未満	①1回目： 生後2か月 ②2回目： 生後3か月 ③3回目： 生後7〜8 か月	3回	2回目：1回 目終了から 27日以上 3回目：1回 目終了から 139日以上
ロタウイルス 生	1価：生後6 〜24週	初回接種 は生後8〜 15週未満	2回	4週以上
	5価：生後6 〜32週		3回	
ヒトパピローマウ イルス（HPV） 不活化	小学6年生 〜高校1年 生相当	中学1年生 女子	2価・4価 3回	2価と4価 では接種間 隔が異なる
			9価（15 歳未満） 2回	1回目から 6〜12か月 あける

■ 任意の予防接種 ■

種類	対象年齢	回数	間隔
流行性耳下腺炎 （おたふくかぜ）	1歳以上の未罹患者	1回*	—
インフルエンザ	B類の対象者＊＊を 除く全年齢	1回また は2回	4週（2〜4週）

＊日本小児科学会は2回を推奨
＊＊定期予防接種（B類）の対象となる65歳以上の高齢者など

check
B型肝炎ワクチン
は、B型肝炎ウイル
スによる感染（水平
感染）を予防する。
母親がB型肝炎キャ
リアの場合は母子感
染（垂直感染）予防
のため、健康保険で
の接種が適用され、
その場合は定期接
種の対象外となる。

check
勧奨する予防接
種（定期接種）B類
には、インフルエン
ザ（65歳以上の高
齢者など）、成人用
肺炎球菌がある。

4 接種不適当者と接種要注意者

予防接種を受けられない者及び接種の際、医師に相談する必要のある者は次のとおりです。

■ 接種不適当者 ■

①明らかに発熱（医療機関での体温測定で 37.5℃以上）がある者

②重い急性疾患にかかっていることが明らかな者

③受けようとする予防接種の接種液の成分によって、アナフィラキシー◆を呈したことが明らかな者

④生ワクチンの予防接種対象者で妊娠していることが明らかな者

⑤その他、予防接種を行うことが不適当な状態にある者

■ 接種要注意者 ■

①心臓血管系疾患、腎臓病、肝臓病、血液疾患、発育障害などの基礎疾患がある者

②前回の予防接種で 2 日以内に発熱がみられた者、または全身性発疹等のアレルギーを疑う症状を呈したことがある者

③けいれんの既往がある者

④過去に免疫不全の診断を受けた者

⑤接種液の成分に対して、アレルギー反応を起こすおそれがある者

 用 語

◆アナフィラキシー
　免疫反応により引き起こされるアレルギー反応で、多くは注射後 30 分以内に起こる。食物や薬剤の成分等に対する過剰免疫反応が原因。
　全身性のじんましんと喉頭浮腫、ショック、下痢、腹痛のいずれかを引き起こすのが特徴である。死亡する可能性もある。

4 保育所等における感染症対策

1 主な感染症と罹患後の対応

保育所では乳幼児が長時間にわたり生活をともにするため、感染の危険性が高くなります。乳幼児は抵抗力が弱く心身の機能が未熟であるということを考慮し、感染力がなくなるまで罹患児の登園を避けるよう、保護者に依頼するなどの対応が必要とされます。その場合の出席停止日数は、学校保健安全法施行規則、学校において予防すべき感染症の規定に準拠し、感染症ごとに異なります。

■ 学校において予防すべき感染症の種類（第2種）■

病名（病原体）	主な症状	感染経路	潜伏期	感染しやすい期間	出席停止期間	備考
インフルエンザ（インフルエンザウイルス）	高熱、関節や筋肉の痛み、全身倦怠感、咳、鼻水、のどの痛み	接触飛沫	1〜4日	症状がある期間	発症後5日を経過し、かつ解熱後2日（幼児は3日）を経過するまで	肺炎や脳炎などの合併症に注意。発熱や意識の様子に気を付ける。流行に入る前はワクチン接種、流行中は咳エチケット（マスク着用）、手指の衛生管理
百日咳（百日咳菌）	特有の連続性の咳（スタッカート）	飛沫接触	7〜10日	抗菌薬を服用しない場合、咳出現後3週間経過するまで	特有の咳が消失するまでまたは抗菌性物質製剤による治療が終了するまで	3歳以下の乳幼児は肺炎を合併することがある。マスク着用、手洗い
流行性耳下腺炎（おたふくかぜ）（ムンプスウイルス）	発熱、耳下腺・顎下腺・舌下腺の腫れと痛み（押すと痛む）	飛沫接触	16〜18日	発症3日前から耳下腺腫脹後4日	耳下腺、顎下腺、舌下腺の腫脹が発現後5日を経過し、かつ全身状態が良好になるまで	思春期以後の感染では、精巣炎、卵巣炎の合併症に注意。ワクチン接種が有効
麻しん（麻しんウイルス）	発熱、鼻汁、目やに、発疹、口腔内の発疹（コプリック斑）	飛沫空気接触	8〜12日	発症1日前から発疹出現後4日後まで	解熱後3日を経過するまで	肺炎・中耳炎・脳炎等の合併症に注意。ワクチン接種が有効
風しん（風しんウイルス）	38℃前後の発熱、発疹、リンパ節の腫れ	飛沫接触	16〜18日	発疹の出現7日前〜7日後くらい	発疹が消えるまで	妊娠初期の感染は、胎児に感染して、白内障、先天性心疾患、難聴等を起こす。ワクチン接種が有効

···check
解熱後2日を経過するまでとは、解熱した翌日を第1日と数え、2日を経過するまでをいう。

···check
百日咳は、連続性の咳と笛の音のような音がして息を吸うことを繰り返す、レプリーゼという発作が特徴である。嘔吐、チアノーゼや浮腫などを伴うことがある。

···check
流行性耳下腺炎は、片方のみが腫れる場合と両方腫れる場合がある。全身の腺組織や神経系の感染を伴い、膵炎、睾丸炎、卵巣炎、髄膜炎、難聴、腎炎等の合併症がみられる。

···check
麻しんでは、38〜40℃の発熱とともに耳後部から発疹が出てくるが、次に躯幹から四肢まで発疹が出てくるまで安静にする。

病名 (病原体)	主な症状	感染経路	潜伏期	感染しやすい期間	出席停止期間	備考
水痘 (水痘・帯状疱疹ウイルス)	発疹が水疱、痂皮(かさぶた)の順に変化、発熱	飛沫 空気 接触	14〜16日	発疹出現1、2日前〜すべての発疹が痂皮化するまで	すべての発疹が痂皮化する(かさぶたになる)まで	抗ウイルス剤(アシクロビル)の投与によって症状が軽く経過が短くなる。ワクチン接種が有効
咽頭結膜熱 (プール熱) (アデノウイルス)	38〜40℃の発熱、のどの痛み、目やに、結膜の充血	飛沫 接触	2〜14日	発熱、充血等の症状が出現した数日間	主な症状がなくなった後2日を経過するまで	医師の許可があるまでプールに入らない
結核 (結核菌)	初期は発熱、咳、疲労感、微熱、食欲不振	空気 (飛沫核)	3か月〜数十年	明確に提示できない	感染のおそれがなくなるまで	感染が強く疑われれば、発病予防のために、化学療法剤の服薬を行う。BCG接種を確認する
新型コロナウイルス感染症 (新型コロナウイルス)	発熱、咳、呼吸器症状、倦怠感、頭痛、吐き気、嘔吐、下痢、結膜炎、味覚・嗅覚の喪失	飛沫 接触 エアゾル		発症後5日間	発症した後5日を経過し、かつ、症状が軽快した後1日を経過するまで	ワクチンの接種は強制ではなく、接種を受ける方の同意がある場合に限り行われる

■ 学校において予防すべき感染症の種類（第3種、その他） ■

病名 (病原体)	主な症状	感染経路	潜伏期	感染しやすい期間	備考
腸管出血性大腸菌感染症 (O157 等) (ベロ毒素を産生する大腸菌)	激しい腹痛、水様性の下痢、血便	経口 接触	10時間〜6日(O157は主に3〜4日)	明確に提示できない	溶血性尿毒症症候群などの合併症に注意。手洗いの励行。食品の十分な加熱
流行性角結膜炎 (アデノウイルス)	目の異物感、充血、まぶたの腫れ、目やに、瞳孔に点状の濁り	接触	2〜14日	充血、目やに等の症状が出現した数日間	医師の許可があるまで、プール禁止。洗面器は別のものを使用。消毒を行う

❺ 感染症と予防対策

check
水痘は、感染力が非常に強いので、集団発生しないように隔離や出席停止を徹底する。
治癒した後神経節に入り込み、抵抗力が落ちたときにウイルスが再活性化し神経に沿って発疹が出たものが帯状疱疹である。

check
第2種には髄膜炎菌性髄膜炎も含まれるが、わが国での発生は少ない。

check
第3種には、コレラ、細菌性赤痢、腸チフス、パラチフスも指定されている。

check
流行性角結膜炎は感染力が強いため、ドアノブ、スイッチ等の複数の人が触れる場所の消毒を励行する。

病名 (病原体)	主な症状	感染経路	潜伏期	感染しやすい期間	備考
溶連菌感染症 (溶血性連鎖球菌)	発熱、咽頭発赤、扁桃腫脹、いちご舌、細かい発疹(口周囲発疹なし)	飛沫接触経口	2～5日	潜伏期と臨床症状期間を含めて10日間	腎炎、髄膜炎の合併症に注意する。抗生剤治療を行う。手洗いの励行
伝染性膿痂疹 (とびひ) (黄色ブドウ球菌)	顔や手に米粒～豆大の水疱、破れて膿が出る、かゆみ	接触	2～10日	水疱から膿の出る間	手洗いの励行。タオルを共用しない。病変部をガーゼで覆う
手足口病 (コクサッキーウイルス)(エンテロウイルス)	軽い発熱(2～3日)、小さい水疱が口の中、手足にできる	飛沫経口接触	3～6日	手足口に水疱、潰瘍が発症した数日間	手洗いの励行。排便処理時手袋使用
伝染性紅斑 (リンゴ病) (ヒトパルボウイルス)	両頬に少し盛り上がったじんましん様の発疹(紅斑)、発熱	飛沫	4～14日	発疹出現前の1週間	妊婦は感染しないよう、流行期には注意が必要。手洗いの励行。咳エチケット
ヘルパンギーナ (コクサッキーウイルス)	高熱が3～5日続いた後、口蓋弓に数個～十数個の小水疱、2～3日で破れ潰瘍化	飛沫経口接触	3～6日	急性期の数日間	夏風邪の一種。幼児以上で咽頭痛、嚥下痛がある。手洗いの励行。排便処理時手袋使用
B型慢性肝炎 (B型肝炎ウイルス)	全身倦怠感、食欲不振、褐色尿、黄疸	血液垂直	急性感染では45～160日	HBs抗原・HBc抗原が陽性の期間	ワクチン接種が有効。血液に直接接触しない
伝染性軟属腫 (水いぼ) (伝染性軟属腫ウイルス)	半球状に隆起した1～4mmぐらいの丘疹	接触	2～7週	長期的には自然治癒するが集団生活で伝染	患部を覆い感染を防ぐ。手洗いの励行
急性出血性結膜炎 (エンテロウイルス)	強い目の痛み、結膜の充血、目やにに	飛沫接触	1～3日	明確に提示できない	対症療法。目やに・分泌物に触れない。手洗いの励行

check

MRSA感染症は、メチシリン耐性黄色ブドウ球菌により、免疫力が低下すると発症する感染症である。MRSAに感染した場合、ペニシリンの抗生物質が効かず重症化しやすい。しばしば院内感染の原因菌となる。

check

手足口病は、ほとんどは数日で治るが、中枢神経系の合併症(髄膜炎、小脳失調症、脳炎など)や心筋炎が出ることがあるので、注意が必要である。

check

B型肝炎キャリアの排泄物、分泌物、血液には感染性のある血液が含まれており、対応の際には使い捨ての手袋を使用する。噛みついた子どもがB型肝炎ウイルスキャリアの場合、唾液にウイルスが微量に含まれるので、傷口をよく洗い、消毒し、保護して、医療機関を受診する。

病名 (病原体)	主な症状	感染経路	潜伏期	感染しやすい期間	備考
マイコプラズマ肺炎 (肺炎マイコプラズマ)	咳（激しくなり長引くこともある）発熱、頭痛	飛沫	2～3週	抗菌薬治療を開始する前と開始後数日間	抗菌薬の治療。咳が出ている場合はマスクを着用
ウイルス性胃腸炎 (ノロウイルス)	嘔吐、下痢脱水を合併	経口飛沫接触	12～48時間	嘔吐・下痢症状が治まり、普通の食事が摂れるまで	ウイルスは便中に3週間
ウイルス性胃腸炎 (ロタウイルス)	嘔吐、下痢（白色便）脱水を合併	経口飛沫接触	1～3日		経口の予防接種（1価・5価）で予防可能。ウイルスは便中に3週間
帯状疱疹 (水痘・帯状疱疹ウイルス)	かゆみ、痛み、水疱、膿疱	水痘罹患後ウイルスを神経節に持っている	不定	水疱を形成している間	内服薬、外用薬で治療する。帯状疱疹の患者に接触すると水痘にかかる可能性があるので周知する
突発性発疹 (ヒトヘルペスウイルス)	3日程度の高熱の後、解熱するとともに紅斑が出現する	唾液等から感染	9～10日	明確に提示できない	生後6か月～2歳に多い。自然経過で治癒する
アタマジラミ症 (アタマジラミ)	頭皮のかゆみ、痛み	頭髪への直接接触など	10～30日（卵は約7日で孵化）	明確に提示できない	フェノトリン（スミスリン®）シャンプー・パウダーを使用する。帽子、枕、タオルを共用しない
疥癬 (ヒゼンダニ)	かゆみの強い発疹（丘疹、水疱、膿疱）ができる。夜間かゆみが強い	ヒトからヒト	約1か月	明確に提示できない	ヒゼンダニが手を介して感染する。手洗いの励行、下着を清潔にする
RSウイルス感染症 (RSウイルス)	軽い咳、鼻汁など感冒症状	飛沫接触	4～6日	7～21日	流行期は、呼吸器症状がある子どもと乳児の接触を避ける。

✦••check✦

突発性発疹は、高熱による全身性のけいれん（熱性けいれん）を起こすことがあるので注意する。

学校において予防すべき感染症は第1種から第3種に分かれていて、以下のように規定されています。

・第1種：エボラ出血熱やペストなど、感染力が強く重大な感染症となるもの。出席停止期間は、治癒するまで。

・第2種：飛沫感染するもので、学校において流行を広げる可能性の高いもの（出席停止期間はp.138以降の表参照）。

・第3種：学校教育活動を通じ、学校において流行を広げる可能性があるもの。出席停止期間は、症状により学校医その他の医師において感染のおそれがないと認めるまで。

2 新型コロナウイルス感染症

　新型コロナウイルス感染症は、新型コロナウイルス（SARS-CoV-2）により感染します。主に飛沫感染、接触感染し、症状は発熱、咽頭痛、倦怠感、嗅覚や味覚等の消失です。3密（密閉・密集・密接）の環境で感染リスクが高まるので、行動制限等の対策をとっていましたが、2023年5月8日より5類感染症に移行となりました。学校保健安全法施行規則においても、新型コロナウイルス感染症による出席停止期間が変更となり、「発症した後5日を経過し、かつ、症状が軽快した後1日を経過するまで」となりました。

　子どもは症状の訴えが十分にできないため、体温測定や健康観察等により、体調の変化にいち早く気付き、異常時は速やかに保護者に連絡し、記録をとり、受診を促します。新型コロナウイルス感染症の特徴を踏まえ、乳幼児は感染症にかかりやすいことから、基本的な感染対策として、手洗い等の手指衛生は有効です。

ここで チャレンジ

問題 次の記述で正しいものに○、誤っているものに×をつけよ。

1. 血液や体液は病原体が含まれ、感染する危険性があるとして取り扱う。
2. 流行性耳下腺炎は、ムンプスウイルスというウイルスの感染により起こり、潜伏期間は 16 〜 18 日で、ワクチンは任意接種である。
3. MRSA 感染症とは免疫力が低下すると発症する感染症で抗生剤が効かない。
4. 5 種混合ワクチンの対象疾病は、ジフテリア、百日咳、破傷風、急性灰白髄炎（ポリオ）、肺炎球菌である。
5. 水痘の出席停止期間は「すべての発疹が痂皮化するまで」である。
6. 麻しんの出席停止期間は「解熱後 3 日を経過するまで」である。
7. 風しんは風しんウイルスによって起こり、風しんのワクチン（MR ワクチン）は、生後 12 〜 24 か月未満と、5 歳以上 7 歳未満の 2 回接種する。
8. 水痘、B 型肝炎、肺炎球菌ワクチンは、定期接種である。
9. ロタウイルスワクチンは任意接種のワクチンである。
10. 新型コロナウイルス感染症の出席停止期間は「発症した後 4 日を経過し、かつ、症状が軽快した後 1 日を経過するまで」である。
11. 飛沫感染は咳やくしゃみで拡散した病原体を吸い込むことで感染する。
12. B 型肝炎、C 型肝炎の感染経路は主に経口感染である。
13. ウイルス性肝炎キャリアの血液や尿、便にはウイルスが含まれており、手に傷がある場合は使い捨て手袋を着用する。
14. 咽頭結膜熱の症状は発熱、のどの痛み、目の結膜の充血である。
15. 咽頭結膜熱はアデノウイルスの感染によって起こる。

解答

1 ○ **2** ○ **3** ○ **4** × **5** ○ **6** ○ **7** ○ **8** ○ **9** × **10** × **11** ○ **12** ×
13 ○ **14** ○ **15** ○

4 　肺炎球菌ではなく Hib が追加され、2024（令和 6）年 4 月から 5 種混合ワクチンとなった。
9 　2020（令和 2）年 10 月より定期接種となった。
10 「発症した後 5 日を経過し、かつ、症状が軽快した後 1 日を経過するまで」である。
12 　B 型肝炎、C 型肝炎は主に血液で感染する。なお、A 型肝炎は主に経口感染である。

子どもの生活環境と心の健康

出題
point
• 母子相互作用
• 子どもの健康と保育の環境及び援助
• 子どもの心の健康

1 母子相互作用◆

　乳児は母親に対して、泣いたり、笑ったり、見つめたりして要求や感情を伝えます。母親はこれに応えて、乳児に対して母乳を与えたり、抱いたり、目を合わせたり、話しかけたり、おむつを交換したりします。このような中で、乳児は母親に対しての信頼感や安心感を獲得していきます。
　一方、母親のほうは、乳頭を吸われることにより、オキシトシンが分泌され、射乳が促されるとともに、子宮収縮が促進され産後の子宮回復につながります。また、乳児の自発的微笑によって、母親は乳児をかわいらしく感じ、喜びを感じ、愛情を深めていきます。

2 子どもの健康と保育の環境及び援助

1 食事

　乳児期における哺乳行動は、栄養摂取のほか、抱いたりあやしたりする人との関わりによって精神保健の基礎であるアタッチメント（愛着）の形成にもつながります。

2 睡眠

　新生児は3〜4時間の授乳リズムで睡眠と覚醒を繰り返しており、1日のほとんどを寝て過ごしています。生後2

用語

◆母子相互作用
　母親と子どもが触覚、視覚、聴覚、嗅覚などの感覚を介してお互い影響し合い、人間関係の基盤となる心のきずなを深めていくメカニズムをいう。

check

　乳児期に獲得した信頼感と安心感は、後の人間形成の基盤となる。
母乳育児の利点
•••> p.227

愛着の発達
•••> 上 p.24

か月〜3か月くらいで少しずつ昼夜を認識するようになり、4か月頃までには昼間の覚醒時間が増えて、**サーカディアンリズム◆**が形成されます。幼児期に入ると、1回程度の午睡（昼寝）ですむようになります。

午睡とは保育所での子どもの休息する時間のことをいい、**生活リズム**が形成される重要な要素のひとつです。在園時間が異なったり、家庭環境や個人差による睡眠時間の違いもあるため、午睡については**一人一人の発達**や生活リズムに合わせた配慮が必要です。

近年、年長児よりも低年齢児の方が就寝時刻が遅い傾向があり、子どもの夜型化が問題視されています。夜中に明るい照明の中にいると**メラトニン◆**の分泌が抑制され、睡眠覚醒リズムが乱れる原因となります。また、睡眠時間の不足は**日中の活動**、睡眠と覚醒のリズム、サーカディアンリズムにも影響します。**情緒面**や**発育面**へも影響します。

3 排泄

膀胱に尿が一定量以上溜まると尿意として大脳に伝えられ、大脳から、がまんする、または出すという指令が膀胱へ伝えられて排泄が行われます。乳児期では、神経系が未成熟であるために、膀胱に尿が溜まると反射的に排尿が起こります。そのため、**おむつ**を使用します。汚れたおむつは不快に感じ泣くことで訴えるので、その都度交換することで得られる**清潔感**が排泄習慣の自立につながります。

3歳頃になると**尿意を自覚**し、3〜4歳頃になると**コントロール**できるようになります。ただし、子どもによって**個人差**があるので、様子をみながら排泄の自立（トイレ・トレーニング）への働きかけをします。

4 衣服の着脱

子どもの衣服は、生後2か月頃までは大人よりも1枚多め、それ以降は大人と同じにします。ハイハイをするようになったら大人より1枚少なめにし、**薄着**を心がけます。室内では靴下もはかせなくてよいでしょう。薄着の習慣は、子どもの

◆サーカディアンリズム

1日を単位として繰り返される生物の運動や生理現象の周期のこと。同じ種の生物は同じリズムを持っており、人間に特有のリズムがある。

◆メラトニン

脳の松果体から分泌される睡眠に関係するホルモンで、眠りを誘うほか、抗酸化作用などがある。

check

排泄の自立には、排泄の生理的発達に加え、身体的、心理的、言語的な発達も影響する。

check

夜尿には、就寝前にトイレに行く、夜間の水分摂取を制限するなどの対処をする。

check

衣服を選ぶときは、吸湿性に富み、丈夫なもの、着脱しやすいものとし、指先で細かい作業ができるようになる時期までは、ボタンなどのないものが適している。

体温調節の力や皮膚や体の**抵抗力**をつけるためにも必要であり、動きやすいという利点もあります。

5 清潔と歯磨き

　子どもは**新陳代謝**が活発で代謝産物が多く、動きも活発なので身体が汚れやすい状態です。**身体の清潔**を保つように心がけ、**手洗い**、**うがい**、**歯磨き**、**入浴**などの清潔保持の習慣が付くように支援します。家庭と連携しながら子どもの清潔習慣を確立するようにします。

　乳歯では、**虫歯予防**と**不正咬合（歯並び）予防**が大切です。虫歯予防には、糖分の過剰摂取を控え、食物繊維の多く含まれる食品を食べる、規則正しい食習慣を付けるなどを心がけます。できれば毎食後または少なくとも 1 日 1 回は歯磨きをするよう習慣付け、仕上げ磨きを行います。不正咬合予防としては、1 歳を過ぎたら**硬めの食物**を食べてよく噛み、顎をしっかりと使わせるようにし、**哺乳瓶**を使わないようにします。**指しゃぶり**は無理のない範囲でやめるようにします。

6 遊び

　子どもにとって遊びは生活の一部であり、遊ぶことにより**運動機能**や**精神面の発達**が促されます。3 歳くらいになると友達遊びが上手になり、遊びを通して社会生活を経験し**社会性**が発達していきます。近年は、体を使って遊ぶ機会が減る傾向にあり、子どもの**体力低下**や肥満が問題視されています。保育所では、**運動量の多い遊び**を取り入れる工夫が必要となっています。

7 生活リズム

　子どもの健やかな成長のためには生活リズムを整えることが大切です。保育所保育指針には「子どもの**生活のリズムを大切**にし、健康、安全で情緒の安定した生活ができる環境や、自己を十分に発揮できる環境を整えること」、「家庭と協力しながら、子どもの発達過程等に応じた適切な**生活のリズムがつくられていくようにする**」と明記されています。**家庭と保育**

check
　子どもは大人のまねをするので、手洗い、うがい、歯磨きなどの習慣を付けるためには、一緒に行うことが効果的である。

check
　幼児期は、親との情緒的な結びつきが形成され、模倣能力が伸びて、ごっこ遊びをするようになる。

所が連携を図り、一人一人の子どもの発達過程や心身の状況に合わせ、睡眠、食事、遊びなど生活リズムを整えます。

 3 子どもの心の健康

1 心の健康と身体の健康の関係

子どもの心の健康問題は、身体の健康問題に密接に関係します。発育不良などによる身体発育や運動発達の遅れは、知的発達に影響を及ぼしますので、身体と心の健康問題を相互にとらえながら対処する必要があります。

2 心の健康と養育環境

子どもの健やかな成長や発達には、養育に適した環境が必要です。家族、親族、地域における養育環境を整えるために、保育所等の養育施設には、保護者を通じて家庭環境を把握し、必要に応じて助言や指導をするという役割があります。また、健康や安全が保たれるように交通状況や公園等の遊び場、海、川、山等の自然環境の点検も必要です。

また、発達段階に応じた養育環境への配慮が必要です。乳児の養育環境は室内が中心ですが、身体が自由に動かせるようになると、周囲の状況を確かめて少しずつ外の世界へ出ていきますので、園庭、公園など屋外での活動も安全に行えるようにします。

3 災害等における心のケア

子どもが災害や事故に遭い、強いストレスを受けたとき、子どもの成長や発達に大きな影響を及ぼします。子どものストレス症状の特徴として、心の症状だけではなく、身体の症状も現れます。強いストレスを受けることが原因で、心身に支障をきたし、社会生活にも影響を及ぼす様々なストレス障害を引き起こす精神的な後遺症、疾患のことを心的外傷後ストレス症（PTSD）といいます。長期間続くときは心理的・精神的アプローチが必要です。

保護者の意識が高いと子どもの身体活動量は多く、保護者の意識が低いと子どもの身体活動量は少ない。子どもの身体活動量は二極化の傾向がある。

発達遅延を見つけるための検査として、DENVER II スクリーニング検査がある。生後1か月～6歳の乳幼児の発達は4領域（個人‐社会、微細運動‐適応、言語、粗大運動）の検査領域からなる。

強いトラウマ体験（心的外傷）を受けた後、突然その記憶が鮮明に思い出されたり、夢を見たりすることをフラッシュバックという。

心的外傷後ストレス症
•••▶ p.155

ここで **チャレンジ**

問題 次の記述で正しいものに○、誤っているものに×をつけよ。

1. 乳児では膀胱に尿が溜まると尿意を自覚し排尿が起こる。
2. 糖分の過剰摂取は虫歯や肥満のリスクを高める。
3. 紫外線予防のため、戸外遊びを控え室内で遊ぶようにする。
4. 睡眠リズムを調節するメラトニンは、日中に比較的多く分泌される。
5. アタッチメントとは、子どもと養育者の間に形成される情緒的な結びつきのことをいう。
6. 幼児期には、保育所、家庭などでの生活を通して、規則正しい食習慣、また歯磨きなどの習慣を付けられるとよい。
7. ハイハイを始める頃から乳児は動きが活発になるので、衣服は大人より1枚少なめが望ましい。
8. 1歳になると尿意を自覚するので、できるだけ早く排泄のトレーニングを進める。
9. 子どもの健やかな成長のために、保育所と家庭が連携して食事や午睡、遊び、休息など生活リズムを整えることが大切である。
10. 低年齢児の方が年長児に比べて就寝時刻が遅い傾向がある。
11. 子どもの健やかな成長・発達には、家庭、社会、地域、自然といった環境が相互的に関わっている。
12. 午睡は生活リズムを形成するため、一律に取れるようにする。
13. 夜尿への対処として就寝前にトイレに行き、夜間の水分摂取の制限をする。

解答

1 × **2** ○ **3** × **4** × **5** ○ **6** ○ **7** ○ **8** × **9** ○ **10** ○ **11** ○ **12** ×
13 ○

1 乳児は反射的に排尿が起こる。3歳頃から尿意を自覚する。
3 帽子をかぶったり、紫外線対策をしながら戸外遊びをする。
4 睡眠リズムの調節作用を持つメラトニンは、夜間暗くなると分泌され睡眠を促す。
8 3歳になると尿意を自覚するようになる。個人差があるので、様子をみながらトイレ・トレーニングを始める。
12 個人差があるので、一人一人の子どもに合わせ、一律にならないように配慮する。

3章　子どもの保健

section 7　子どもの発達障害と保育の環境

出題
point
- 子どもの発達障害の特徴
- 心因性疾患と内因性疾患
- 障害のある子どもの保育

1　障害の分類

　DSM-5-TR は、アメリカ精神医学会が作成した、精神科医が患者の精神医学的問題を診断する際の指針である「精神疾患の診断・統計マニュアル」第 5 版の改訂版です。DSM-5-TR では、発達障害は**神経発達症**、知的障害（精神遅滞）は**知的発達症**、注意欠陥多動性障害は**注意欠如多動症**（ADHD）、学習障害は**限局性学習症**（SLD）とされています。

　また、広汎性発達障害（PDD）として分類されていた自閉症、アスペルガー症候群等は、DSM-5-TR では**自閉スペクトラム症**（ASD）として、軽症から重症までのスペクトラム（連続体）として包括され、具体的な症状により区分されています（**レット症候群**を除く）。

　障害の分類には DSM-5-TR のほかにも、**ICD-10** など、様々な分類があります。

■ 自閉スペクトラム症の特徴 ■

- 社会的コミュニケーションが困難：人への関心が低い、会話が成立しにくい、視線を合わせない
- 常同行動：反復的・儀式的行動・姿勢・発声、身体の揺すり
- 同一性への固執、こだわり
- 興味の限局　　　・感覚過敏　　　・偏食　　など

---

check
ICD-10（国際疾病分類第 10 版）は、世界保健機関（WHO）作成の身体、精神疾患に関する世界共通の分類の第 10 版。2018（平成 30）年、約 30 年ぶりの改訂となる ICD-11 が公表されたが、日本での運用時期は未定。

check
自閉スペクトラム症のほとんどが生後 2 年以内に明らかになる。女児よりも男児に多い。

149

■ 通常、幼児期、小児期または青年期に初めて診断される障害 ■

①注意欠如多動症 （ADHD）	不注意、多動性、衝動性など
②限局性学習症 （SLD）	読字不全、算数不全、書字表出不全、特定不能の学習障害 落ち着きがなかったり、知的能力は正常あるいはそれ以上であるのに、特定の学習上で困難を示す
③自閉スペクトラム症（ASD）	自閉性障害 アスペルガー障害などを症状により区分
④知的発達症	知的能力の遅れ
⑤コミュニケーション症	表出性言語症、受容性言語症
⑥運動発達遅滞	運動能力の発達の遅れ
⑦食行動症及び摂食症	異食症、反芻性症、回避・制限性食物摂取症など
⑧チック症	運動チック、音声チックなど
⑨排泄症	遺尿症、遺糞症など
⑩その他の障害	分離不安症、場面緘黙（選択性緘黙）、反応性アタッチメント症（反応性愛着障害）など

※障害名称の日本語表記は異なることがある。

2 知的障害（知的発達症）

　知的障害とは、一般的知的機能が有意に平均より低く、同時に適応障害を伴う状態で、それが発育期にあらわれる障害です。知的な働きや発達が、同年齢と比べてゆっくりであるほか、コミュニケーション能力、身辺処理などの実用的な生活能力で不自由さがみられます。多くは、乳幼児期から運動、知覚、言葉や社会性など様々な領域の発達の遅れが認められ、男女に出現頻度の差はありません。知的発達遅滞が重症なほど適応スキルの問題、身体が弱い、特異な行動パターンを伴うことが多くなります。知的能力障害児の療育では、それぞれの状況を把握したうえで、今後の生活をいかに充実させるかの観点が必要です。

check
　注意欠如多動症（ADHD）や学習障害などの合併がみられる者が、加齢に伴い反社会性パーソナリティ障害に移行する過程を、DBD（破壊的行動障害）マーチという。

check
　自閉スペクトラム症と注意欠如多動症を併せて発症することもある。

check
　知的障害の先天的要因としては、染色体異常であるダウン症、胎児性アルコール・スペクトラム障害、自閉性障害などがあげられる。

check
　知的障害では、個体発生の早期に発生した要因ほど、大脳中枢部のより広範囲に重い障害をもたらす。

3　注意欠如多動症（ADHD）

1　注意欠如多動症の主な特徴

　注意欠如多動症（ADHD）で観察される行動の特徴に、**多動性、注意障害（不注意）、衝動性**があります。その特徴は特に集団生活の中で顕著になります。

●注意欠如多動症の主な行動特徴●
①落ち着きがない
②気分にムラがある・ルールを守らない ｝（多動性）
③そそっかしい・忘れ物が多い（注意障害）
④怒りっぽい、気が短い
⑤自分勝手、反抗的、頑固、強情 ｝（衝動性）

2　注意欠如多動症の発症頻度と原因

　注意欠如多動症の発症頻度は、およそ３〜６％と推測されています。また、**男児に多い**（およそ **4:1**）ことが特徴です。注意欠如多動症の決定的な原因は、今日においてもわかっていませんが、7歳以前にあらわれ、その状態が継続し、様々な原因から生じる**中枢神経系の機能障害**（必ずしも大きな損傷ではない）と**遺伝的素因**が合併して発症するのではないかと考えられています。注意欠如・多動症児の援助では、**薬物療法、教育的支援、家庭での支援**などが行われます。

4　限局性学習症（SLD）

1　限局性学習症の主な特徴

　知的能力は普通かそれ以上で、家庭環境にも問題がなく、特別な心理的問題もないにもかかわらず、年齢相応の**学習の獲得**が困難な人をいいます。読み書き、計算、話し言葉、作文や運動といった**学習の基礎的な部分**に障害があるために発展的学習にも困難さが生じます。

check
　注意欠如多動症児（ADHD児）は、叱られてもあまりへこたれた感じがみられなかったり、一見すると明るい感じを受けたりすることがある。そのため、周囲が気付かないうちに本人が傷ついていて、問題が進行してしまうことがあるので注意が必要である。

check
　注意欠如多動症児は、限局性学習障害やコミュニケーション障害を合併することがある。

check
　SLDは、「Specific Learning Disorder」の略称。

② 発症頻度とその性差

　日本での発症率は、およそ3～6％で、3対1ないし6対1の割合で**男児**に多くみられます。これらの数字は、注意欠如多動症児のものとほぼ同じです。

③ 行動特徴

　限局性学習症児には、読み、書き、計算、話し言葉、運動（機能）能力に特徴的な行動があり、そのために**学習面**で著しい困難が認められます。これに対し、注意欠如多動症児の場合は、**行動面**で著しい困難が認められます。

5 自閉性障害・アスペルガー障害

① 自閉性障害の特徴

　自閉性障害の症状（兆候）は、およそ**生後30か月**までにあらわれます。

　自閉性障害は、以前は情緒障害あるいは早期の母子関係の障害といわれていましたが、現在では何らかの**脳機能障害を背景**とする発達障害の一つと考えられています。

　自閉症児は、他者との関わりや交流を閉ざして拒否しているようにみえますが、そうではなく、聴覚や視覚の認知障害などが理由で、見たもの、聞いたものの意味や文脈が理解できないために、「外界とどう関わったらよいかわからない状態」にあるのです。そして、普通の人とは異なる特徴的な**認知障害**があり、音や光に対して過敏であったり鈍感であったりします。発症の男女比では**4対1**で**男児**に多くみられます。

② アスペルガー障害

　アスペルガー障害は、小児期の発達障害の一つで、1944年に**アスペルガー**によって紹介された事例に始まります。

　アスペルガー障害は、**対人関係障害**と**情緒障害**を主とするもので知的には標準あるいはそれ以上であったりします。知的な遅れがないだけに、障害への気付きが遅くなる傾向

があります。そのため、**周囲から誤解**を受けやすく、本人が傷ついたり、問題行動が大きくなったりすることも見受けられます。

アスペルガー障害が自閉性障害と異なる点は、発症が**遅く**、言葉の遅れが**軽く**知的な遅れが**ない**ことと、しばしば場面緘黙(**選択性緘黙**)を伴うことです。場面緘黙(選択性緘黙)とは、言葉の理解や発語など、言語能力は正常であり、他の状況では話すことができるにもかかわらず、特定の社会状況(話すことが期待されているような状況)では話すことができないという症状です。

6 主な心因性疾患

1 心身症

心身症は、発症や経過に**心理・社会的要因**が関与し、身体症状としてあらわれる病気をいいます。心身症の治療には、心と身体の**両面から**関わる必要があります。

起立性調節障害

起立性調節障害とは、**思春期**前後に生じる、**自律神経系**の変化によって起こる身体疾患です。自律神経がうまく働かず、血圧が低下し、脳や全身への血流が悪く、朝起きられない、立ちくらみがする、ふらつきなどの症状が起こります。治療には、規則正しい生活リズムに徐々に戻す、心理療法、薬物療法(昇圧剤)があります。

過換気症候群

過換気症候群とは**過呼吸**とも呼ばれ、息苦しさ、動悸、胸部痛、めまい、手足のしびれなどの症状が特徴です。原因は精神的な不安やストレスなどがあげられます。発作が起きたときには、まず落ち着かせ、ゆっくり小さな呼吸や、心理療法、薬物療法を行います。

check

心理的な要因によって、身体に痛みや症状を呈することがある。

過敏性腸症候群

　子どもの腹痛を起こす病気の一つであり、ストレスと密接な関わりがある病気です。腸の機能的には問題がなく、原因は不明です。症状は腹部不快感と腹痛で、治療には食生活の見直しと、排便の調節、心理療法があります。

爪かみ

　爪かみ行動は、欲求不満、過度の緊張、不安や不満、退屈などの心理的な理由で生じるもので、精神的なストレス発散の一つの手段です。通常 4、5 歳頃から学童期にかけてみられる習癖で、普通は年とともに徐々に減少していきます。

指しゃぶり

　指しゃぶりは、身体をいじる習癖の一種です。その頻度が極度に多かったり、学齢期まで続いたりすると問題になります。疲れたとき、気分が不安定になったときなどにあらわれやすく、その原因には、感情の未熟さ、内向的・神経質といった個人の特徴、両親の愛情不足や過干渉、祖父母の溺愛などの家庭環境が考えられています。指しゃぶりが生じている場合は、子どもたちが安心して生活しているか、両親の子どもたちへの関わりはどうか、子どもたちは必要以上に緊張や欲求不満を感じていないかに着目する必要があります。

（心因性）チック

　チックは、主に顔面、首や腕などの筋肉が不随意に引きつる現象です。声帯で生じた場合には、「あっ！」「ぎゃ！」という発声になります。

　チックは神経質な子どもに観察され、原因として、怒りや攻撃感情を抑え込んでいる、向上心はあるが一方で劣等感に悩んでいることなどがあります。怒りや攻撃的感情を上手に発散できるようになるとチックは減少していきます。

（心因性）夜尿

　夜尿は、多くは心と身体の発達と、関係の発達（中枢神経の発達や泌尿器筋肉の発達及びその連携機能の発達）が未成熟であるために生じます。しかし、心因性で生じる夜

check✨
　指しゃぶりは、睡眠障害やチックを伴うことが多い。

check✨
　発声としてあらわれるチックを音声チックという。

尿もあります。その例として、弟や妹が生まれたことをきっかけに夜尿が復活することがあげられます。これは、父母の愛情が弟や妹に移ったことの不安を、**赤ちゃん返りする行動**で表現しているもので、自分も赤ちゃんに戻ることで、以前のように**母親を独占したい**という欲求（現状への不満も含む）のあらわれです。

👑check
この現象を幼児退行という。

2 反応性愛着障害（反応性アタッチメント症）

乳幼児の発育には、特定の養育者との**愛着形成**が必要不可欠で、養育者との無条件の**信頼関係**をつくることで、その**信頼関係**を発展させ、他者との関係をつくり上げていきます。そうした心の基盤をつくる大切な乳幼児期に、特定の養育者との愛着形成ができず、**他者との関係がうまくつくれない**状態が反応性愛着障害です。子どもは、成長するに従って、空虚感を感じたり、様々な問題を起こしたりする可能性があります。

3 不安障害・不安神経症（不安症）

不安症状と回避行動を特徴とする疾患群のことです。**パニック症**、**心的外傷後ストレス症**（**PTSD**）や**急性ストレス症**もこれに含まれます。

障害発症には、**心因の関与**が大きいと考えられています。治療法としては、考えられる原因に応じて、薬物療法、認知行動療法やカウンセリングなどが用いられます。

用語
◆心的外傷後ストレス症（PTSD）
災害や犯罪被害などの強い恐怖を伴う衝撃的出来事を経験することによって生じる、特徴的な精神障害。他の精神障害と異なる点は、原因の存在が規定されていることである。

分離不安障害（分離不安症）

分離不安障害は、家から離れることや愛着のある人と離れることを、**過剰に不安がる状態**をいいます。子どもの不安が1か月以上持続して、ひどく悩んだり行動面に支障をきたしたりしている場合は、分離不安障害とみなします。

👑check
この障害の存続期間が程度の重さを反映している。

肉親や友人、ペットの死、弟や妹の誕生、転居や転校などの経験はこの障害のきっかけになることがあります。また、遺伝的に不安になりやすい性質の影響もあります。著しい苦痛、社会的、学業的（職業的）、または、他の重要な領域での機能に障害を引き起こすことがあります。

👑check
発症は18歳以前（6歳以前に発症した場合は早発性とみなす）。

強迫性障害・強迫神経症（強迫症）

　本人の意思に反して、ある考えが繰り返し浮かんで抑えようとしても抑えられない（**強迫観念**）、あるいはそのような考えを打ち消そうとして、無意味な行為（**強迫行為**）を繰り返し、日常生活や人間関係が困難になることが特徴です。

　病前性格◆に特定のものはなく、多くは何かのきっかけの後に急に発症します。治療法としては、行動療法や薬物療法が有効とみなされています。

●**子どもの強迫性障害の特徴**●
　小児期は何度も手を洗ったり、虫がいないか確認したりするという症状がみられる。

パニック症

　パニック症は、予期しない**パニック発作**が繰り返されます。**パニック発作**は、突然、激しい不安や恐怖感に襲われてパニック状態に陥るような発作のことで、動悸や息苦しさ、発汗、手の震え、悪寒、めまいなどからこのまま死んでしまうのでは、という死に対する恐怖なども感じることがあります。

　このようなパニック発作が繰り返されることにより、また同じことが起こるのではないかという**不安**から、発作を引き起こすような状況を避けるようになることで、社会生活が制限されるような状態に至ることもあります。

4　睡眠障害

　睡眠◆に関わる疾患や**睡眠行動**の障害や異常が認められるものを総称したものです。睡眠発作、脱力発作、睡眠麻痺、入眠時幻覚を特徴とするナルコレプシー、入眠困難や睡眠不全感を主特徴とする**神経症的症状**や**睡眠時遊行症**、**夜驚症**、**悪夢障害**なども睡眠行動の障害に含められます。

　睡眠障害は、情緒障害や自閉スペクトラム症（ASD）な

check
　強迫観念や強迫行為は不安が基礎になっていると考えられている。

用語
◆病前性格
　精神障害の発病前の性格と発病との間に関連があるという立場から、特定の疾患に特定の発病前性格が関連すると考える。例として、うつ病の発病に関連するというメランコリー親和型性格や粘着気質があげられる。

用語
◆睡眠
　持続的な意識消失と全般的な身体機能の低下状態で、「覚醒」と対をなして周期的に生じる生理的な活動状態。
•••▶ p.121

どの発達障害の併存症としても認められます。工夫をして、睡眠リズムを整えるようにします。

5 摂食障害

摂食障害は、精神的な問題から食欲に異常が起こる病気で、**神経性やせ症**、**神経性過食症**などがあります。

摂食障害は、**思春期頃**から発症し、圧倒的に**女性に多い**障害です。摂食障害により栄養が不足し栄養分が身体全体に行き渡らないと、血液量も減少してしまい、ただ痩せるだけでなく、大脳中枢部の萎縮や内臓への悪影響など、**全身的障害**が生じることがあります。

摂食障害の原因には、**成長への恐怖**と成人としての**責任保持への抵抗**、愛情不足、ストレス、無理なダイエット経験などがあります。支援方法としては、本人に対して栄養や食事についての正しい知識を伝えるとともに、**家族に対しても援助**を行っていきます。治療としては、**薬物療法**や**カウンセリング**があります。

神経性やせ症（拒食症）

症状としては**食べ物**を受け付けられなくなって、体重がどんどん落ち、それに伴って心身両面に異変が起きます。心理面での異変として**思考力の低下**があげられます。

病型には、**制限型とむちゃ食い型**（排出型）があります。

制限型	神経性無食欲症の間に規則的にむちゃ食いや排出行動を行うことがない。
むちゃ食い型（排出型）	神経性無食欲症の間に規則的にむちゃ食いや排出行動を行うことがある。

神経性過食症（過食症）

一度過食すると、自己嫌悪や肥満恐怖に陥り、嘔吐、過食などを繰り返します。過食症には、**排出型**と**非排出型**があります。

check
摂食障害の原因の一つとして母子関係があげられ、母子関係の修正と再構築が障害からの回復に有効とされている。また、摂食障害への援助として、時には厳しく関わる一方で、決して「見捨てられた」と思わせないこと、否定的な言葉かけはしないこと、女性の場合には、女性性の受容などがあげられる。

check
過食症は、拒食症と対比されたものとみなされる場合（過食行動の誤解）もあるが、自分を過剰に太っていると思い込む傾向は共通。

排出型	むちゃ食いの間、定期的に自己誘発性の嘔吐をする。または下剤や利尿剤などを使用することがある。
非排出型	むちゃ食いの間、絶食や過剰な運動などの不適切な代償行為を行うことがあるが、定期的な自己誘発性嘔吐や下剤の使用はない。

7 主な内因性疾患

1 統合失調症

統合失調症は、原因不明で様々なあらわれ方をする精神病性障害で、妄想、幻覚などの**陽性症状**と感情の平板化、会話の貧困や意識欠乏といった**陰性症状**を特徴とします。また、統合失調症の症状は、感情、行動、社会機能や職業機能に悪影響を及ぼします。

初期の症状は気分の**落ち込み**、寡黙になるなどで、急性期には**幻覚**、**幻聴**、**妄想**が出現します。慢性期になると、意欲や気力がなくなります。主な病型には、**妄想型**、**解体型**、**緊張型**があり、症状にも特徴があります。治療は薬物療法、カウンセリングなどです。

■ 統合失調症の病型の特徴 ■

妄想型	妄想や幻聴
解体型	まとまりのない会話や行動
緊張型	混迷または緘黙、拒絶症、**筋強剛**◆、無目的な興奮 自己あるいは他者を傷つけるおそれ **反響言語**◆または**反響行為**◆ 合併する障害で医学的ケアが必要

2 気分障害

気分の高揚ないしは抑うつといった気分変化を特徴とする障害で、躁とうつの両病相を持つ**双極性障害**と、うつ病相だけを示す**うつ病性障害**に分類されます。

うつ状態では、悲観的な考え方、憂うつで悲しく気落ちした気分、思考や集中力の低下、活動性の低下、疲れやすいといった症状があらわれます。**躁状態**では、逆に、気分

check
統合失調症では、意識の清明さや知的能力は通常保たれる。

用語
◆筋強剛
筋肉の緊張が高まっている状態。筋固縮ともいう。力を抜いた状態の人の肘や肩などを他動的に動かそうとした際に、他者が抵抗を感じる状態。動かされた側には抵抗感がなく、自分自身が気付く症状ではない。

◆反響言語
エコラリア、反響語ともいう。他者が話した言葉を意味なく反復すること。また、質問されても質問に答えられず、言われた言葉を繰り返したりする。言語発達途上に観察されるオウム返しとは異なる。自閉性障害児にも観察される。

◆反響行為
反響動作ともいう。他人の動作を自動的に模倣する症状。本人の意思による統制のない昏睡状態で起こる。

check
気分障害は従来の躁うつ病、抑うつ神経症などを統合したもの。

が異常かつ持続的に高揚する、多弁・多動、誇大的、注意散漫や食欲亢進などの症状があらわれます。

 8 障害のある子どもの保育

1 障害の状態に応じた保育

　子どもたち一人一人の特徴を把握して、**個々の特徴**に応じた保育が望まれます。それに加えて障害の状態を把握して、適切な環境のもとで、障害のある子どもが他の子どもとの生活を通して**ともに成長できる支援**を行うこと、必要に応じて個別支援計画を作成することが望まれます。

2 家庭と病院や地域の教育機関との連携

　保育場面では、状況に応じて保育に**柔軟性**を持たせること、保育者の連携の中での**個別対応**が行えるような環境づくりも求められます。**家庭との連携**を密にし、親の思いを受け止めることが必要です。また医療機関と連絡をとることも大切です。

　さらに、地域の障害のある子どもを受け入れる教育機関等との連携を図り、他の子どもや保護者に対して、障害に関する正しい認識ができるように**啓蒙活動**や指導を行うことも重要な仕事です。

 9 障害児への関わり方

1 基本的な関わり方

　まず、発達障害をかかえた子ども一人一人の状況を把握します。そして、集団生活を通して、当該児童の**全体的な発達**を促していく努力が必要です。

　保育者は、発達障害の診断が確定する前から保護者や関係機関と協力し、発達に即したきめ細かい支援を行います。

✦‥‥check‥✦
　障害に関する啓蒙活動や指導が、当該児童の二次的な問題の発生を予防する働きをすることがある。
　周囲の子においても、幼い頃から障害のある幼児や児童との交流機会があると、成長してからも、障害児・者に対する差別、偏見が生じにくい。

● **保育者が障害児と向き合う望ましい姿勢** ●
①有能感（自分はできるんだ、自分もやればできるんだという
　気持ち）を育成する。
②保育室内外の生活環境や学習環境を整える。
③課題の与え方を工夫する。
④可能であれば、静かな環境での個別対応を行う。

2 支援や指導の場面での関わり方

　障害をかかえる子どもと向き合う際には、特別扱いや偏
見を持たないことが大切です。また、周囲の適切な導きが
あれば子どもは少しずつではあるが必ず成長していくもの
だという信念を持って接することが必要です。
　障害児への支援や指導の場面では次のような点に注意す
ることが望まれます。

■ 障害児支援・指導の注意点 ■

①**活動環境**
・集中できる時間に配慮する。
・余分な刺激は減らす（興味がそちらに移ってしまう）。
②**活動目標**
・自分に向けての指示であることを印象付ける。
・支援目標を選ぶ（あれもする、これもするではない）。
・強制は逆効果。
③**学びの場面などでの指示の出し方**
・当該児童にとって一番必要で重要な課題を強調する。
・言葉での指示はシンプルかつ具体的に行う。
・言葉だけでなく、**視覚的支援**、聴覚的支援や触覚的支援（実
　際に触らせてみる）のような補助手段を活用する。
・一度に難しいことをさせない。**スモールステップ**で行う。
・完成に近い段階から練習を始めて、だんだんと難しい課題を
　構成していく（背向型の原理）。
・目的に類似した多方面の課題をクリアできるようにする。
④**子どもとの関係**
・子どもの衝動的な行動に巻き込まれない。
・必要以上に甘えさせない。時に毅然とした態度も必要。

⑤そのほか

・物をなくしやすい子どもには、定期的な確認を促す。
・日頃から決まった場所に片づけさせることも効果的。

3 家庭での支援法

　家族が自分たちだけで問題をかかえ込まないように、保育者と家族が協力し合うことが必要です。発達障害は、養育者の育て方によって社会的な適応状態が変化するため、保育者は保護者への支援を心がけます。

①保育者の保育活動と家庭での支援には一貫性が求められるので、**保育者との連携**を欠かさないことが必要です。

②保護者たちが障害について**正しい理解**をするよう支援します。理解し、原因などを知ることで、**自責の念**が和らいだり、**障害の受容**が促進されたりします。

③家庭の中では、**ほめる**ようにすすめます。その子の長所を探す姿勢が、保護者の気持ちを落ち着かせる方向に働くことがあります。また、ほめられた体験が、**子どもの自信**を育てて、だんだんと子どもたちを変えていきます。

④計画的で一貫性のある「**しつけ**」の実践も重要な支援です。

10 発達障害者支援法

発達障害者支援法
⋯▶ 上 p.179,252

　知的障害者、身体障害者や精神障害者と比べて、発達障害者への支援は後れをとっていましたが、2004（平成16）年12月に発達障害者支援法が成立しました。この法律において、発達障害は「脳機能の障害であってその症状が通常**低年齢**において発現するもの」と定義されました。

　2016（平成28）年の改正では、発達障害者に対して、症状の発現後できるだけ早期に発達支援を行うだけでなく、「**切れ目なく支援を行う**」ことが特に重要であることから、**障害者基本法**の基本的理念にのっとり、発達障害者が基本的人権を有する個人としての尊厳にふさわしい日常生活や

社会生活を営むことができるよう、国及び地方公共団体の責務を定めています。

　また、すべての国民が障害の有無によって分け隔てられることなく、相互に、人格と個性を尊重し合いながら共生する社会の実現に資することを目的としています。

　また、発達障害者と地域社会の人々との共生、支援が個々の実態に応じて、関係機関等との連携のもと、切れ目なく行われなければならないことなどが基本理念として示されました。

●発達障害者支援法の考え方●
①発達障害の範囲に、自閉症、アスペルガー症候群その他の広汎性発達障害、学習障害、注意欠陥多動性障害などを含めた。
②発達障害者支援のための国及び地方公共団体の責務。
③発達障害者の社会参加支援の必要性。
④発達障害者の家族への支援。

　発達障害者支援法と DSM-5-TR などでは分類や表記が違うものもある。

　障害者総合支援法における障害者には、発達障害者も含まれることになった。

問題 次の記述で正しいものに○、誤っているものに×をつけよ。

1. 音声チック症は発声として表れるチックをいう。

2. 情緒障害や自閉スペクトラム症（ASD）では、生体リズムが乱れやすいが、睡眠リズムは子どものペースを尊重する。

3. 自閉スペクトラム症児への対応は、口頭で大きな声で伝える。

4. 自閉スペクトラム症では、同一性への固執やこだわり、興味の限局がある。

5. アスペルガー障害では、言葉の遅れはごく軽度である。

6. 自閉スペクトラム症、摂食障害、うつ病には疾患特有のこだわりがある。

7. 注意欠如多動症は遺伝的関与はない。

8. 場面緘黙（選択性緘黙）は、日内変動がみられる。

9. 自閉スペクトラム症と注意欠如多動症が同時に診断されることはない。

10. 反応性愛着症は親のひどい無視、虐待などで起こることがある。

11. 強迫性障害は、不安が根底にあり、小児期では何度も手を洗ったりするような症状がみられる。

12. 発達障害は、養育者の育て方によって社会的な適応状態が変化する。

13. 発達障害と確定診断されていなくても、保育者は発達に即したきめ細かい支援を行う。

14. 限局性学習症（SLD）は読み書きが苦手で、男児に多い。

解答

1 ○ **2** × **3** × **4** ○ **5** ○ **6** ○ **7** × **8** × **9** × **10** ○ **11** ○ **12** ○

13 ○ **14** ○

2 睡眠障害は発達障害の併存症として認められる。工夫をして睡眠リズムを整える。

3 聴覚などの感覚過敏を伴うため口頭で強く伝えるのではなく、絵カードなどを用いて視覚的に順序よく丁寧にわかりやすく伝える。

7 遺伝的関与が考えられる。

8 特定の場面で全く話せなくなる状態で、日内変動はみられない。

9 障害を併せて有する場合もある。

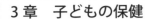

環境及び衛生管理並びに安全管理

出題
point
• 保育環境の整備と衛生管理
• 保育現場における事故防止及び安全対策と危機管理
• 応急処置及び心肺蘇生法

1　保育環境の整備と保健

　乳幼児が常に快適に過ごし、心身の発育・発達を促せるよう、居室の広さと設備の基準（**児童福祉施設の設備及び運営に関する基準**）を守り、環境整備に留意することが重要です。

• 乳幼児の居室は**日当り**がよく、昼間は十分に採光できる明るい部屋を選ぶ。保育が安全かつ豊かなものであるよう、**200**ルクス程度の明るさが必要で、自然光はカーテンやブラインド等で調節する。

• 室温は冬季20～23℃、夏季26～28℃に調整するが、外気温との差をできるだけ5℃以内に保つのが望ましい。

• 室内の湿度は、**50～60%**程度が望ましい。冬期に加湿器を使用する場合は、水タンクの清潔に留意する。

• 1時間に1回は**換気**をし、新鮮な空気を取り入れる。暖房使用時は、特に30分ごとに行うよう心がける。

• 清掃を徹底し、清潔を保つ。

• 部屋に**危険物**はないか、設備に危険がないかを点検する。

• トイレ、おむつ交換台は、大腸菌、黄色ブドウ球菌、真菌等の微生物によって汚染されやすいので、**洗浄**や**消毒**を心がける。また、保育者、乳幼児の**手洗い**、汚物の処理が正しく行われているかをチェックする。

check
　湿度が30～40%に下がると、ウイルスが増殖しやすくなる。

check
　風邪の流行時も部屋は閉め切らず、定期的に換気をして空気を入れ替え、適切な温度と湿度を保つようにする。

check
　黄色ブドウ球菌は、食中毒の原因菌の一つであるだけでなく、膿痂疹（とびひ）の原因にもなるので、感染防止に努める。

2 保育現場における衛生管理

1 清潔・清掃・消毒

　乳幼児期は、抵抗力が弱く、**感染症**にかかりやすいので集団生活を行う保育所では、特に生活環境の清潔保持を徹底し、常に点検と確認を怠らないようにします。

①登園後、外遊びの後、食事の前後など**手洗い**を励行し、子どもの歯ブラシ、タオル、コップなどは共用しない。保育者はペーパータオル等の使用が望ましいです。

②洗える素材の玩具は毎日**水洗い**。洗えないものは、**湯拭き**や**日光消毒**を行う。排泄物や嘔吐物で汚染した場合は、十分に拭き取り、**塩素系消毒薬**を用いて消毒します。

③保育室や調理室、トイレの清掃や消毒、小動物の飼育施設の清潔管理及び飼育後に**手洗い**をします。

check
「保育所における感染症対策ガイドライン」に沿った衛生管理が求められている。

check
消毒とは菌やウイルスを無毒化すること、除菌とは菌やウイルスの数を減らすことである。

アドバイス
各消毒液が有効な菌と無効な菌の区別ができるようにしておこう。

■ 消毒薬の種類と用途 ■

	塩素系消毒薬		第4級アンモニウム塩（逆性石けん）	アルコール類（消毒用エタノール等）
	次亜塩素酸ナトリウム	亜塩素酸水		
用途	衣類、歯ブラシ、遊具、哺乳瓶	衣類、歯ブラシ、遊具、哺乳瓶	手指、トイレのドアノブ	手指、遊具、トイレのドアノブ
新型コロナウイルス感染症に対する有効性	有効（ただし手指には使用不可）	有効（ただし手指への使用上の効果は確認されていない）	有効（ただし手指への使用上の効果は確認されていない）	有効
ノロウイルスに対する有効性	有効	有効	無効	無効
効きにくい病原体			結核菌、大部分のウイルス	ノロウイルス、ロタウイルス等
消毒の濃度	〔製品濃度6%〕0.02%（200ppm）液で拭き取りや浸け置き、嘔吐物や排泄物が付着した箇所は0.1%（1,000ppm）液	〔製品濃度0.4%〕遊離塩素濃度25ppm液での拭き取りや浸け置き、嘔吐物や排泄物が付着した箇所は遊離塩素濃度100ppm液	0.1%（1,000ppm）液での拭き取り、食器の浸け置きは0.02%（200ppm）液	原液（製品濃度70〜80%の場合）

資料：「保育所における感染症対策ガイドライン（2018年版）（2023〔令和5〕年5月一部改訂）〈2023（令和5）年10月一部修正〉」（こども家庭庁）

3
子どもの保健

⑧ 環境及び衛生管理並びに安全管理

④園庭の動物の糞、尿等速やかな除去、砂場は定期的に日光消毒、消毒、ゴミや異物の除去等、樹木、雑草、害虫、水溜り等の駆除や消毒を行います。

⑤感染症が流行している場合には、**消毒薬**、**汚物処理**の準備。汚染処理作業は使い捨てエプロン・手袋・マスク・ビニール袋などを使用し、使用後も適切に処理をします。

⑥プールは多くの子どもが一斉に使用するため、プールの水の衛生管理は定期的に行います。**遊離残留塩素**は0.4mg/L 以上 1.0mg/L 以下、pH 値は 5.8 以上 8.6 以下、**大腸菌**は検出されないことなどの衛生基準が設けられています。

2 食中毒の防止

食中毒は、気温と湿度が高くなる **7 〜 10 月**に増加し、重症化するケースもあるので、予防の原則である**清潔**、**加熱処理**、**低温保存**を徹底しなければなりません。食中毒は、その原因となる物質により、それぞれ**細菌性**食中毒、**ウイルス性**食中毒（ノロ、ロタ）、**自然毒**や化学物質などの食中毒に分類されます。

3 重症化しやすい食中毒

ノロウイルスは感染者の症状消失後 3 週間程度は糞便中

■ 重症化しやすい食中毒 ■

	腸管出血性大腸菌感染症（O157、O26、O111 等）	ノロウイルス胃腸炎
感染経路	菌に汚染された生肉や加熱が不十分な肉、菌が付着した飲食物などからの経口感染、接触感染。	食物等からの経口感染、嘔吐物等からの飛沫感染、接触感染が主な経路だが、乾燥した嘔吐物を介して空気感染することもある。
症状	激しい腹痛、頻回の水様便や血便、発熱は軽度。溶血性尿毒症症候群、脳症併発（3 歳以下に多い）の可能性がある。	潜伏期間は 12 〜 48 時間で、嘔吐、下痢、腹痛、発熱等。
予防方法	食品の十分な加熱と手洗いの徹底。	85 〜 90℃で 90 秒間以上の加熱または**次亜塩素酸ナトリウム**による消毒が有効。

check
次亜塩素酸ナトリウム消毒薬の希釈液は、時間とともに有効濃度が減少するので使用方法、濃度を守り使用する。

check
次亜塩素酸ナトリウムは金属腐食性が強いので、金属には使用しない。

アドバイス
食中毒の予防、施設管理、発生時の対応と看護、食中毒の種類などについて、出題されている。特に、予防対策については、難度が高い問題もあるので、気を付けよう。

主な食中毒の分類
···> p.212

check
加熱調理食品は、その中心部が 75℃以上に加熱されるようにしなければならない。

に排泄されるので、使用した手袋・予防衣等の処理や使用器具等の消毒は厳重に行います。

4　保育所での予防策

①食中毒の種類や発生機序を理解し、各施設に応じた**食中毒発生予防**マニュアルの作成が望まれます。

②「**大量調理施設衛生管理マニュアル**◆」や「児童福祉施設等における衛生管理の改善充実及び食中毒発生の予防について」の通知により、手洗い、調理施設、調理器具の衛生管理、調理過程の注意事項、検食の保存方法などを守ります。調理従事者には定期健康診断のほかに毎月1回の検便が行われます。

③保育者は食前だけでなく、おむつ交換、排泄の援助、けがの手当て、清掃後など**手洗い**を確実に実施し、乳幼児の手洗いも同様に指導します。

④食事に使用するテーブル、いすなどの**消毒**、配膳時の**エプロン着用**などに配慮します。

3　保育現場における事故防止及び安全対策並びに危機管理

1　子どもの事故の特徴

　子どもの発達段階と照らし合わせて、事故の種類を整理すると0歳児では**窒息**が60人中53人と養育上の不注意から起こる事故が圧倒的に多く、1〜4歳では**交通事故、溺死・溺水**が増加します。一人歩きから**行動範囲**が広がること、危険の察知がまだできないことなどが原因です。

■「不慮の事故」による子どもの年齢、原因別の死亡数（令和4年）■

死因 年齢	総数	交通事故	転倒・転落	溺死・溺水	窒息	煙・火・火災	その他
0歳	60	3	1	1	53	0	2
1〜4歳	59	18	7	7	19	0	8
5〜9歳	28	10	0	14	3	0	1

資料：「令和4年人口動態統計」（厚生労働省）

用語
◆大量調理施設衛生管理マニュアル
HACCP（危害分析重要管理点方式）の考え方を取り入れて作成されているので、大量調理を行う施設の食中毒予防対策として活用されている。

check
食中毒予防の三原則とは、食べ物に細菌を「つけない」、食べ物に付着した細菌を「増やさない」食べ物や調理器具に付着した細菌を「やっつける」である。

アドバイス
試験では、幼児期の死因の上位にある不慮の事故の種類、予防、事故による外傷の応急処置などが毎回のように出題されている。

167

2 子どもに起こりやすい事故

①窒息（0歳児の事故死因第1位）

0歳児：寝具類やタオルなどによる窒息、吐乳による窒息

8～9か月頃：ひもやよだれかけが首に引っかかる事故

1～4歳頃：異物や食べ物の誤飲、ビニール袋による窒息

②転倒・転落

3か月頃：ベッドやソファーからの転落

自力で座れる頃：椅子や歩行器からの転落

ハイハイの頃：階段や台の上からの転落

歩き出す頃：行動範囲が広がり、室内外で転倒や転落の危険が増える

③溺水・溺死（1歳頃から多くなる）

乳児：浴槽への転落、バケツ、洗濯機、水遊びのプールなど顔が浸る程度の水でも溺水する

1歳半頃：プール、川、海などでの溺死が増加

④交通事故（1歳頃から多くなる）

乳幼児：車や自転車に同乗しての事故

8か月頃以降：歩行時や飛び出し事故

3歳以降：三輪車や自転車での事故

3 事故の予防

事故の誘因となる潜在的要因（潜在危険）は、①周囲の環境、②発達・行動、③心身の状態、④服装の4つに分類されます。保育所では、安全点検を行うことによって、環境の危険に気付くことができます。また、日々の保育を通して子どもの行動パターンや性格特性及び心理状況を把握し、日常生活に即して安全教育を実践することが大切です。

4 保育施設等における事故防止及び事故発生時の対応

内閣府は重大事故防止と対応のために、2016（平成28）年に「教育、保育施設等における事故防止及び事故発生時の対応のためのガイドライン」を作成しました。

check
ぬいぐるみなども事故の原因となる可能性があり、危険である。

check
あと一歩で事故になるところであった出来事、事例をヒヤリ・ハットという。事例分析用シートを用いて問題の抽出を行い、今後の対策を立てる。

check
たった10cmの深さの水でも溺水事故が起きており、日々、保育環境のチェックを怠らないことが重要である。

check
リスクマネジメントとして、事故の対応と予防を検討することで、組織的、継続的な取り組みが安全の向上につながる。

check
日頃から各保育所の実態に応じた安全教育や環境への配慮、職員の資質の向上のための研修などが必要である。

1 事故予防の取り組み

(1) 重大な事故が発生しやすい場面

◎プール活動、水遊びの際の注意ポイント

- 監視者は監視に専念し、エリア全域をくまなく監視する
- 規則的に目線を動かしながら監視し、動かない子どもや不自然な動きをしている子どもを見つける
- 時間的余裕をもってプール活動を行う

◎食事中の誤嚥を防ぐための注意ポイント

- ゆっくり落ち着いて食べることができるよう子どものタイミングで食事を与える
- １回で多くの量を詰めすぎず子どもに合った量を与える
- 汁物や飲み物などの水分を適切に摂取させる
- 食事中に眠くなっていないか、座位は正しいか注意する
- 食事後、食べ物が口の中に残っていないか確認する

◎窒息リスクの除去の注意ポイント

- 寝ているときに一人にしない
- 定期的に子どもの呼吸、体位、睡眠状態を点検する
- 乳児を仰向けに寝かせる
- やわらかい布団やぬいぐるみ等を使用せず、ヒモまたはヒモ状のものを置かない
- 口の中に異物がないか確認する

◎食物アレルギーの人的エラーを減らす注意ポイント

- 食事を提供する食器、トレイの色や形を明確に変える
- 食事内容を記載した配膳カードを作成し、調理、配膳、食事の提供までのチェック体制をとる

◎不審者の侵入・子どもの飛び出し防止

- 玄関や園庭の出入り口を施錠する

(2) 事故発生時の対応

◎事故発生直後

- 心肺蘇生・応急処置、119 番に通報する
- 事故の状況（けが人、現場、周囲の状況）を把握する
- 保護者に連絡し、事故の発生、事実を説明する

・・check

事故についての記録は、個別にボールペン等で、手書きで記録し、関係機関等と情報を共有する。

◎事故後

- 地方自治体に連絡し、自治体は施設の支援を行う
- 事故発生の現場を**現状のまま**にしておく
- 教育・保育を継続するために必要な体制を確保し、事故にあった子ども以外の子どもの教育・保育を継続する

2 保育中の安全管理

施設内の設備

- 正門や出入り口はきちんと開閉する
- 保育室は整理整頓され、ロッカーや棚は固定されている
- 階段は手すりがついていて、2階は柵がきちんと設置されている
- プールサイドはプール内外が清掃され、危険なものを置いていない
- 園庭は危険なものがなく、砂場は清潔で固定遊具に破損がない
- テラスは破損がなく、清掃され、外部からの不審者が入れないように工夫してある

年齢別の危険対応

0歳児	・子どもの周囲に危険なものはないか確認し、片付けている ・口の中に入ってしまう物を手の届くところに置かない ・ミルクを飲ませた後は排気をさせる ・仰向けに寝かせ、常にそばで子どもの状態を観察する ・オムツ交換時は、子どもを寝かせたままにしてそばを離れない ・敷布団は固めのものを使用する
1歳児	・固定遊具を使用するときは、そばを離れない ・段差のあるところを歩くときは、子どもがつまずかないように気をつける ・椅子に立ち上がったり、椅子で遊んだりしないようにする ・砂を口に入れたり目に入らないように気をつける ・子どもが遊んでいる位置や人数を確認する
2歳児	・遊具の安全を確認している ・階段を上り下りするときは、子どもの下側を歩くか、手をつなぐ ・午睡中はある程度の明るさを確保し、子どもの表情の変化に気をつける ・道路では飛び出しに注意し、指導している ・子どもが鼻や耳に小物を入れていないか確認する
3歳児	・子どもの遊んでいる遊具や周りの安全を確認する ・室内では衝突を起こしやすいので走らないようにする ・おもちゃを投げたり、ふりまわしたりしないようにする ・安全な遊び方を指導する
4歳児	・ハサミなど正しい使い方を指導し、使用後はすぐに片付ける ・お箸などを持って歩き回らないようにする ・交通ルールなど安全指導をしている ・石や砂を投げてはいけないことを指導する

check

止血処置は、創面の上をガーゼで直接圧迫し、傷の部分を心臓の位置よりも高く上げる直接圧迫止血法、創面の圧迫はそのままで、止血点を指で圧迫する指圧止血法、三角巾や手ぬぐいを用いる止血帯法がある。

5歳児	・調理活動中は常に付き添う ・道路では飛び出しに注意する ・遊びでの危険を知らせ、自分でも判断ができるように指導する

資料:「教育・保育施設等における事故防止及び事故発生時の対応のためのガイドライン【事故防止のための取組み】〜施設・事業者向け〜」(平成28年3月)

5 応急処置

1 主な外傷と応急処置

外傷には大きく分けると、①創傷、②打撲、③捻挫・脱臼・骨折、④熱傷があり、応急処置は異なります。

■ 主な外傷と応急処置 ■

外傷	応急処置
切り傷	出血量が多い場合、止血→保護ガーゼで覆う→包帯で固定
擦り傷	流水で洗う→保護ガーゼを当てる 化膿することがあるので、流水で汚れが取りきれていない場合は受診させる
刺し傷	出血が多い場合、止血→保護ガーゼ→包帯
咬傷	流水で洗う→止血→保護ガーゼ→包帯 動物に咬まれた場合は必ず受診する
打撲創	痛みがやわらぐまで冷やす→保護ガーゼ→打撲部の挙上
頭部 打撲・外傷	意識状態の確認→打撲部位を冷やして安静。頭痛、吐き気、嘔吐、意識障害、耳から出血、鼻血が止まらないなどの症状がみられたら、すぐに受診。頭皮が裂けて出血しているときは、圧迫止血し、受診。受傷後24時間は注意して観察
捻挫	氷や冷却剤で冷やす→副子や包帯で動かないよう固定→患部挙上→安静→受診
骨折	患部を動かさない→副子を当て固定→直ちに受診
熱傷 (やけど)	第1度から第2度の程度で範囲が狭い場合、冷水で痛みがやわらぐまで冷やす→水疱はつぶさないよう注意→消毒ガーゼを当て、ゆるめに包帯を巻く。着衣の上からやけどをした場合、脱がさず冷やす→医療機関へ移送。第3度の場合は、救急車を要請する
肘内障	脱臼しかけているため、無理に動かさないようにし病院受診する

3

子どもの保健

⑧ 環境及び衛生管理並びに安全管理

🐷アドバイス💊

頭部打撲や熱傷などの外傷や鼻出血について、症状からの判断と応急処置を問うものが出題されている。

check

犬に咬まれた際は、傷口を流水で洗い、止血して病院を受診する。破傷風や狂犬病の感染症に気をつける。

check

ラップや湿潤用の絆創膏を使い、創傷部を乾燥させずに、皮膚の再生を促す、湿潤療法という治療法もある。傷の状況により専門医に相談の上使用する。

check

鼻血の多くは、鼻中隔粘膜の毛細血管(キーゼルバッハ部位)からの出血。座らせて顎を引かせ、小鼻からやや上方にかけて10〜15分位つまみ止血し、止まりにくいときは額から鼻にかけて冷やす。

■ 熱傷 (やけど) の程度 ■

第1度	表皮が損傷し、赤く、ひりひり痛む
第2度	真皮まで損傷し、水疱、びらんができ強く痛む
第3度	皮下組織まで損傷し、焼けて硬くなり、白くなり焦げる。痛みや皮膚感覚がわからなくなる

2 揺さぶられっこ症候群 (Shaken Baby Syndrome, SBS)

　SBS とは、乳幼児を激しく揺さぶることで頭蓋内出血や脳損傷、眼底出血が起こるものをいいます。2歳以下 (ほとんどが6か月以下) に多発しますが、年長児でも報告されています。精神発達遅滞や視力障害、さらには死を招くケースもあります。乳幼児の身体虐待の一つといえます。

3 熱中症

　熱中症は、高温や多湿の環境条件に対する生体の適応障害の総称で、体調不良時に起こりやすいものです。臨床上は熱けいれん、熱疲労、熱射病に分類されます。

■ 熱中症の症状と重症度分類 ■

分類	症　状	重症度
Ⅰ度	**めまい・失神**：「立ちくらみ」という状態で、脳への血流が瞬間的に不十分になっている状態 **筋肉痛・筋肉の硬直**：筋肉の「こむらがえり」のことで、その部分の痛みを伴う。発汗に伴う塩分の欠乏により生じる **手足のしびれ・気分の不快**	低い
Ⅱ度	**頭痛・吐き気・嘔吐・倦怠感・虚脱感**：体がぐったりする、力が入らないなどごく軽い意識障害を認める状態	
Ⅲ度 (Ⅱ度の症状に加え)	**意識障害・けいれん・手足の運動障害**：呼びかけや刺激への反応がおかしい。体にガクガクとひきつけがある。まっすぐ走れない・歩けないなど **高体温**：体に触れると熱いという状態 **肝機能異常・腎機能障害・血液凝固障害**：医療機関での採血により判明	高い

　熱中症の予防には、室温や湿度を調節し、こまめな水分補給を心がけます。大量発汗により塩分を失うと熱けいれんを起こすことがあるのでスポーツドリンクなども利用します。夏

アドバイス
　熱傷では、処置だけでなく、症状が観察できるように第1度～第3度の程度の違いを学んでおく。

アドバイス
「SBS」については、原因、発症年齢、症状などが出題されている。

アドバイス
暑さ指数 (WBGT) とは①湿度、②日射・輻射などの周辺の熱環境、③気温を取り入れた熱中症を予防する指標である。日常生活に関する指針では28℃以上31℃未満で厳重警戒、31℃以上を危険とし温度基準を示している。

check
　熱中症は、室内でも発症するのでわずかな時間でも、子どもを車の中に放置したら死亡事故につながることがある。

check
「熱中症環境保健マニュアル」(環境省) では、熱中症の症状の分類は、Ⅰ度「現場での応急処置で対応できる軽症」、Ⅱ度「病院への搬送を必要とする中等症」、Ⅲ度「入院して集中治療の必要性のある重症」とされている。

の外遊びは、朝の涼しい時間帯や日陰で行うようにします。

④ 誤飲・誤嚥（ごえん）の事故

⑴誤飲と誤嚥の状態

口に入れてはいけない異物を飲み込み**食道**、**胃**に入ることを**誤飲**といいます。家庭内の事故では、**たばこ**が最も頻度が高く、次いで**化粧品**や医薬品です。

気管、**気管支**に食べ物などの異物が入ることを**誤嚥**といい、異物により気道が塞がれるので窒息状態に陥り、突然、激しい咳、呼吸困難、チアノーゼがあらわれ、非常に苦しがります。窒息すると **30 〜 40** 秒で意識を失ってしまうので、直ちに、応急処置をしながら救急車を呼びます。

誤飲事故、誤嚥事故ともに、生後 **6** か月以降から **1 〜 2** 歳の子どもで発生することが多く、生後 **9** か月ぐらいがピークです。

■ 誤飲した物に応じた応急処置の方法 ■

誤飲した物	応急処置
クレヨン、ボタン	吐き出させる。問題がないことが多いが念のため受診し、経過観察をする。
たばこ	口に手を入れて吐かせ、医療機関で胃洗浄の処置を受ける。水や牛乳を飲ませると、ニコチンが溶け出すので危険。
医薬品	牛乳か水を飲ませ、吐かせて受診させる。
強酸や強アルカリの洗剤や漂白剤	牛乳や水を飲ませ、吐かせないで医療機関に運ぶ。吐かせると食道などの粘膜を傷めるので、絶対に吐かせない。
石油、ベンジン、ガソリン	揮発性の物が逆流して吸引性肺炎を起こしやすいので、何も飲ませず、吐かせずに医療機関に運ぶ。
防虫剤	ナフタリンは腎障害や溶血を起こすので、注意する。油に溶けやすいので、絶対に牛乳を飲ませてはいけない。水を飲ませて吐かせ、受診させる。
ピン、針、硬貨、ボタン電池など	ピンや針、硬貨は胃壁や腸壁の穿孔の危険があるので、速やかに医療機関で処置を受けさせる。ボタン電池は放置すると、周りの金属が溶けて内容物が溶け出し、消化器を破って腹膜炎を起こすことがある。

👑 **check** ✨
誤飲・誤嚥の事故は、女児より男児に多く発生している。
口に入る大きさのものは、手の届かない所に置く。

👑 **check** ✨
誤飲が疑われ、次のような状態がみられたときは、応急処置をしながら救急車を呼ぶ。
①突然苦しみもがく
②意識、呼吸障害
③呼気に異臭
④吐いた物に特異な臭い
⑤口唇の周りにただれ

(2) 気道の異物除去の方法

　気道異物による窒息は短時間で意識がなくなり心停止になりやすいので、救助者による迅速な処置が必要です。気道異物による窒息の子どもを発見した場合には、意識がありせき込んでいる場合には咳をするよう促し、背部叩打法<ruby>叩打法<rt>こうだ</rt></ruby>を開始します。意識がないときは、直ちに心肺蘇生法を行い、救急車を呼び、AEDを準備します。

[背部叩打法]

　子どもの頭が下向きになるように片手で顎を固定して支え、左右の肩甲骨の間をたたく。

[腹部突き上げ法（ハイムリック法）]

　子どもを後ろから抱きかかえて、腹部（横隔膜）を上部に向かって圧迫する。

(3) 鼻の異物除去の方法

　鼻腔に豆類や小さな玩具を入れてしまった場合、異物が入っていない方の鼻を押さえて、強く鼻をかませます。ピンセットで取り出そうとすると、押し込んでしまったり、傷をつけるので行いません。無理をせず、耳鼻科を受診させましょう。

6 心肺蘇生法

　傷病者が**意識障害**◆、呼吸停止、心停止の状態に陥ったとき、直ちに**気道**を確保し、**胸骨圧迫（心臓マッサージ）**や**人工呼吸**を行うことを心肺蘇生法といいます。呼吸停止から3分間、脳血流が遮断されると、脳蘇生が難しくなるので、緊急事態に備えられるようトレーニングが必要です。

[小児の心肺蘇生法の手順]

①**意識の確認**→反応なし・判断に迷う→**大きい声で周囲の人を呼び、119番通報とAED**◆を手配→**呼吸の確認（10秒以内）**

　・呼吸停止または判断に迷う場合は、直ちに**胸骨圧迫**を

check
JRC蘇生ガイドライン2020では、異物による気道閉塞の解除について、背部叩打法は手技が容易で害が少ないことから最初に行う処置とし、次に腹部突き上げ法を行うこととしている。

check
ハイムリック法は小児以上に行うが乳児や妊婦には行わない。

用語
◆意識障害
　意識障害は、意識混濁と意識変容に分類される。意識混濁には、傾眠、昏迷、昏睡の段階があり、意識変容にはせん妄、もうろう状態などがある。
◆AED
　AED（自動体外式除細動器）とは、けいれんし血液を流すポンプ機能を失った状態（心室細動）になった心臓に対して、電気ショックを与え、正常なリズムに戻すための医療機器。

開始する。
- 呼吸がある場合は、呼吸状態の観察を続けつつ、救急隊の到着を待つ。

②人工呼吸の技術と意思がある場合は、人工呼吸の準備ができ次第 **2** 回の人工呼吸を行う（人工呼吸ができない場合は、胸骨圧迫のみを行う）。引き続き胸骨圧迫 **15** 回（救助者 **2** 人以上の場合）または胸骨圧迫 **30** 回（救助者 **1** 人の場合）を行い、繰り返す。

③ AED が到着したら、装着して心電図を解析する。
- 電気ショックが必要な場合は、**1** 回行ってすぐに**胸骨圧迫**と人工呼吸を **2** 分行う。その後、AED のモニターの確認と電気ショックを行う。これを繰り返す。
- 電気ショックが不要な場合は、胸骨圧迫と人工呼吸を **2** 分間行い、モニターを確認する。これを救急車の到着まで繰り返す。
- 人工呼吸は子どもの胸と上腹部の動きを観察しながら、**1** 秒かけて胸が上がる程度の換気量で、**2** 回吹き込む。
- **2** 人以上の人がいる場合、呼吸停止や心停止の時間、蘇生開始の時間、その子どもの状況などを**記録**し、救命救急隊員の到着時に報告する。

■ 小児に対する胸骨圧迫と AED ■

	乳児	幼児以降
圧迫の位置	両乳頭を結んだ中央からやや足側	胸骨の下半分（胸の真ん中）
圧迫法	指 2 本	両手または片手
圧迫の深さ	胸の厚さの 1/3	
圧迫のリズム	100 〜 120 回 / 分	
人工呼吸との比率	救助者 1 人　　　→　30：2 救助者 2 人以上　→　15：2	
AED	・乳児は手動式 AED が望ましい ・未就学児モード / キーあるいはエネルギー減衰機能付き未就学児用パッドを使用する ・未就学児用パッドが無い場合は、小学生〜大人用パッドを使用する	

3 子どもの保健

⑧ 環境及び衛生管理並びに安全管理

check
救命、悪化防止、苦痛の軽減を目的として行われ、傷病者を助けるために最初にとる行動をファーストエイドいう。

check
人工呼吸の際に過度に吹き込み過ぎると肺に損傷を招くので注意する。また、新生児・乳児の場合は、胸骨圧迫の力が強過ぎると危険なので注意する。

check
呼吸が回復しても、救急隊に引き継ぐまでは、AED の電源は切らず、電極パッドは貼付したままにしておく。

 次の記述で正しいものに○、誤っているものに×をつけよ。

1. 新型コロナウイルス感染症の手指消毒として、70～80%濃度のエタノールが有効である。

2. 鼻や耳に異物が入った時は急いでピンセットで取り出す。

3. 乳児が窒息を起こした場合は、ハイムリック法を行う。

4. 風邪の流行時には、部屋を閉めきって十分に暖かくし過ごさせるとよい。

5. 着衣の上から熱傷した場合は服を脱がさずに冷やす。

6. 誤嚥とは食物などが気管に入ってしまうことをいう。

7. 乳幼児の夏の外遊びは涼しい時間帯や日陰で行い、熱中症を予防する。

8. プール活動・水遊びの際、十分な監視体制が確保できない場合は、プール活動の時間を短くして実施する。

9. 頭部の打撲後、頭痛がなかったので保護者へは問題がないと説明した。

10. 排泄物や嘔吐で汚染した場合は、十分に拭き取り製品濃度6%の次亜塩素酸ナトリウムを0.1%濃度に希釈して消毒する。

11. 不審者の侵入や子どもの飛び出し防止のため、玄関や出入り口は施錠する。

12. 子どもが倒れて意識がなく呼吸がみられないときは胸骨圧迫を行い、救急車を要請し、自動体外式除細動器を装着して音声指示に従う。

13. 小児に対する心肺蘇生法は、胸骨圧迫30回に対して人工呼吸を2回行い、呼吸が回復してもAEDの電極パッドはすぐには外さない。

14. 希釈する消毒液は作り置きせず、指示に従い使用方法を守る。

解答

1 ○　**2** ×　**3** ×　**4** ×　**5** ○　**6** ○　**7** ○　**8** ×　**9** ×　**10** ○　**11** ○　**12** ○
13 ○　**14** ○

2　ピンセットで取り出そうとすると傷をつけるため、病院を受診する。

3　乳児の場合は背部叩打法を行う。

4　適切な室温、湿度を保ち、定期的な換気をして空気を入れ替える。

8　十分な監視体制が確保できない場合は、プール活動の中止も選択肢とする。

9　直後に問題がなくても、受傷後24時間は注意して観察する。

重要度

section 9 健康及び安全の実施体制

出題
point
- 母子保健と保育
- 地域における母子保健体制
- 保健計画の作成

1 母子保健の対策と保育

1 母子保健の意義

　母子保健の対象には**妊産婦**や**思春期の女子**も含まれます。子どもが健康に成長できるように、出生前から思春期まで連続的に**保健サービス**を受けられることが必要です。また、医療、学校保健、児童福祉との連携も重要です。

　今日では、疾病対策・障害児対策に加えて、母性と小児の**健康増進**を目的とした対策が展開されています。

2 関連する法規

　母子保健の基本となる**母子保健法**◆に加え、①児童福祉法、②**地域保健法**◆、③学校保健安全法、④予防接種法、⑤**感染症予防法**◆、⑥母体保護法、⑦**育児・介護休業法**◆、⑧児童虐待の防止等に関する法律も保健活動の充実に重要です。

2 家庭・専門機関・地域との連携

1 地域における母子保健体制

　2011（平成23）年に母子保健法が改正され、2013（平成25）年から都道府県の業務の一部が身近な住民サービスの実施主体である市町村に移譲されました。

市町村（保健センター）：健康診査（妊産婦、乳幼児、1歳

用語

◆**母子保健法**
　1965（昭和40）年に制定され、母性並びに乳児、幼児の健康の保持・増進を図るため、基本的な考え方を示したもの。

◆**地域保健法**
　1997（平成9）年に制定され、地域保健対策が総合的に推進されること、地域住民の健康の保持及び増進に寄与することを目的としている。

◆**感染症予防法**
　正式名称は、「感染症の予防及び感染症の患者に対する医療に関する法律」。

◆**育児・介護休業法**
　正式名称は、「育児休業、介護休業等育児又は家族介護を行う労働者の福祉に関する法律」。

6 か月児、3 歳児）、保健指導、訪問指導（妊産婦、新生児、未熟児）、母子健康手帳の交付、健康教育事業の実施、母子保健計画の策定、未熟児の養育医療、障害児の療育指導、慢性疾患児の療育指導など

都道府県（保健所）：広域的、専門的な内容の活動、市町村に対する連絡調整・指導・助言、人的支援、先天性代謝異常検査など

2 母子保健サービスの実際

　母子保健サービスは、市町村、都道府県が実施主体となり行われています。

(1) 母子保健対策

　健康診査、保健指導、健康教育などを目的としており、ほとんどは市町村が実施主体となる保健対策です。

対策の種類	内　　容	実施主体
妊娠の届出、母子健康手帳の交付	妊娠の経過、出産の状況、新生児から就学前までの発育・発達と健康診査の結果、予防接種、育児中の母子の状態を母親本人や健康診査を担当した専門職者が記入する。	市町村
健康診査	妊産婦、乳児、1 歳 6 か月児、3 歳児健康診査。健康状態、発育・発達状態、栄養状態、生活習慣の良否、育児の状況などを診査する。	市町村
新生児訪問指導	新生児に対して、保健師、助産師が家庭を訪問し、健康状態、発育・発達状態、育児状況をチェックし、指導する。	市町村
出産前小児保健指導事業	プレネイタルビジットともいわれる。妊娠中から小児科医が育児について指導する。	市町村
新生児マススクリーニング検査	先天性代謝異常及び新生児の聴覚検査を行い、異常を早期に発見し、適切な治療を行う。	都道府県指定都市
B 型肝炎母子感染防止事業	B 型肝炎の母親からの垂直感染を予防するために公費によって検査、処置が受けられる。1985（昭和 60）年より実施され効果をあげている。	市町村

　このほか、思春期の男女児を対象とする「**健全母性育成事業**」、食育を通じて子どもの心身の健やかな育ちを目的とした「**食育等推進事業**」、虐待等の対策である「**子どもの心**

✦check✦
　母子健康手帳は、2012（平成 24）年度の新様式では、胆道閉鎖症等の疾患の早期発見のため、便色の確認の記録が設けられた。また、妊娠・分娩のリスクに関する情報を追記、妊婦健康診査の記録欄の増加、乳幼児身体発育曲線が改訂された。

✦check✦
　低出生体重児の届出・未熟児の訪問指導は都道府県から市町村に変更となった。

✦check✦
　妊娠中の健康診査は、妊婦が選択した医療施設で受けるもので、市町村によって無料になる時期や回数が異なる。

✦check✦
　先天性難聴の出現頻度は 1,000 人に 1 ～ 2 人と他の先天性疾患よりも発現頻度が高い。

✦check✦
　現在行われているタンデムマス法では多くの疾患が発見できるようになった。
新生児マススクリーニング検査
•••▶ p.123,259

の健康づくり対策事業」等があります。

(2) 医療援護対策

保健、医療、福祉が連携して行われる対策で、**医療費の給付**や**生活支援**などを目的としています。

■ 医療援護対策 ■

対策の種類	内　容	実施主体
未熟児養育医療 未熟児訪問指導	未熟児を出産した保護者は市町村に届出をし、保健師や助産師が家庭訪問し指導を実施。重症な未熟児の指定病院への搬送、異常を伴う未熟児に対する入院期間の医療費の給付。	市町村
小児慢性特定疾病対策	小児期のがん、血友病、喘息などの難病では、医療費が高額となるので、これらの病気の治療研究と医療費の自己負担分の一部を助成。	都道府県、指定都市、中核市
療育の給付	結核の小児に対する治療、生活、教育の支援。	都道府県
育成医療の給付	先天異常などの疾病で、手術等で障害の改善が期待できる子どもに対する医療費の支援。	市町村

(3) 基盤整備対策

母子保健活動が円滑に行われるために、必要な**施設の整備**や**人材の育成**を促進する対策です。

①乳幼児健康支援一時預かり事業

急性疾患の回復期にあるが、通常の保育が無理な乳幼児を本格的な保育に戻すまでの期間、専門的施設での保育や自宅に**保育士を派遣する**等の子育て支援が行われる。

②周産期医療施設整備

ハイリスクな**妊産婦**◆と胎児、新生児を対象とした医療を行う**施設の建設**などの整備が行われる。

(4) こども家庭センター（子育て世代包括支援センター、母子健康包括支援センター）

2016（平成28）年の児童福祉法の改正により、児童虐待の**発生予防**から**自立支援**までの一連の対策の更なる強化を図るため、母子健康包括支援センター（子育て世代包括支援センター）が設置されました。法改正により、2024（令

3

子どもの保健

⑨ 健康及び安全の実施体制

check

未熟児養育医療の医療費の給付対象は、出生時体重が2,000g以下のもの、生活力が特に薄弱であり、けいれん、低体温、呼吸状態異常、強度のチアノーゼ、出血傾向、黄疸などの症状があるもの。2,500g以下の低出生体重児ではない。

check

他に乳幼児医療費助成事業、病児・病後児保育事業、病棟保育士配置促進モデル事業などがある。

check

2015（平成27）年1月1日より、新たな小児慢性特定疾病対策の制度が実施されている。医療費助成制度の対象となる疾病は2021（令和3）年11月1日より788疾病に拡大された。

用語

◆妊産婦
妊娠中又は出産後1年以内の女子をいう。

和6）年4月から「こども家庭センター」へ移行しました。母子保健対策では、悩みを抱える妊産婦等を早期に発見し相談支援につなげるなど、妊娠期から子育て期にわたり**切れ目ない支援**を実施します。

 3 職員間の連携と組織体制

「**保育所保育指針**」によると、次の事項に留意し、健康及び安全の実施体制等の整備に努めなければならないとしています。

■ 事故防止及び安全の実施体制 ■

・保育中の事故防止のために、子どもの心身の状態等を踏まえつつ、施設内外の**安全点検**に努め、安全対策のために全職員の共通理解や体制づくりを図る
・家庭や地域の関係機関の協力の下に**安全指導**を行う
・事故防止の取組を行う際は、子どもの**主体的**な活動を大切にしつつ、施設内外の環境の配慮や指導の工夫を行う
・保育中の事故の発生に備え、施設内外の危険箇所の点検や**訓練**を実施し、不測の事態に備えて必要な対応を行う
・子どもの**精神保健面**における対応に留意する

1 職員間の連携

子どもの**健康及び安全の実践**においては、全職員が対応できるようにしておくことが重要です。必要に応じて、**市町村**の保健センターや保健所、医療機関等に連絡、相談し、指示に従います。専門的な技能を有する職員（嘱託医、看護師、栄養士等）が配置されている場合はその専門性を生かし、健康及び安全に関わる**企画立案**、**連絡調整**を行います。

2 組織体制

施設長は全職員の協力の下、保育課程に基づいた**保健計画**を策定し、年間を通じて実践します。組織的な取り組みとして、**保育所における感染症対策ガイドライン◆**、**保育所におけるアレルギー対応ガイドライン◆**があり、関係機関が連携して組織的に取り組む具体的な指針が示されました。

 check

嘱託医は、子どもの定期健康診断、健康管理、安全管理を行う。子どもの体調不良や傷害が発生した場合には、適宜、嘱託医と相談し対応する。

 用語

◆保育所における感染症対策ガイドライン
2009（平成21）年、厚生労働省より示された保育所独自の感染症対策ガイドライン。

◆保育所におけるアレルギー対応ガイドライン
アレルギー疾患を有する子どもが年々増加していることを受け、2011（平成23）年、厚生労働省より示された保育所独自のアレルギー対応ガイドライン。2019（平成31）年4月に改訂施行されている。

4 保護者との情報共有

　保育所を利用している子どもの保護者への対応について、保育所保育指針では、第1章「総則」1「保育所保育に関する基本原則」（2）イにおいて、「保育所は、入所する子どもの保護者に対し、その意向を受け止め、子どもと保護者の**安定した関係**に配慮し、保育所の**特性**や保育士等の**専門性**を生かして、その援助に当たらなければならない」としています。

　また、第4章「子育て支援」2（1）「保護者との相互理解」アでは、「日常の保育に関連した様々な機会を活用し子どもの日々の様子の伝達や収集、**保育所保育の意図**の説明などを通じて、保護者との**相互理解**を図るよう努めること」と明記されています。

　家庭生活と連続している保育所での生活において、家庭と保育所の相互理解は重要です。保育士は保護者の気持ちを受け止めるなど受容と共感をし、**カウンセリングマインド**で関わります。保護者への誠実な対応や、きめ細かな関わりにより保護者との信頼関係が確立されます。

5 保健計画の作成と手順

　保育所保育指針において保健計画の作成は、施設長の責任のもと計画的に実施することが明確に示されています。**子どもの健康**に関する保健計画を作成し、全職員がそのねらいや内容を踏まえ、一人一人の子どもの健康の**保持及び増進**に努めます。

1 保健計画の作成

　保育所は子ども一人一人の健康状態を把握し、**健康・安全・衛生管理**などを計画的に実施しなければなりません。

　保健計画の作成は、**全体的な計画**に基づき、年間を通して計画的に実施されます。**看護師**等が配置されている場合

には、その専門性を生かして保健計画を立案します。保健計画を適切かつ効果的に実施するためには、**職員の協力体制**と、**関係機関との連携**、**保護者との連携**が大切です。保護者には日々の健康状況や健康診断結果などを報告したり、健康への理解を深める働きかけをするなど、計画的に連携を図ります。

2 保健計画の手順

保健計画の作成の手順は、「保健情報及び資料の**収集**」→「保健計画の**目標の設定**」→「保健活動の**内容の設定**」→「関係機関との**連携・調整**」→「保健計画の**決定**」の順に進めていきます。

3 保健計画の評価

保健計画は、**計画**（Plan）→**実行**（Do）→**評価**（Check）→**改善**（Action）の順に評価をし、次年度に生かします。

check
保育所保育指針第1章「総則」3「保育の計画及び評価」(5)「評価を踏まえた計画の改善」を参照。

6 放射線の知識と安全対策

私たちは常に宇宙や地面、空気、食べ物などの自然界から放射線を受けています。しかし、一度に多量の放射線を受けると人体によくない症状があらわれることもわかっています。

国際放射線防護委員会（ICRP）勧告によると、一般公衆の年間被曝線量限度は**1ミリシーベルト◆**（mSv）とされています（自然放射線と医療目的の被曝を除く）。

放射線の**外部被曝**とは、放射性物質から出る放射線を体

用語
◆シーベルト（Sv）「放射線」を受けたときの人体への影響を表す単位。

182

の外から受けることをいい、**内部被曝**とは体の中から受けることをいいます。外部被曝から身を守る方法には、①距離をとる、②時間を短くする、③遮蔽するなど、内部被曝から身を守る方法には、①体の中に放射性物質が入らないように**マスクをする**、②放射性物質に汚染された**水や食べ物**をとらないように気を付ける、などがあります。

 7 災害時の対策と対応

　災害の対策として、過去の災害の事例などを学び、それぞれの園の地域の特性や環境にあったマニュアルを作成し、日頃から火事、地震、水害などの**避難訓練**をします。訓練実施の際は計画をたて、防災点検や避難訓練をし、実施後は振り返り、評価をし、**課題**を見いだします。園内で役割分担をし、全職員が**共通認識**を持って対処します。

■ 災害への備え （3 章健康及び安全）■

災害への備え
（1）施設・設備等の安全確保
（2）災害発生時の対応体制及び避難への備え
（3）地域の関連機関等との連携

　保育所では以下のような対策を取り、災害に備えます。
・定期的に**防火設備**を点検し、建物は**耐震・耐火診断**をうける。
・保育所には消火器を設置し、全職員が使用できるように使用方法を確認しておく。
・ガラス戸には飛散防止シートを貼る。
・日頃から避難経路には危険なものを置かないようにし、逃げ道を確保する。
・ロッカーや本棚など**転倒**、**転落防止**のため、固定する。
・**非常用持ち出し袋**の準備、点検をする。など

 check
　避難訓練をする際は、訓練する時間を一定にするのではなく、あらゆる時間を想定して行う。

 check
　避難訓練の実施については消防法で義務付けられており、「児童福祉施設の設備及び運営に関する基準」では、少なくとも月に1回は行わなくてはならないと規定されている。

 check
　危険性を把握し最小限に抑えるための管理のことをリスクマネジメントという。事故予防のためには、明らかな危険性とその原因を除去することは重要である。

ここで チャレンジ

問題 次の記述で正しいものに○、誤っているものに×をつけよ。

1. 母子保健法は、地域住民の健康の保持及び増進に寄与することを目的として 1997 年に制定された。

2. 母子健康手帳は、妊娠の届けをした妊婦に対して都道府県が交付し、妊娠、出産、育児に関する一貫した記録簿である。

3. こども家庭センターでは、悩みを抱える妊産婦を早期に発見し、相談支援につなげるなど、妊娠期から子育て期までの支援が行われている。

4. 小児慢性特定疾病対策では、指定された病気について医療費の公費負担を行っている。

5. 母子保健法による乳幼児健康診査は市町村が実施している。

6. 新生児マススクリーニング検査とは先天性の病気を発見する方法で、検査の実施主体は都道府県や政令指定都市である。

7. 保健計画とは、子どもの健康を保持・増進させる保健活動を月ごとに計画するものである。

8. 保健計画の作成に際し、「目標の設定」→「情報及び資料の収集」→「活動の内容の設定」→「関係機関との連携・調整」→「決定」の順に進めるとよい。

9. 消防設備や火気使用設備の点検は保育所が行うのではなく消防署が行う。

10. 保育施設の安全点検、避難訓練は定期的に行う。

解答

1 × **2** × **3** ○ **4** ○ **5** ○ **6** ○ **7** × **8** × **9** × **10** ○

1 母子保健法ではなく地域保健法のことである。

2 市町村が主体である。

7 年間を通して具体的に計画するものである。

8 「情報及び資料の収集」→「目標の設定」→「活動の内容の設定」→「関係機関との連携・調整」→「決定」の順に進めるとよい。

9 保育所が行うよう、法令で義務付けられている。

4章

子どもの食と栄養

学習ポイント

- ・子どもの食生活の現状については、エネルギー摂取や朝食の欠食状況など、「**国民健康・栄養調査の結果**」からよく出題されるので、理解しましょう。
- ・栄養に関する基本的知識は毎年出題されます。**五大栄養素**を生理的機能、消化吸収の仕組み、食事の基礎知識、「**日本人の食事摂取基準**」と関連させると理解しやすいでしょう。
- ・妊娠期、乳児期、幼児期、学童・思春期等の各時期の食生活上の特徴を理解しましょう。「**妊娠前からはじめる妊産婦のための食生活指針**」「**授乳・離乳の支援ガイド**」「**乳幼児栄養調査の結果**」からよく出題されます。
- ・「**食育基本法**」の前文や理念はよく理解しましょう。保育所における**食育の目標**、5つの子ども像、食育の5項目もよく出題されます。
- ・児童福祉施設での食事の提供を理解しましょう。また、食物アレルギーなど**特別な配慮を要する子ども**の特徴およびその対応を理解しましょう。

重要度

子どもの健康と食生活の意義

出題
point
- 子どもの食生活の現状と課題
- 国民健康・栄養調査
- 食生活指針

1 子どもの心身の健康と食生活

1 子どもの食の意義

　子どもの心身の健やかな発育・発達には、**栄養**が不可欠です。特に乳幼児期は、**摂食器官**や**消化器官**の機能が未熟なため、発達段階に応じて何を、どれだけ、どのようにして食べるのかが大切です。食事は栄養摂取のためばかりでなく、**生活リズム**の基盤をつくり、子どもの**精神**発達や**情緒**の安定の役割を果たし、**食習慣**の形成にも役立ち、大変重要です。

　しかし、子どもの食生活は、家族の生活スタイルに大きく影響され、食事内容は和食から洋食へ、**内食**◆から**中食**◆や**外食**◆へと変わる傾向にあります。また、生活リズムの夜型化から、欠食や**孤食**◆、**個食**◆などが増え、誰かと食事を共にする**共食**で得られるコミュニケーション力や食習慣の獲得や食文化の継承などの機会が減少しています。このように子どもの食生活には、様々な問題が生じています。

2 子どもの食生活の現状と課題

　厚生労働省は**健康増進法**に基づいて、基本的に毎年「**国民健康・栄養調査**」を実施しています。「令和元年国民健康・栄養調査報告」（厚生労働省）によると、次のような状況がみられます（(1) から (6) は 20 歳以上の場合）。

用語

◆内食（ないしょく、うちしょく）
家庭内で手作りして食べる食事。

◆中食（なかしょく）
家庭外で調理された食品を購入して持ち帰り、家庭で食べる食事（持ち帰り弁当など）。

◆外食
家庭外の飲食店で食べる食事。

◆孤食
一人だけで食事をとること。

◆個食
家族が同じ食卓や個室で別々のものを食べること。

check

子どもの食事に影響する食べ方には、小食（食べる量が少なく食が細い）、子食（子どもだけで食事をする）、固食（好き嫌いが多く、同じものばかり食べる）もある。

(1) 食習慣改善の意思

BMIと食塩摂取量を状況別にみると、男女ともに高い割合は「関心はあるが改善するつもりはない」でした。

(2) 食生活に影響を与えている情報源

「テレビ」と回答した者の割合が最も高く、男性では50歳以上、女性では30歳以上でその割合が高かったです。

(3) 外食・健康食品

外食を週1回以上利用している者の割合は、**20歳代の男性**が最も高いです。健康食品を摂取している者の割合は、男女とも**60歳代**で最も高かったです。

(4) 肥満・やせ

肥満（BMI ≧ 25kg/m²）の者の割合は**男性**が高いです。やせ（BMI<18.5kg/m²）の者の割合は**女性**が高く、その割合は、15〜19歳、**20歳代**で高い状況です。

(5) 野菜の摂取量

「健康日本21（第三次）」（厚生労働省）の野菜摂取量の目標値は350gですが、野菜摂取量の平均値は280.5gでした。男女ともに**20〜40歳代**で少なく、**60歳以上**で多かったです。緑黄色野菜とその他の野菜類の摂取量を比較すると、全ての年代で、その他の野菜類の摂取量の方が多かったです。

(6) 飲酒

生活習慣病のリスクを高める量を飲酒している者の割合は、男性で**40歳代**、女性は**50歳代**が高かったです。

(7) エネルギー摂取

エネルギー比率は、全体での値は目標量の範囲内でしたが、**脂肪エネルギー比率は増加**し、炭水化物エネルギー比率は**減少**する傾向がみられます。これは、日本の食生活が、たんぱく質、脂質、炭水化物の摂取エネルギー比率が適正だった「日本型食生活◆」から、欧米型になってきているからです。

また、**脂肪エネルギー比率**は年齢が低いほど**高く**、男女ともに**15〜19歳（約30%）**をピークにして、年齢とともに低下しています。

BMI
••> p.218

健康日本21（第三次）
••> p.190

◆日本型食生活
　米、野菜、魚、大豆を中心とした伝統的食事パターンに肉、乳製品、鶏卵、油脂、果物を加え、多様な栄養のバランスのとれた食生活。

check
　エネルギー比率の目標量は脂肪エネルギー比率が20〜30%、炭水化物エネルギー比率は50〜65%である。
　p.207、208を参照。

⑻ カルシウム摂取量

カルシウムの摂取量は目標量に対し、どの年代でも不足していますが、男女とも最も多いのは **7 ～ 14** 歳です。これは学校給食での**牛乳**摂取の影響が大きいと考えられます。

⑼ 食塩の摂取量

15 歳以上におけるナトリウム（食塩相当量）の目標値は、男性 7.5g 未満、女性 6.5g 未満です。食塩の摂取量は、 1 ～ 6 歳で 5.2g、7～14 歳で 8.6g、15 ～ 19 歳では 9.6g で、いずれも目標量に対して**多い**状況です。また、20 歳以上の摂取量平均値は 10.1g で、減少傾向にあるものの、男女ともに目標量を超えて摂取しており、男女とも 60 歳代で最も高かったです。

⑽ 朝食の欠食

朝食を欠食する割合は、どの年代でも昼食・夕食に比べて**高く**なっています。朝食の欠食率は、 1 ～ 6 歳では **4.7%**（男児 3.8%、 女児 5.4%）、 7 ～ 14 歳は 4.4%（男性 5.2%、女性 3.4%）、15 ～ 19 歳は 12.9%（男性 19.2%、女性 5.9%）、20 ～ 29 歳は 23.0%（27.9%、18.1%）、30 ～ 39 歳は 24.6%（27.1%、22.4%）です。年齢が低い方が低く、年齢とともに**高く**なる傾向がみられます。

朝食の欠食の理由は、**夜型**の生活リズムとの関連があると思われます。幼児の場合、「平成 27 年度乳幼児栄養調査結果（厚生労働省）」によると、**就寝時間**が遅くなるほど、また、**親**（母）の朝食習慣に欠食があるほど、朝食の欠食率は**高い**傾向にあります。

2 国の食生活支援

日本人の健康づくりのためにつくられた食生活に関する施策には、「**食生活指針**」「健康日本 21（第三次）」「健やか親子 21」「健康増進法」「楽しく食べる子どもに～食からはじまる健やかガイド～」「**食育基本法**」「**食事バランスガイド**」等があります。

---

check
欠食とは、「食事をしなかった」のほか、「菓子、果物、乳製品、嗜好飲料などの食品のみを食べた」、「錠剤などによる栄養素の補給、栄養ドリンクのみ」の場合も含まれる。

check
食事を欠食する割合は、全体的にみると朝食 12.1%、昼食 4.0%、夕食 1.0%である。

楽しく食べる子どもに～食からはじまる健やかガイド～
•••▶ p.249

1 食生活指針

「食生活指針」は、国民の健康増進、**生活の質（QOL）の**向上、食料の安定供給の確保を図るため、2000（平成12）年、当時の文部省、厚生省、農林水産省が共同策定したものです。その後、2016（平成28）年に改正されました。

■ 食生活指針と食生活指針の実践 ■

★**食事を楽しみましょう。**
- 毎日の食事で、**健康寿命◆**をのばしましょう。
- おいしい食事を、味わいながらゆっくりよく噛んで食べましょう。
- 家族の団らんや人との交流を大切に、また、食事づくりに参加しましょう。

★**1日の食事のリズムから、健やかな生活リズムを。**
- 朝食で、いきいきした1日を始めましょう。
- 夜食や間食はとりすぎないようにしましょう。
- 飲酒はほどほどにしましょう。

★**適度な運動とバランスのよい食事で、適正体重の維持を。**
- 普段から体重を量り、食事量に気をつけましょう。
- 普段から意識して身体を動かすようにしましょう。
- 無理な減量はやめましょう。
- 特に若年女性の**やせ**、高齢者の**低栄養**にも気をつけましょう。

★**主食、主菜、副菜を基本に、食事のバランスを。**
- 多様な食品を組み合わせましょう。
- 調理方法が偏らないようにしましょう。
- 手作りと外食や加工食品・調理食品を上手に組み合わせましょう。

★**ごはんなどの穀類をしっかりと。**
- 穀類を毎食とって、糖質からのエネルギー摂取を適正に保ちましょう。
- 日本の気候・風土に適している米などの穀類を利用しましょう。

★**野菜・果物、牛乳・乳製品、豆類、魚なども組み合わせて。**
- たっぷり野菜と毎日の果物で、ビタミン、ミネラル、食物繊維をとりましょう。
- 牛乳・乳製品、緑黄色野菜、豆類、小魚などで**カルシウム**を十分にとりましょう。

💬アドバイス💬
食生活指針は、保育士試験では頻出なので十分理解しておこう。

用 語
◆健康寿命
日常生活に介護等を必要とせず、心身ともに自立した活動的な状態で生活できる期間をいう。

check
健康寿命の延伸の目標については、「健康日本21（第三次）」に示されている。

check
適正体重は、身長（m）×身長（m）×22の計算式で求められる。

主食、主菜、副菜
•••▷ p.191

check
野菜は1日に350g以上、果物は200g以上、また、牛乳・ヨーグルト・チーズのうちのどれでも自由に1日3回食べよう、とされている。

★食塩は控えめに、脂肪は質と量を考えて。

- 食塩の多い食品や料理を控えめにしましょう。食塩摂取量の目標値は、男性で1日 8.0g 未満、女性で 7.0g 未満とされています。
- 動物、植物、魚由来の脂肪をバランスよくとりましょう。
- 栄養成分表示を見て、食品や外食を選ぶ習慣を身につけましょう。

★日本の食文化や地域の産物を活かし、郷土の味の継承を。

- 「和食」をはじめとした日本の食文化を大切にして、日々の食生活に活かしましょう。
- 地域の産物や旬の素材を使うとともに、行事食を取り入れながら、自然の恵みや四季の変化を楽しみましょう。
- 食材に関する知識や調理技術を身につけましょう。
- 地域や家庭で受け継がれてきた料理や作法を伝えていきましょう。

★食料資源を大切に、無駄や廃棄の少ない食生活を。

- まだ食べられるのに廃棄されている食品ロスを減らしましょう。
- 調理や保存を上手にして、食べ残しのない適量を心がけましょう。
- 賞味期限や消費期限を考えて利用しましょう。

★「食」に関する理解を深め、食生活を見直してみましょう。

- 子供のころから、食生活を大切にしましょう。
- 家庭や学校、地域で、食品の安全性を含めた「食」に関する知識や理解を深め、望ましい習慣を身につけましょう。
- 家族や仲間と、食生活を考えたり、話し合ったりしてみましょう。
- 自分たちの健康目標をつくり、よりよい食生活を目指しましょう。

（文部科学省・厚生労働省・農林水産省）

2 健康日本 21

　厚生労働省が進めてきた 21 世紀における国民健康づくり対策で、現在の「健康日本 21（第三次）」（2024〔令和 6〕年度～ 2035〔令和 17〕年度）では、「健康寿命の延伸と健康格差の縮小」「児童・生徒における肥満傾向児の減少」「野菜摂取量の増加（目標値：350g/ 日）」「果物摂取量の改善（目標値：200g/ 日）」「食塩摂取量の減少（20 歳以上の男女の

👑 **check** ✧
　食事摂取基準（2020 年版）では食塩摂取量（食塩相当量）の目標量は成人男性で1日 7.5g 未満、成人女性で 6.5g 未満と示された。

👑 **check** ✧
　「和食」は 2013（平成 25）年にユネスコ無形文化遺産に登録された。

👑 **check** ✧
　令和 4 年度の食料需給表（農林水産省）によると、令和 4 年度の日本の食料自給率は供給熱量ベースで 38％である。わが国は食料の多くを海外に依存しているにもかかわらず、食品ロスが年間 523 万トン（農林水産省令和 3 年度推計値）あり、問題になっている。食品ロス量推計値では、事業系食品ロス量の方が家庭系食品ロス量より多い。

賞味期限または消費期限
•••▶ p.213

目標値：7.0g 未満 / 日）」等について目標を設定しています。

3 食育基本法

食育基本法
••> p.248

　この法律は、近年の我が国の食をめぐる現状から、「国民が生涯にわたって**健全な心身**を培い、**豊かな人間性**を育むことができるようにするため、**食育**を総合的、計画的に推進する」ため、2005（平成 17）年に制定されました。

4 食事バランスガイド

　「食事バランスガイド」は、食生活指針を具体的に展開しやすくするものとして、2005（平成 17）年に厚生労働省と農林水産省が合同策定したものです。

　食事を「**主食**」「**副菜**」「**主菜**」「**牛乳・乳製品**」「**果物**」の 5 つに区分し、区分ごとに「**SV（サービング）**」単位で、1 日に「**何を**」「**どれだけ**」食べたらよいか、食事の組み合わせとおよその量をコマの形のイラストで示しています。

　水や**お茶**を十分に摂り、運動し、5 区分の料理を偏りなく継続して摂取するとよいと考えられています。

check

菓子・嗜好飲料は食生活の中の楽しみとしてとらえ、料理グループには含まれない。

■ 食事バランスガイド ■

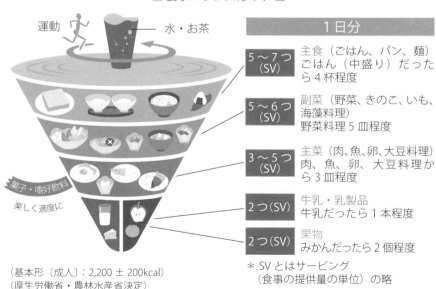

〔基本形〔成人〕：2,200 ± 200kcal〕
〔厚生労働省・農林水産省決定〕

* SV とはサービング
　（食事の提供量の単位）の略

4
子どもの食と栄養

❶ 子どもの健康と食生活の意義

ここで チャレンジ

問題 次の記述で正しいものに○、誤っているものに×をつけよ。

1.「令和元年国民健康・栄養調査報告」（厚生労働省）によると、「1～6歳」の朝食の欠食率は、男女ともに、10%を超えている。

2.「令和元年国民健康・栄養調査報告」（厚生労働省）によると、どの年代でも、昼食、夕食に比べ朝食を欠食する割合が高い。

3.「食事バランスガイド」（平成17年　厚生労働省・農林水産省）に示されている5つの料理区分に「果物」は含まれていない。

4.「令和元年国民健康・栄養調査報告」（厚生労働省）によると、20歳以上の野菜摂取量の平均値は男女ともに20～40歳代が高く、「健康日本21（三次）」（厚生労働省）の目標値350gを超えている。

5. 令和3年度の食品ロス量推計値（農林水産省）では、家庭系食品ロス量（各家庭から発生する食品ロス）の方が、事業系食品ロス量（事業活動を伴って発生する食品ロス）よりも多い。

6.「食生活指針」（平成28年一部改正：文部科学省、厚生労働省、農林水産省）の「食生活指針の実践」には、特に若年女性のやせ、高齢者の肥満にも気をつけましょうと示されている。

7.「令和元年国民健康・栄養調査報告」（厚生労働省）によると、外食を週1回以上利用している者の割合は20歳代の男性が最も高かった。

8.「令和4年度食糧需給表」（農林水産省）による、日本の供給熱量ベースの総合食料自給率は約60%である。

解答

1 × **2** ○ **3** × **4** × **5** × **6** × **7** ○ **8** ×

1 「1～6歳」の朝食の欠食率は、4.7%（男児3.8%、女児5.4%）である。

3 含まれている。

4 平均値は目標値の350gを下回っており、男女ともに20～40歳代で低い。

5 事業系食品ロス量の方が家庭系食品ロス量より多い。

6 「高齢者の低栄養にも気をつけましょう」と示されている。

8 38%である。

 # 栄養の基礎知識

出題
point
- 栄養素の種類と機能
- 栄養素の消化・吸収
- ビタミンとミネラルの生理作用及び欠乏症

 ## 1 栄養素の種類と機能

　食品の成分を分類すると、炭水化物、脂質、たんぱく質、ビタミン、ミネラル及び水に分けられます。エネルギー源の基本となる**炭水化物、脂質、たんぱく質**を三大栄養素といい、**水を除いたもの**を五大栄養素といいます。

　その主な働きは次のとおりです。

■ 栄養素の種類とその主な働き ■

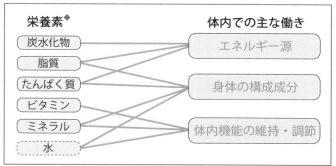

 用語

◆栄養素
　食品や食物に含まれる成分を栄養成分といい、体内で有効な働きをするものをいう。体外から食べ物を取り入れてエネルギーを産生し体をつくり、代謝によって生じた不要な成分を排泄するまでの一連の現象を栄養という。

 ## 2 炭水化物

　炭水化物は、**炭素（C）、水素（H）、酸素（O）**から構成されています。そして、消化・吸収されやすい「**糖質**」とほとんど消化・吸収されない「**食物繊維**」に大別されます。

1 糖質

(1) 糖質の種類

　糖質は1個の糖の分子からなるものを**単**糖類、**単**糖類が2〜10個結合したものを**少**糖類、**単**糖類が多数結合したものを**多**糖類といい、次のような種類と特徴がみられます。

■ 糖質の種類と特徴 ■

分　類	種　類		特　徴
単糖類	ブドウ糖（グルコース）		糖質の中で最も多く、重要なエネルギー源。果物、野菜、ハチミツなどに含まれ、血液中にも存在
	果糖（フルクトース）		糖質の中では最も甘味が強い。果物、ハチミツに含まれる
	ガラクトース		ブドウ糖と結合し、ラクトースの形で乳汁に含まれる。乳児の脳の発達に必要
少糖類	二糖類	ショ糖（スクロース）	ブドウ糖と果糖が結合したもの。砂糖の主成分でさとうきび、てんさいに含まれる
		麦芽糖（マルトース）	ブドウ糖が2個結合したもの。麦芽、水あめ、ハチミツに含まれる
		乳糖（ラクトース）	ブドウ糖とガラクトースが結合したもの。乳汁に含まれる。乳児のエネルギー源
多糖類	でんぷん		ブドウ糖が多数結合したもの。直鎖状のアミロースと分枝状のアミロペクチンがある。穀類、いも類、豆類に含まれる
	グリコーゲン		ブドウ糖が多数結合したもの。肝臓や筋肉に含まれる
	デキストリン		ブドウ糖が多数結合したもの。でんぷんの加水分解で生じる

(2) 糖質の消化と吸収

　でんぷんは、唾液中の**アミラーゼ**によりわずかにデキストリンや麦芽糖になり、膵液中の**アミラーゼ**により麦芽糖に分解されます。この麦芽糖や食品中の二糖類は、小腸粘膜の消化酵素による**膜**消化で、各**単糖類**に分解されると同時に小腸粘膜から吸収され、**門脈**◆を通り肝臓に運ばれます。

check
　食品中の二糖類である麦芽糖、ショ糖、乳糖は、口腔や十二指腸では消化されずにそのまま小腸まで移行する。

用語

◆門脈
　消化管で吸収された単糖類、アミノ酸、水溶性ビタミン、ミネラルなどの栄養素を肝臓に運ぶ血管のこと。

	口腔（唾液）	十二指腸（膵液）	小腸（腸液・膜）
でんぷん	（アミラーゼ） デキストリン 麦芽糖	（アミラーゼ） 麦芽糖	（マルターゼ） 単糖類
麦芽糖 （マルトース）	――	――	（マルターゼ） 単糖類
ショ糖 （スクロース）	――	――	（スクラーゼ） 単糖類
乳糖 （ラクトース）	――	――	（ラクターゼ） 単糖類

白枠内のカッコ内は消化酵素、その下は分解されたもの

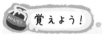 覚えよう！ ● ● ● ● ● ● ● ● ● ● ● ● ● ● ●

● **糖質とその消化酵素（消化される器官）** ●
でんぷん：アミラーゼ ―― （口腔）
麦芽糖：マルターゼ ┐
ショ糖：スクラーゼ ├―― （小腸粘膜）
乳糖：ラクターゼ ┘

(3) 糖質の働き

①エネルギー源

　消化吸収された糖質は肝臓に運ばれ、**ブドウ糖**に変わり、血液によって全身に運ばれ、エネルギー源（**4**kcal/g）として利用されます。糖質は脂質に比べて分解・吸収が**速く**、エネルギー源として**即効性**があり、また、過剰なブドウ糖は肝臓や筋肉で、**グリコーゲン**や脂肪に変化し、貯蔵され、持続的に利用できることが特徴です。

②血糖値の維持

　血液中のブドウ糖濃度（血糖値）は一定量（約0.1％）に維持されます。

③体の構成成分

　糖質は、微量ではありますが、細胞や補酵素の成分となります。また、ガラクトースは脳の成分となります。

check
口腔では咀しゃくして食べ物を嚙み砕き、唾液と混ぜ、飲み込む。

check
十二指腸は胃と小腸をつなぐ消化管で、膵臓からの膵液、胆嚢から胆汁が流れ込み、消化が進む。
十二指腸から送りこまれた栄養素は、小腸で小腸壁からの消化液でさらに消化が進み、ほとんど分解・吸収される。

4
子どもの食と栄養

❷ 栄養の基礎知識

2 食物繊維

　食物繊維は、ヒトの消化酵素では消化されにくい食品中の難消化性成分の総体とされています。食物繊維の種類には、水に溶けない不溶性食物繊維と水に溶ける水溶性食物繊維があり、次のような働きがあります。

■ 食物繊維の種類と働き ■

分類	種類	働き
不溶性	セルロース（穀類、豆類、野菜）など	・便秘の改善 ・有害物質の排泄 ・大腸がんの予防
水溶性	ペクチン（果物） グルコマンナン（こんにゃく）など	・血中コレステロール上昇抑制 ・血糖値上昇抑制　など

check
　食物繊維は栄養生理学的機能をもつため、機能性非栄養成分と呼ばれ、糖類に分類される。

check
　食物繊維は消化されにくいため、エネルギー源にはなりにくい。

3 脂質

1 脂質の種類

　脂質は炭素（C）、水素（H）、酸素（O）から構成されています。一般に水に溶けないが、アルコールなどの有機溶媒に溶ける性質を持っています。

　脂質には、単純脂質（中性脂肪、油脂など）、複合脂質（リン脂質など）、誘導脂質（ステロール類など）の3種類があります。そのうち、単純脂質の中性脂肪は、グリセリン（グリセロール）と脂肪酸で構成されています。脂肪酸は、炭素数や結合のしかたにもいくつかのタイプがあり、体内での働きも異なります。

■ 主な脂質 ■

中性脂肪	グリセリンに3個の脂肪酸が結合したもの。一般に脂肪と呼ばれる
飽和脂肪酸	構成する脂肪酸に二重結合をもたない
不飽和脂肪酸	構成する脂肪酸に二重結合をもつ
必須脂肪酸	リノール酸、α-リノレン酸のように、成長に不可欠であるが、体内で合成できないため、食物から摂取しなければならない脂肪酸

■ 主な脂肪酸の種類と働き ■

主な脂肪酸		多く含む食品	主な働き
飽和脂肪酸	パルミチン酸	肉類、動物脂	・血中コレステロールを上昇
不飽和脂肪酸	一価不飽和脂肪酸 オレイン酸	オリーブ油、なたね油	・血中コレステロールを低下
	多価不飽和脂肪酸（必須脂肪酸） リノール酸 アラキドン酸	紅花油、大豆油	・成長、発育や皮膚の状態を正常に維持 ・血中コレステロールを低下 ・血圧の調整
	α-リノレン酸 DHA、EPA	しそ油、亜麻仁油、青皮の魚	・脳、神経、網膜の機能を正常に ・血中コレステロールを低下

2 脂質の消化と吸収

中性脂肪は、胆嚢から分泌された胆汁で乳化作用を受け、膵臓から十二指腸に分泌される**リパーゼ**によって、**グリセリン**と**脂肪酸**などに分解され小腸で吸収されます。その後、腸のリンパ管から肝臓を経て、体の各部に送られます。

	口腔 (唾液)	十二指腸 (膵液)	小腸 (腸液・膜)
中性脂肪	—	(リパーゼ) グリセリン・脂肪酸など	グリセリン・脂肪酸など

3 脂質の働き

①エネルギー源

脂質は、1g 当たり **9kcal** のエネルギー供給量があり、糖質、たんぱく質と比べて効率のよいエネルギー源となります。

②体の構成成分

過剰に摂取された脂質は**中性脂肪**として、皮下、腹腔、筋肉内に貯蔵されます。また、コレステロールやリン脂質は**細胞膜**をつくり、コレステロールは胆汁酸や**ステロイドホルモン**の材料となります。

③必須脂肪酸の供給

必須脂肪酸である**リノール酸**、**α-リノレン酸**は主に植物油から、DHA、EPA は魚油から供給することができます。

check
常温で液体のものを油、固体のものを脂といい、合わせて油脂という。

check
DHA はドコサヘキサエン酸、EPA はエイコサペンタエン酸の略である。

check
リノール酸、アラキドン酸を n-6 系脂肪酸といい、α-リノレン酸、DHA、EPA を n-3 系脂肪酸という。

④脂溶性ビタミンの供給源

脂溶性ビタミン（ビタミン A、D、E、K）は食品の脂質に含まれているので、脂質の摂取は脂溶性ビタミンの供給につながります。

アドバイス

脂溶性ビタミンは4種だけ！（D.A.K.E）と覚えよう。

 4 たんぱく質

1 たんぱく質とアミノ酸

たんぱく質は 20 種類のアミノ酸がペプチド結合してできた高分子化合物で、炭水化物や脂質と異なり、炭素（C）、水素（H）、酸素（O）のほかに、窒素（N）を一定量（約16％）含むのが特徴です。炭水化物や脂質では代用できず、発育には欠かせない栄養素です。

たんぱく質を構成するアミノ酸のうち、体内で合成できない 9 種類のアミノ酸を必須アミノ酸といい、食物から摂らなければなりません。

 覚えよう！

●必須アミノ酸●

バリン	ロイシン	イソロイシン
スレオニン	メチオニン	フェニルアラニン
トリプトファン	リジン	ヒスチジン

2 たんぱく質の消化と吸収

たんぱく質は胃液中のペプシン、膵液中のトリプシンなどの消化酵素によりペプチド類になり、小腸でペプチターゼによってアミノ酸に分解され、吸収されます。その後、門脈を経て肝臓に運ばれたのち、体の各部に送られます。

	口腔 （唾液）	胃 （胃液）	十二指腸 （膵液）	小腸 （腸液・膜）
たんぱく質	―	（ペプシンなど） ペプトンなど	（トリプシンなど） ペプチド類	（ペプチターゼ） アミノ酸

●乳児の胃での消化●

　乳児の胃では、凝乳酵素レンニンが出ており、その酵素の働きで乳の中のカゼインが凝固され、カード（乳汁が酸の作用で凝固したもの）が生成される。そのことにより、胃での滞留時間が延長され、消化されやすくなっている。

3　たんぱく質の働き

①体の構成成分

　筋肉、臓器、毛髪、血液の成分となります。

②酵素、ホルモン、免疫抗体の材料

　生体の恒常性維持の働きをします。また、酵素、ホルモン、免疫物質となり、体の機能を調整します。

③体液の調節

　血液や細胞の浸透圧や体液の酸塩基平衡を調節します。

④エネルギー源

　糖質や脂質が不足したときには、たんぱく質が 1g 当たり 4kcal のエネルギーを供給します。

4　たんぱく質の栄養価

　たんぱく質の栄養価は、アミノ酸価（アミノ酸スコア）で表されます。これは、人にとって理想的な必須アミノ酸量に対して、その食品の最も不足している必須アミノ酸（第一制限アミノ酸）はどのくらいの割合かを示したものです。

　一般に肉、魚、卵などの動物性食品はアミノ酸価が 100 のものが多く、植物性食品はアミノ酸価が 100 未満のものが多いです。例外的に大豆はアミノ酸価が 100 です。アミノ酸価の低い食品も、アミノ酸価の高い食品と組み合わせることで、食事全体のアミノ酸価を高めることができます（たんぱく質の補足効果）。

check
　たんぱく質は分子内にプラスイオンとマイナスイオンをもち、体液の酸塩基平衡を調節する。

check
　精白米のアミノ酸価は、1〜2歳の場合は 81、18 歳以上（成人）の場合は 93 である。

 **5 ミネラル**

人体を構成する元素の約95%は、炭素（C）、酸素（O）、水素（H）及び窒素（N）です。その他の約5%の元素をミネラル（無機質）といいます。

体内に多量に存在するミネラルは**カルシウム**、**リン**、カリウム、ナトリウム、マグネシウムなどです。微量に存在するものは**鉄**、**亜鉛**などです。

無機質は体内では合成**できない**ため食品から摂る必要があります。日本人は、特に**カルシウム**と**鉄**が不足しがちです。欠乏症や過剰症などにならないためには、バランスの良い食事が大切です。

 check
カルシウムは体内に最も多く存在するミネラルで、体重の1〜2%を占めている。このうち、約99%は骨や歯などに存在する。

■ **主なミネラルとその特徴** ■

カルシウム（Ca）	
働き	骨や歯の成分、筋肉の収縮や神経伝達に関与
不足	小児のくる病、成人の骨軟化症、骨粗しょう症
含有食品	乳・乳製品、大豆製品、小魚、海藻

リン（P）	
働き	骨や歯の成分、糖質・脂質・たんぱく質の代謝に関与
不足	骨や歯が弱くなる
含有食品	粉乳、卵黄、肉類

カリウム（K）	
働き	細胞の浸透圧の維持、酸・アルカリの平衡維持、**筋肉の収縮**や**神経伝達**に関与
不足	倦怠感、食欲不振
含有食品	野菜、いも類、果物

ナトリウム（Na）・塩素（Cl）	
働き	細胞の**浸透圧**の維持、酸・アルカリの平衡維持
不足	疲労感、食欲不振
含有食品	食塩、みそ、しょうゆ

 check
ナトリウムの過剰は高血圧の一因とされている。

マグネシウム（Mg）	
働き	骨や歯の成分、筋肉の収縮や神経伝達に関与
不足	骨の形成障害、神経・精神の疾患
含有食品	玄米、種実、魚介類

鉄（Fe）	
働き	血液中のヘモグロビンの成分
不足	鉄欠乏性貧血
含有食品	レバー、赤身の肉、卵、大豆、葉菜類、海藻

亜鉛（Zn）	
働き	たんぱく質の合成、酵素の構成成分、味蕾の形成
不足	味覚障害、成長障害
含有食品	魚介類、肉類、牛乳、玄米

ヨウ素（I）	
働き	甲状腺ホルモンの成分、発育促進、基礎代謝を促す
不足	甲状腺腫、発育遅延（クレチン症）
含有食品	海藻類、魚介類

6 ビタミン

　ビタミンは、体の機能を調整する働きがあり、必要な栄養素です。多くのビタミンは体内では合成**できない**ため、食品から摂る必要があります。ビタミンには油に溶ける**脂溶性**ビタミンと水に溶ける**水溶性**ビタミンがあります。いずれも、不足すると欠乏症があらわれ、脂溶性ビタミンは、過剰に摂取し続けると過剰症が起こる場合があります。

■ 主なビタミンとその特徴 ■

脂溶性ビタミン	
ビタミンA	
働き	網膜色素の成分。成長発育を促し、皮膚や粘膜を健康に保つ。緑黄色野菜にはカロテンとして含まれる
不足	夜盲症、成長障害、感染症
含有食品	レバー、卵黄、うなぎ、緑黄色野菜

4

子どもの食と栄養

❷ 栄養の基礎知識

check
　鉄には動物性食品に含まれるヘム鉄と植物性食品に含まれる非ヘム鉄がある。ヘム鉄の方が体内によく吸収される。

check
　ヨウ素の過剰症として甲状腺腫がある。

check
　生まれつき、甲状腺が肥大して甲状腺ホルモンをつくる機能が低下し、成長不良となる病気をクレチン症（先天性甲状腺機能低下症）という。

check
　「日本人の食事摂取基準」において、ビタミンA・D・E・B_6、ナイアシン、葉酸については、とり過ぎる心配があるとして耐容上限量が設けられている。

アドバイス
　ビタミンの働きや欠乏症は試験に頻出なので十分理解しておこう。

check
　ビタミンAの過剰症として妊娠初期における胎児の先天性異常が確認されている。

ビタミンD	
働き	腸管や腎臓でのカルシウムの吸収促進、骨の形成促進
不足	小児のくる病、成人の骨軟化症
含有食品	干ししいたけ、きくらげ、魚類、レバー

ビタミンE	
働き	細胞膜の酸化防止作用をもつ
不足	溶血性貧血
含有食品	アーモンド、落花生、種実類、植物油、緑黄色野菜

ビタミンK	
働き	血液凝固因子の生成、カルシウムの骨への沈着
不足	新生児の頭蓋内出血症、**新生児メレナ**◆
含有食品	納豆、海苔、ほうれん草などの葉物野菜

水溶性ビタミン

ビタミンB$_1$	
働き	糖質の代謝に関与、神経機能を正常に保つ
不足	疲労感、脚気、神経炎
含有食品	豚肉、胚芽、玄米、大豆

ビタミンB$_2$	
働き	糖質・脂質・たんぱく質の代謝に関与
不足	口内炎、口角炎、舌炎
含有食品	レバー、うなぎ、卵、牛乳、納豆

ビタミンB$_6$	
働き	たんぱく質・脂質の代謝に関与
不足	皮膚炎、貧血
含有食品	かつお、まぐろ、牛豚肉

ビタミンB$_{12}$	
働き	造血作用、神経機能の維持
不足	悪性貧血、神経障害
含有食品	レバー、さんま、いわし、牡蠣、しじみ

 用語

◆新生児メレナ
　消化管から出血する症状を有する病気。

ナイアシン	
働き	エネルギー代謝に関与
不足	ペラグラ、皮膚炎、神経障害
含有食品	かつお、まぐろ、レバー、豚肉

葉酸	
働き	造血作用
不足	胎児の神経管閉鎖障害、巨赤芽球性貧血
含有食品	緑黄色野菜、レバー、納豆

パントテン酸	
働き	糖質・脂質・たんぱく質の代謝に関与
不足	免疫力低下
含有食品	レバー、納豆、鶏肉

ビタミンC	
働き	コラーゲンの生成と維持、抗酸化作用、鉄の吸収促進
不足	壊血病、貧血、免疫力低下、血管がもろくなる
含有食品	野菜類、果物類

check
神経管閉鎖障害には、無脳症や二分脊椎症などがあり、受胎後約28日で閉鎖する神経管の発育不全によって起こる。

4 子どもの食と栄養

❷ 栄養の基礎知識

7 水分

　水は栄養素ではありませんが、食べ物の消化吸収、栄養素の代謝及び各組織への運搬、老廃物の体外への排泄、体温の調節など、生命維持には不可欠なものです。また、体内に最も多く含まれる成分で、成人で体重の約65%、乳幼児で70～80%を占めています。体内の水分の約2/3は細胞内（細胞内液）、約1/3が細胞外（細胞外液）に分布しています。乳幼児は細胞外液の割合が多いという特徴があるため、少量の水分減少で脱水症を起こしやすくなるので注意が必要です。

　1日の水分必要量は、体重1kg当たり乳児約150ml、幼児約100ml、成人約50mlが目安です。

ここで **チャレンジ**

問題 次の記述で正しいものに○、誤っているものに×をつけよ。

1. 炭水化物のうち糖質の 1 g あたりのエネルギーは 4kcal である。
2. 炭水化物には、ヒトの消化酵素で消化されやすい糖質と消化されにくい食物繊維がある。
3. 中性脂肪の消化は、主に膵液中のアミラーゼの作用により小腸で行われる。
4. ビタミン A は粘膜を正常に保ち、免疫力を維持する。欠乏症は夜盲症である。
5. 精白米のアミノ酸スコアは 100 である。
6. ビタミン B₂ は、糖質のエネルギー代謝に必要な水溶性ビタミンで、代表的な欠乏症は脚気である。
7. ビタミン K には、血液を凝固させる働きがあり、新生児の場合、欠乏すると頭蓋内出血症を起こすことがある。
8. 鉄（Fe）は、微量ミネラルの一つであり、食品ではレバーや赤身の肉に多く含まれている。体内では血液中のヘモグロビンの成分で、欠乏症は貧血である。
9. ビタミン D は、腸管や腎臓でのカルシウムの吸収を高め、骨を丈夫にする。欠乏するとくる病の原因になる。
10. 麦芽糖は、母乳や牛乳に多く含まれる。
11. たんぱく質の構成元素は、炭素（C）、酸素（O）、水素（H）、のほかに必ず窒素（N）を含む。

解答

1 ○ **2** ○ **3** × **4** ○ **5** × **6** × **7** ○ **8** ○ **9** ○ **10** × **11** ○

3 膵液中の中性脂肪の消化はアミラーゼではなく、リパーゼの作用で行われる。
5 植物性食品はアミノ酸価が 100 未満のものが多く、精白米も 100 未満である。
6 脚気が代表的な欠乏症として関与するのは、ビタミン B₁ である。
10 麦芽糖はハチミツなどに含まれ、母乳や牛乳に多いのは乳糖である。

 食事の基礎知識

出題
point

- 日本人の食事摂取基準
- 三色食品群と 6 つの基礎食品群
- 食中毒の予防

 1　日本人の食事摂取基準

「日本人の食事摂取基準」は、健康な個人及び集団を対象として、国民の健康保持・増進、生活習慣病の予防を目的とし、エネルギー量と各栄養素の摂取量の基準を示すものです。5 年ごとに見直され、最新の 2020 年版は、生活習慣病の発症予防や重症化予防に加え、高齢者の低栄養予防やフレイル予防も視野に入れて策定されました。

1　食事摂取基準の指標

私たちの体では、エネルギーの摂取量および消費量のバランスによって体重が変化することから、エネルギーの基準値の指標として体格（BMI）を用いています。栄養素については、3 つの目的のため、推定平均必要量、推奨量、目安量、耐容上限量、目標量の 5 つの指標があります。

■ 栄養素の指標の目的と種類 ■

目的	指標	内容
摂取不足の回避	推定平均必要量	50% の人が必要量を満たす量
	推奨量	ほとんど（97 ～ 98%）の人が充足している量
	目安量	推定平均必要量と推奨量が設定できない場合の代替目標
過剰摂取による健康障害の回避	耐容上限量	これ以上食べるのは危険という摂取量
生活習慣病の予防	目標量	当面目標とすべき摂取量

check
フレイルとは加齢により体力や気力が弱まっている状態で、健常状態と要介護状態の中間的な段階に位置づけられる。

check
「日本人の食事摂取基準」は健康増進法に基づき、厚生労働大臣により定められている。

check
「日本人の食事摂取基準（2020 年版）」の使用期間は 2024 年度までであり、「日本人の食事摂取基準（2025 年版）」が検討されている。

BMI
•••▶ p.218

2 食事摂取基準の区分

食事摂取基準は、性、年齢（下表）、身体活動のレベル（生活のしかた）、妊婦、授乳婦によって分けられ、1日あたりの摂取量で示されています。

乳児 0〜11月	エネルギー・たんぱく質：0〜5月、6〜8月、9〜11月の3区分 その他の栄養素：0〜5月、6〜11月の2区分	
小児 1〜17歳	1〜2歳、3〜5歳、6〜7歳、8〜9歳、10〜11歳、12〜14歳、15〜17歳	
成人 18歳以上	18〜29歳、30〜49歳、50〜64歳	
	高齢者 65歳以上	65〜74歳、75歳以上
その他	妊娠初期（14週未満）、中期（14〜28週未満）、後期（28週以降）、授乳期	

✦ check ✦
身体活動レベルとは日常の生活を低い（Ⅰ）、ふつう（Ⅱ）、高い（Ⅲ）の3つに区分したもの。5歳まではふつう（Ⅱ）で示され、6歳以降から成人と同じ3区分となる。

3 エネルギーの食事摂取基準

BMIについては、18歳以上を4つの区分に分けて、目標とするBMIの範囲が示されています。乳児・小児では、**成長曲線**などに照らして成長を確認し、参考表として示された**推定エネルギー必要量**を目安として利用します。

■ 目標とするBMIの範囲（18歳以上、男女共通）■

年齢（歳）	目標とするBMI（kg/㎡）
18〜49	18.5〜24.9
50〜64	20.0〜24.9
65〜74	21.5〜24.9
75以上	21.5〜24.9

✦ check ✦
BMIは、体重（kg）÷身長（m)² で求める。

■ 参考表：推定エネルギー必要量（kcal／日）■

年齢＼性別	男性	女性
0〜5（月）	550	500
6〜8（月）	650	600
9〜11（月）	700	650
1〜2（歳）	950	900

✦ check ✦
推定エネルギー必要量は、身体活動レベルで区分されているため、5歳まではⅡの1区分、6歳以降はⅠ、Ⅱ、Ⅲの3区分となる。表の6歳以降の数値は身体活動レベルふつう（Ⅱ）の値をとりあげている。いずれも男性の方が女性よりも高い。

3〜5（歳）	1,300	1,250
6〜7（歳）	1,550	1,450
8〜9（歳）	1,850	1,700
10〜11（歳）	2,250	2,100
12〜14（歳）	2,600	2,400
15〜17（歳）	2,800	2,300
18〜29（歳）	2,650	2,000
30〜49（歳）	2,700	2,050
50〜64（歳）	2,600	1,950
65〜74（歳）	2,400	1,850
75 以上（歳）	2,100	1,650
妊婦初期（付加量）		＋ 50
妊婦中期（付加量）		＋ 250
妊婦後期（付加量）		＋ 450
授乳婦（付加量）		＋ 350

4 主な栄養素の食事摂取基準

⑴ たんぱく質

　たんぱく質の食事摂取基準は、乳児は目安量（母乳栄養児の値）で、離乳期は母乳と母乳以外のたんぱく質摂取量を加えた目安量が示されています。1 歳以上では、推定平均必要量と推奨量が示されています。

⑵ 脂質

　脂質の食事摂取基準では、総エネルギー摂取量に占める脂質の割合（エネルギー比率）が重視され、乳児は目安量、1 歳以上では、目標量（**20 〜 30%エネルギー**）が設定されています。また、飽和脂肪酸は生活習慣病予防のため、3 歳以上で目標量（エネルギー比率）、n-6 系脂肪酸及び n-3 系脂肪酸については目安量が設定されています。

⑶ 炭水化物

　炭水化物の食事摂取基準は、総エネルギー摂取量に占める炭水化物の割合（エネルギー比率）として示され、1 歳

check

　推定エネルギー必要量の算出式は、成人の場合、基礎代謝基準値（kcal/kg 体重／日）×参照体重（kg）×身体活動レベル、乳児や小児の成長期の場合は、さらにエネルギー蓄積量(kcal/ 日)を加える。基礎代謝基準値とは、体重1kg あたりの基礎代謝量（kcal）を示す数値で、男女とも1〜2 歳で最高値を示し、その後年齢と共に低下し、高齢期頃から低下は止まる。

check

　「日本人の食事摂取基準」2025 年版では、推定エネルギー必要量の数値の変更が予定されている。

check

n-6 系脂肪酸、n-3 系脂肪酸については p.197 参照。

以上は、目標量（**50 ～ 65**％エネルギー）で設定されています。食物繊維は、摂取不足が生活習慣病に関連することから、2020 年版では **3** 歳以上に目標量が設定されています。

⑷ エネルギー産生栄養素バランス

エネルギーを産生する**たんぱく質**、**脂質**、**炭水化物**とこれらの構成成分が、総エネルギー摂取量に占めるべき割合（％エネルギー）の目標量が、1 歳以上に示されています。

■ エネルギー産生栄養素バランス（％ エネルギー）■

目標量（男女共通）				
年齢	たんぱく質	脂質		炭水化物
		脂質	飽和脂肪酸	
1 ～ 2 歳	13 ～ 20	20 ～ 30	―	50 ～ 65
3 ～ 14 歳	13 ～ 20	20 ～ 30	10 以下	50 ～ 65
15 ～ 17 歳	13 ～ 20	20 ～ 30	8 以下	50 ～ 65
18 ～ 49 歳	13 ～ 20	20 ～ 30	7 以下	50 ～ 65
50 ～ 64 歳	14 ～ 20	20 ～ 30	7 以下	50 ～ 65
65 歳以上	15 ～ 20	20 ～ 30	7 以下	50 ～ 65

2 食品の基礎知識

1 食品の分類

同じような栄養成分の食品をグループ分けしたものには、三色食品群、6 つの基礎食品群などがあります。

	赤	緑	黄
	1・2 群	3・4 群	5・6 群
働き	体をつくる	体の調子を整える	エネルギーになる
栄養素	たんぱく質／カルシウム	カロテン／ビタミンC	糖質／脂質
食品	魚、肉、卵、大豆／牛乳	緑黄色野菜／その他の野菜	穀類、いも類、砂糖／油脂
主な料理	主菜	副菜	主食

check
妊産婦の場合、エネルギー産生栄養素バランス（％ エネルギー）は妊娠初期・中期ではたんぱく質 13 ～ 20、妊娠後期・授乳婦は 15 ～ 20 である。妊娠初期・中期・後期および授乳婦の脂質、飽和脂肪酸、炭水化物は 18 歳以上と同じである。

check
三色食品群は最も簡単なもので、保育所や小学校の学校給食指導などに使用される。

check
6 つの基礎食品群は、三色食品群を詳しく分けたもので、学校教育や保健所の栄養指導で使用されている。

2 食品の種類と特徴

6つの基礎食品群の主な特徴は次のとおりです。

1群：魚、肉、卵、大豆・大豆製品

・良質のたんぱく質の供給源
・脂質、カルシウム、鉄、ビタミンA、ビタミンB₁、ビタミンB₂も豊富
・主に主菜に用いる

2群：牛乳・乳製品、小魚、海藻

・牛乳・乳製品はカルシウムの供給源として優れ、良質のたんぱく質、脂質、ビタミンA、B₁、B₂も含まれ、消化吸収がよい
・小魚類は、たんぱく質、カルシウムを多く含み、鉄、ビタミンB₂も含む
・主に副菜に用いる

3群：緑黄色野菜

・体内でビタミンAにかわるカロテン（プロビタミンA）を豊富に含み、ビタミンC、カルシウム、鉄、ビタミンB₂なども多い
・原則としてカロテンの含有量が600μg/100g以上の野菜をいう
・カロテンは油で調理をすると吸収率が高まる
・主に副菜に用いる

4群：その他の野菜、果物

・3群以外の野菜、果物が含まれる
・主にビタミンCを豊富に含み、カルシウム、ビタミンB₁、ビタミンB₂も多い
・調理、加熱によりビタミンの損失があるが、加熱するとかさが減り食べやすくなる
・調理法を組み合わせると豊かな副菜になる

5群：米、パン、めん、いも

・糖質性エネルギー源となる
・米、大麦、小麦などの穀類とその加工品及び糖類、菓子類が含まれる
・いも類は、糖質のほかにビタミンB₁、ビタミンCなども含まれる
・主に主食となる

6群：油脂、脂肪の多い食品

・脂肪性エネルギー源となる食品群
・大豆油、ごま油、オリーブ油などの植物性油脂には不飽和脂肪酸が多い
・バター、ラードなどの動物性油脂には飽和脂肪酸が多い
・加工油脂としてマーガリン、マヨネーズなどがある
・主に調理過程で用いる

---

check
大豆製品には豆腐、きなこ、おから、ゆば、豆乳などがある。大豆油も大豆製品だが、6群に含まれる。

check
乳製品にはヨーグルト、チーズがある。バターも乳製品だが、6群に含まれる。

check
緑黄色野菜にはいんげん、かぼちゃ、大根の葉、ほうれんそうなどがあり、カロテン含有量が600μg/100g以下でも食べる量や回数の多いトマト、ピーマンも緑黄色野菜に含まれる。

check
その他の野菜には玉ねぎ、きゅうり、大根の根の部分などがある。

check
米の加工品には日本酒、酢、みそ、せんべい、白玉粉などがある。小麦の加工品にはパンやうどんなどのめん類、麩などがある。片栗粉はじゃがいもの加工品である。

4

子どもの食と栄養

❸ 食事の基礎知識

209

3 献立作成・調理の基本

1 献立作成

献立を作成する際には、食べる人の性、年齢、活動状況に適した**栄養量**を満たすことができるようにします。また、**嗜好**、**季節**、地域性、食品の安全性なども考慮します。

一般に、日常食はご飯（主食）と汁物（スープ類）に**主菜**と1〜2品の**副菜**をそろえると、栄養的にも優れた献立（**一汁三菜**）になります。その際、食品の種類については、**6つの基礎食品群**を参考にし、量については、**食事バランスガイド**を利用するとわかりやすいです。

一方、人生の節目の特別（ハレ）の日や年中行事には、日常食とは異なった**行事食**（下表）が用意され、家族の健康や自然の恵みへの感謝を表す慣習があります。また、日本各地には気候風土に合ったその地域独自の**郷土料理**が数多くあり、石狩鍋（北海道）、深川めし（東京）、ぶり大根（富山）、がめ煮（福岡）などです。行事食や郷土料理はその地域や**旬**の食材を取り入れて工夫され、伝統的な食文化として継承されています。

■ 日本の主な行事と料理 ■

年中行事	時期	料理・食べ物
正月	1月1日	おせち料理、雑煮
人日の節句	1月7日	七草がゆ
鏡開き	1月11日	鏡餅のおしるこ
節分	2月3日頃	煎り豆
桃の節句	3月3日	菱餅、白酒
端午の節句	5月5日	ちまき、柏餅
七夕の節句	7月7日	そうめん
重陽の節句	9月9日	栗飯、菊酒
冬至	12月22日頃	かぼちゃ、小豆がゆ
大晦日	12月31日	年越しそば

主食、主菜、副菜
••▶ p.191

一汁三菜の配膳図

6つの基礎食品群
••▶ p.209

食事バランスガイド
••▶ p.191

check
旬の主な食材には、春はたい、あさり、菜の花、たけのこ、いちご、夏はかつお、うなぎ、きゅうり、トマト、すいか、秋はさば、さんま、きのこ、ぶどう、りんご、冬はぶり、たら、大根、ほうれん草、みかんなどがある。

check
おせち料理には数の子（子孫繁栄）、田作り（豊作）、黒豆（まめまめしく働く）、海老（長寿）など、いわれのある縁起物が用意される。

check
七草がゆは、せり、なずな、ごぎょう、はこべら、ほとけのざ、すずな、すずしろの7つの新菜を入れたかゆで、無病息災を願って1月7日に食べる。

2 調理の基本

調理には、材料を計量する・洗う・切るなどの準備や調理作業、盛り付け、配膳、後片付けなどの作業があります。

調理法には生食調理、加熱調理、調味があります。生食調理には加熱で失われる**ビタミン**類が少ない利点はありますが、**食中毒**の危険があります。加熱料理には、水を利用する湿式加熱（ゆでる、煮る、蒸す）と水を利用しない乾式加熱（焼く、揚げる、炒める）と電子レンジ・電磁調理器加熱があります。加熱料理の特徴には、熱により病原菌や寄生虫を死滅させて安全な食べ物にする、食品の組織を軟かくする、消化吸収を高める、たんぱく質が凝固する、などがあります。

特に小児の場合、咀しゃく力や消化・吸収力にかなり差が見られるため、食品の特徴を生かした適切な調理法を行うことが必要です。離乳食では、**ゆでる**、**煮る**、**蒸す**調理法が主になります。消化機能が発達するにつれて、油を使って炒める、揚げる調理法が加わってきます。また、よく行なわれる下処理には、湯むき、湯せん、油抜き、湯通しなどがあります。

味の基本は、塩味、甘味、酸味、苦味、うま味の5つです。離乳食の開始時は、味付けをせず、離乳が進んで調味料を使用する場合も、**うす味**で調味し、食品のもつ本来の味を生かします。離乳食での塩味は、基準の1/4程度、幼児食でも1/2程度にし、こんぶやかつお節のだし汁などからの**旨味成分**を活用しましょう。

3 食中毒と衛生管理

食中毒は、**細菌**や**ウイルス**、細菌が産生した**毒素**、**自然毒**、有害な**化学物質**などにより汚染された食品等を飲食することで、一定の潜伏期間を経て、腹痛、嘔吐、下痢、発熱などが起こります。重篤な場合は死に至ることもあります。乳幼児は、特に**抵抗力**が弱いので食中毒予防を視野に入れた衛生管理が大切です。

✦••♛ **check** ✦
計量スプーンには、小さじ（5ml）、大さじ（15ml）などがある。ただし、容量と重量の関係は必ずしも一定ではなく、塩の場合小さじ1杯（5ml）の重量は6gである。

✦••♛ **check** ✦
湯むきはトマトなどを熱湯につけたあと、すぐに冷水にとって皮をむく方法。湯せんは湯を入れた大きい鍋に、バターなどを入れた小さい鍋を入れて加熱する方法。油抜きは油揚げなどに熱湯をかけ、表面の油をとる方法。湯通しはしらすなどを熱湯にさっとくぐらせる方法。

✦••♛ **check** ✦
汁物の塩味の基準濃度は、体液の塩分濃度が約0.9%であることから、一般に0.7～1.0%を目安としている。

✦••♛ **check** ✦
2つ以上の味が混合されると味の感じ方が変化する。味の相互作用といい、対比効果（すいか＋塩：甘味を強める）、抑制効果（コーヒー＋砂糖：苦味を弱める）、相乗効果（昆布＋かつお節：より一層うま味が強まる）などがある。

国内の食中毒は、夏は**細菌性食中毒**、冬は貝類が原因と考えられる**ウイルス**性食中毒が多くなっています。

細菌性食中毒のうち、**感染型**は原因菌が食品と共に体内に取り込まれて増殖するもので、**毒素型**は原因菌が食品に付着しているとき、または体内に取り込まれた後に増殖する際に毒素を発生させます。

■ 主な食中毒の分類 ■

種類		原因菌	原因となる食品など	予防法など
細菌性	感染型	サルモネラ菌	鶏卵、鶏肉	加熱調理
		カンピロバクター菌	生肉（鶏肉）	加熱調理
		ウエルシュ菌	大量調理のカレー、シチュー	再加熱は十分に行う（給食病）
		腸炎ビブリオ菌	刺身、寿司	真水で洗浄、加熱調理
		腸管出血性大腸菌（O157 など）	生肉、井戸水	加熱調理（75℃ 1 分以上）
		リステリア	生ハム、ナチュラルチーズ（非加熱）	加熱調理、妊婦は食べない
	毒素型	黄色ブドウ球菌	手作り品（おにぎり）	化膿創のある人の調理禁止、手指の洗浄消毒
		ボツリヌス菌	ソーセージ、ハチミツ	1 歳未満児にハチミツを与えない（乳児ボツリヌス症）
		セレウス菌（嘔吐型）	米飯、スパゲッティ	穀類の食品は調理後室温に放置しない
ウイルス性		ノロウイルス	二枚貝	加熱調理（85 ～ 90℃ 90 秒以上）または次亜塩素酸ナトリウムでの消毒
自然毒	動物性	ふぐ毒、貝毒	ふぐ、貝類	素人はふぐの調理はしない
	植物性	ソラニン類	じゃがいも	じゃがいもの芽、緑色の皮は除去し、未熟で小さなじゃがいもは食べない
化学物質			農薬、有機水銀	薬品の誤用、不正混入を防ぐ

食中毒予防の 3 原則は、細菌を①**つけない**、②**増やさない**、③**やっつける**（加熱、殺菌）です。具体的な予防法として家庭でできる食中毒予防の 6 つのポイントがあります。

■ 家庭でできる食中毒予防の6つのポイント ■

①購入：生鮮食品は新鮮なものを、消費期限などを確認、など
②保存：冷蔵庫は10℃以下、冷凍庫は－15℃以下に維持、など
③下準備：生の肉、魚、卵を取り扱った後には手を洗う、など
④調理：加熱調理は十分に（中心温度75℃で1分間以上）、など
⑤食事：手を洗う、調理前後の食品は長く放置しない、など
⑥残った食品：早く冷えるように浅い容器に小分けし保存、など

4 食品の表示

　市販の食品の表示は、**食品表示法**で義務付けられています。容器包装された加工食品には、下のような表示があり、機能性やマークなどが表示されているものもあります。

表示事項	表示方法など
原材料名・添加物	原材料と食品添加物は重量の割合の高い順に表示する。遺伝子組換え作物・食品は義務表示
アレルギー物質（アレルゲン）	特定原材料8品目（えび、かに、卵、乳、小麦、そば、落花生、くるみ）は義務表示。特定原材料に準ずる20品目も表示が推奨されている
消費期限または賞味期限	消費期限は安全に食べられる期限（製造日から約5日以内）で、弁当などが対象。賞味期限はおいしく食べられる期限で、缶詰などが対象。どちらも未開封で適切に保管された場合の期限
栄養成分の量・熱量	熱量、たんぱく質、脂質、炭水化物、ナトリウム（食塩相当量で表示）の5項目は義務表示
特別用途食品	乳児、幼児、妊産婦、病者用など、特別な用途で利用される食品。国が審査を行い、消費者庁長官が許可した製品にはマークが表示される
特定保健用食品（トクホ）	科学的根拠に基づき、「おなかの調子を整える」等の表示が許可されている食品。国が審査を行い、食品ごとに消費者庁長官が許可し、製品にはマークが表示される
栄養機能食品	特定の栄養成分（ビタミン、ミネラル等）の補給のために利用できる食品。国の審査は不要で、一定の基準量を含む食品であれば、届出をしなくとも国が定めた表現で機能性を表示できる
機能性表示食品	事業者の責任において、科学的な根拠に基づいて、機能性を表示した食品。消費者庁長官へ届出の必要はあるが、個別審査を受けたものではない

check
　遺伝子組換え作物・食品とは、病気や害虫に強い農作物を作るため、ほかの生物から取り出した遺伝子を人為的に組み込んだ農作物とそれを使用した食品のこと。

check
　2023（令和5）年3月9日より、食物アレルギーの表示義務がある特定原材料に「くるみ」が追加された。なお、くるみの表示義務には2025（令和7）年3月31日までの経過措置期間が設定されている。
→ p.260

check
特別用途食品マーク
乳児用調製粉乳などについている。

特定保健用食品マーク

ここで チャレンジ

問題 次の記述で正しいものに○、誤っているものに×をつけよ。

1. 「日本人の食事摂取基準（2020 年）」は基本的に健康な個人及び集団を対象としている。

2. 「6 つの基礎食品」において、果物は、緑黄色野菜とともに 3 群に分類される。

3. 2 種類のうま味（だし）を混ぜるとより一層うま味が強くなるが、これは味の相互作用の対比効果という。

4. 「食品表示法」において、表示が義務付けられている栄養成分は、熱量、たんぱく質、脂質、炭水化物、食物繊維、ナトリウム（食塩相当量で表示）である。

5. 1 歳未満児には、乳児ボツリヌス症のリスクがあるので、ハチミツを与えない。

6. 「特定保健用食品」とは、乳児、幼児、妊産婦、病者等を対象に、発育、健康の保持・回復等の特別の用途に適する旨を表示して販売されるものであり、乳児用調製粉乳は「特定保健用食品」に位置付けられている。

7. 1 〜 2 歳の基礎代謝基準値は、3 〜 5 歳より高い。

8. 人日の節句は、七草の節句ともいい、せり、なずな、ごぎょう、はこべら、ほとけのざ、すずな、すずしろの七草を入れたかゆを食べる。

9. 「日本人の食事摂取基準（2020 年版)」では、1 〜 17 歳を小児、18 歳以上を成人としている。

10. 3 色食品群の黄の食品群は米、油、いも類などで、主にエネルギーになる。

解答

1 ○ **2** × **3** × **4** × **5** ○ **6** × **7** ○ **8** ○ **9** ○ **10** ○

2 緑黄色野菜は 3 群であるが、果物は 4 群である。

3 相乗効果という。

4 食物繊維に表示義務はない。

6 説明文は「特別用途食品」についての内容で、乳児用調製粉乳は「特別用途食品」である。

発育発達の基礎知識

出題 point
• 身体機能の発育
• 咀しゃく機能の発達
• 栄養状態の評価

 ## 1 発育◆・発達◆

1 子どもの発育過程の区分

　小児期とは心身の成長に伴う様々な現象がみられる期間をいいますが、社会的な意義を含めて一般には**18歳未満**を指します。発育期はその年齢的変化による特徴などから、概ね次のように区分することができます。

■ 子どもの発育過程の区分例 ■

胎芽期	受精～胎生約2か月	幼児期	1～6歳未満
胎児期	胎生約2か月～出生	学童期	6～12歳未満
新生児期	出生～4週未満	思春期	12～18歳未満頃
乳児期	出生～1歳未満		

2 体の成長・発達

(1) 体重と身長

　新生児は、一時的に、生理的体重減少がみられますが、その後の体重、身長は1歳頃まで急激に増加します。**乳児期**が最も増加率が高く（**第一発育急進期**）、幼児期、学童期の身体的成長速度は緩やかになりますが、**思春期**に再び身長増加量が大きくなります（**第二発育急進期**）。思春期には、男女共に性腺が著しく発達し、第二次性徴が出現します。

 用語

◆発育
　身体の基本単位である細胞数が増加するとともに1つ1つの細胞が大きくなり、身長が伸び、体重が増加し、身体の大きさが増大すること。また、成長ともいわれ、形態面で成熟していく過程を指す。

◆発達
　機能面の増大をいい、ことばの数、精神運動機能、消化酵素の分泌機能など、身体が質的に成熟していく過程を指す。

check
　小児期の発育過程は、さまざまな概念で区分され、諸説ある。

生理的体重減少
•••> p.107

月・年齢	生後 3 か月	1 歳	4 歳	12 歳
出生時体重 3kg に対する比	2 倍	3 倍	5 倍	14 〜 15 倍
出生時身長 50cm に対する比	―	1.5 倍	2 倍	3 倍

(2) 歯の発育

乳歯は生後 **7 〜 8** か月頃から生え始め、1 歳半頃には、前歯と第一乳臼歯が生えます。**2 〜 3** 歳頃までに第二乳臼歯が生え、**20** 本すべての乳歯が生えそろいます。乳歯は 6 歳頃から抜け始め、永久歯に生えかわります。**12** 歳頃にはすべての乳歯が抜けかわり、28 本の永久歯がそろいます。

3 食べる機能の発達

(1) 摂食機能

① 哺乳の準備

胎生 24 週頃から羊水を飲み込む**嚥下反射**が始まり、胎児期からすでに哺乳の準備をしていることがわかります。

② 哺乳運動

新生児は次のような一連の哺乳反射によって乳汁を飲むことができるようになります。

- **探索反射**：口の周りを刺激すると、刺激のほうを向く。
- **捕捉反射**：乳首が口に入ると、唇と舌でくわえる。
- **吸啜反射**：口にものが入ると、舌をリズミカルに動かして吸う。
- **嚥下反射**：口の中にたまったものを飲み込む。

またこの頃には、**舌提出反射**◆もみられます。

③ 咀しゃく機能

生後 5 〜 6 か月頃に離乳が開始され、食べ物が口に入ると、**口唇**を閉じて飲み込めるようになります。生後 7 〜 8 か月頃になると、食べ物を**舌**と上あごで押しつけて砕いて食べます。生後 9 〜 11 か月頃には食べ物を**歯ぐき**でつぶすことを覚え、生後 12 〜 18 か月頃からは、形ある食べ物を**歯**で噛みつぶすことができるようになります。乳歯が生えそろ

check
人により、20 歳頃になると親知らずが生える場合もある。

用 語
◆舌提出反射
　形のあるものを口に入れると、舌を使って反射的に口の外に押し出そうとする動作のこと。

う 3 歳頃には、咀しゃく機能が獲得されますが、噛む力は
まだ弱く、大人と同じではありません。幼児期は調理形態
に配慮しながら、噛みごたえのある食材を増やして、咀しゃ
く力を鍛える練習が大切です。

⑵ 消化・吸収機能

　離乳食が開始されると、**唾液**や**消化酵素**の分泌がよくな
り、乳汁以外の栄養素にも対応できるようになります。成
長につれて消化能力が高まっていきますが、たんぱく質を
よく消化できず、そのまま吸収して**アレルギー反応**を起こ
しやすくなる場合があるので、離乳は慎重に進めていくこ
とが大切です。幼児期では一度に摂取する量に配慮し、消
化不良には気をつけます。

⑶ 味覚

　乳児は甘味、塩味、旨味を好みますが、離乳期に**薄味**に
慣れさせ、いろいろな味を経験させることで、酸味、苦味
も受け入れられるようになります。

　味覚は 3 歳頃から記憶され、10 歳前後まで発達を続け、
青年期に安定するといわれています。味覚と嗜好の発達は
関連が深く、いろいろな食品や料理を経験した子どもほど
嗜好の幅が広がります。

 2 発育・栄養状態の評価

1 身体発育値による評価

⑴ 乳幼児

　国は 10 年毎に乳幼児身体発育調査を実施しています。こ
の調査結果の身長・体重の**乳幼児身体発育値**（パーセンタ
イル値）から、**乳幼児身体発育曲線**（成長曲線）を作成し
ています。この曲線と比較して、乳幼児の身長・体重の実
測値が、3 パーセンタイル値から 97 パーセンタイル値の曲
線の範囲に入れば、発育に問題ないと判断します。この曲
線は母子健康手帳にも記載されています。

4

子どもの食と栄養

❹ 発育発達の基礎知識

217

子どもは、常に成長・発達を続けています。身体の実測値をこの乳幼児身体発育曲線に当てはめ、経時的な変化を評価することで、子どもの**エネルギー摂取量**の過不足、病気、家庭環境などの問題を早期に発見することができます。

(2) 児童・生徒

文部科学省は毎年幼稚園児から高校生までを対象とし、**学校保健統計調査**を実施しています。この調査と乳幼児身体発育調査の結果を基に作成された**身長と体重の発育曲線作成基準図**（0〜17.5歳）を使用して、児童・生徒の発育を評価しています。特に思春期**やせ症**を発見するのに役立ちます。

2 指数による評価

身長・体重のバランスを数値で評価する方法です。

(1) カウプ指数

計算式は、体重（g）÷身長（cm）^{2} × 10 で、**乳幼児期**の発育の判定に用いられます。年齢により肥満の判定基準が異なりますが、おおよそ 15〜18 が普通です。

(2) ローレル指数

計算式は、体重（kg）÷身長（cm）^{3} × 10^7 で、**学童期**の発育の判定に用いられます。身長により肥満の判定基準が異なりますが、おおよそ 160 以上は肥満、100 以下はやせとしています。

(3) 肥満度

計算式は、（実測体重（kg）−標準体重（kg））÷標準体重（kg）× 100 で、乳幼児では± 15% 以内を、学童期からは± 20% 以内を普通としています。

(4) BMI

BMI は Body Mass Index の略で、主に**成人**の肥満度を示す指数です。計算式は、体重（kg）/ 身長（m）^{2} で、日本では、18.5 未満がやせ、18.5 以上 25 未満が普通、25 以上を肥満としています。

check

幼児の場合の肥満度は乳幼児身体発育調査より作成された幼児の身長体重曲線に、身長・体重の実測値をプロットさせて評価する方法もある。

ここで チャレンジ

問題 次の記述で正しいものに○、誤っているものに×をつけよ。

1. 思春期には、男女ともに性腺が著しく発達し、第二次性徴が出現する。

2. 乳幼児身体発育曲線は、乳幼児身体発育値から作成され、母子健康手帳に掲載されている。

3. 生後 9 〜 11 か月頃になると、食べ物を舌と上あごで押しつけて砕くようになる。

4. 乳幼児の発育状態の評価には、ローレル指数を用いる。

5. 幼児の体格は経時的に変化するため、エネルギー摂取量の過不足のアセスメントは、成長曲線（身体発育曲線）を用いることが望ましい。

6. 乳歯は、5 〜 6 歳頃までに生えそろう。

7. 乳歯の永久歯への生えかわりは、9 歳頃から始まる。

8. 生後 6 か月頃になると唇を閉じられるようになるので、口からこぼさず上手に飲み込めるようになる。

9. 学校保健統計調査とは、文部科学省が毎年実施するもので、身長・体重などが平均値で示されている。

10. 第一発育急進期とは、主に乳児期をさす。

11. 咀しゃく機能は、乳歯が生えそろう 3 歳頃に獲得される。

解答

1 ○ **2** ○ **3** × **4** × **5** ○ **6** × **7** × **8** ○ **9** ○ **10** ○ **11** ○

3 生後 7 〜 8 か月頃である。

4 乳幼児期の発育状態の評価はカウプ指数を用い、学童期でローレル指数を用いる。

6 2 〜 3 歳頃である。

7 永久歯への生えかわりは、6 歳頃からである。

妊娠・授乳期の栄養と食生活

出題
point
- 妊産婦の栄養摂取
- 妊娠前からはじめる妊産婦のための食生活指針
- 妊産婦の食生活の留意点

 1　妊娠・授乳期の特性

　妊娠期の食生活は、胎児の発育と妊娠を維持する母体の健康を守るために、とても大切です。妊娠期間は**初期**（14週未満）、**中期**（14 ～ 28週未満）、**後期**（28週以降）に区分され、各期の栄養摂取に特徴があります。授乳期の食生活は、十分な母乳の分泌と母体回復のため、必要なエネルギーや栄養素を補給する必要があります。

 2　妊娠・授乳期の栄養摂取量

1　エネルギー・たんぱく質・鉄・ビタミンA・葉酸

　妊娠・授乳期の栄養摂取については、非妊娠時の「日本人の食事摂取基準（2020年版）」に**付加量**が示されています。

　ビタミンAは、過剰摂取すると**奇形児**の発現率が高まるリスクがあるため、妊娠初期、中期の付加量はありません。**葉酸**は、妊娠・授乳期とも十分摂取することが必要ですが、付加量（推奨量）は妊娠中期、後期（＋ 240μg / 日）、授乳期（＋100μg / 日）で設定されています。

　また、受胎前後に葉酸のサプリメントを摂取することにより、胎児の**神経管閉鎖障害**のリスクが低減することが明らかになりました。食事摂取基準の解説では、妊娠を**計画**

神経管閉鎖障害
•••> p.203

している女性、妊娠の**可能性のある**女性、妊娠**初期**の妊婦は、通常の食品から摂る葉酸に、利用効果の高い**サプリメント**や強化食品の葉酸（＋ 400μg / 日）を付加的に摂取するよう推奨しています。「妊娠前からはじめる妊産婦のための食生活指針」（2021〔令和 3〕年改定：厚生労働省）の解説でも、胎児の神経管閉鎖障害発症予防のため、妊娠前から葉酸のサプリメントの利用を勧めています。

妊婦・授乳婦の**カルシウム**、ナトリウム（食塩相当量）の付加量はありません。エネルギー、たんぱく質、鉄、ビタミン A の付加量は下の表のとおりです。

check
「日本人の食事摂取基準」2025 年版では、鉄や葉酸の付加量等に変更が予定されている。

■ 妊婦・授乳婦の付加量（2020 年版）■

	妊娠初期	妊娠中期	妊娠後期	授乳期
エネルギー（kcal/ 日）	＋ 50	＋ 250	＋ 450	＋ 350
たんぱく質（推奨量：g/ 日）	＋ 0	＋ 5	＋ 25	＋ 20
鉄（推奨量：mg/ 日）	＋ 2.5	＋ 9.5	＋ 9.5	＋ 2.5
ビタミン A（推奨量：μg RAE/ 日）	＋ 0	＋ 0	＋ 80	＋ 450

2 脂質

妊婦と授乳婦の脂肪エネルギー比率（％エネルギー）は 20 ～ 30 で、**非妊娠時と同じ**です。n-3 系多価不飽和脂肪酸の **DHA**（ドコサヘキサエン酸）や **EPA**（エイコサペンタエン酸）は、胎児、乳児の神経組織の発育に重要な成分です。さばやいわしのような**青魚**の摂取が勧められます。

3 妊娠前からはじめる妊産婦のための食生活指針

「妊産婦のための食生活指針」（2006 年厚生労働省）は、2021（令和 3）年に「**妊娠前からはじめる妊産婦のための食生活指針**」に改定されました。この指針の中に、「**妊産婦のための食事バランスガイド**」および「**妊娠中の体重増加指導の目安**」が示されています。

■ 妊娠前からはじめる妊産婦のための食生活指針 ■

★**妊娠前**から、**バランス**のよい食事をしっかりとりましょう

若い女性では「やせ」の割合が高く、エネルギーや栄養量の摂取不足が心配されています。1日2回以上、主食・主菜・副菜の3つをそろえてしっかり食べられるよう、妊娠前から自分の食生活を見直し、健康なからだづくりを意識してみましょう。

★「**主食**」を中心に、**エネルギー**をしっかりと

妊娠中、授乳中には必要なエネルギーも増加するため、炭水化物の豊富な主食をしっかり摂りましょう。

★不足しがちな**ビタミン・ミネラル**を、「**副菜**」でたっぷりと

妊娠前から、野菜をたっぷり使った副菜でビタミン・ミネラルを摂る習慣を身につけましょう。

★「**主菜**」を組み合わせて**たんぱく質**を十分に

たんぱく質は、からだの構成に必要な栄養素です。多様な主菜を組み合わせて、たんぱく質を十分に摂取するようにしましょう。

★乳製品、緑黄色野菜、豆類、小魚などで**カルシウム**を十分に

日本人女性のカルシウム摂取量は不足しがちであるため、妊娠前からカルシウムを摂るよう心がけましょう。

★妊娠中の**体重増加**は、お母さんと赤ちゃんにとって望ましい量に

妊娠中の体重増加は、健康な赤ちゃんの出産のために必要です。不足すると、早産やSGA（妊娠週数に対して赤ちゃんの体重が少ない状態）のリスクが高まります。「妊娠中の体重増加指導の目安」を参考に適切な体重増加量をチェックしてみましょう。

★**母乳育児**も、バランスのよい食生活のなかで

授乳中に、特にたくさん食べなければならない食品も、食べてはいけない食品もありません。必要な栄養素を摂取できるように、バランスよく、しっかり食事をとりましょう。

★無理なくからだを動かしましょう

妊娠中に、軽い運動をおこなっても赤ちゃんの発育には問題はありません。新しく運動を始める場合や体調に不安がある場合は、必ず医師に相談してください。

★**たばこ**と**お酒**の害から赤ちゃんを守りましょう

妊娠・授乳中の喫煙、受動喫煙、飲酒は、胎児や乳児の発育、

アドバイス

「妊娠前からはじめる妊産婦のための食生活指針」は保育士試験では頻出なので十分理解しておこう。

主食・主菜・副菜
‥‥▷p.191

check

日本の低出生体重児出生率（出生児の体重が2,500g未満で生まれる割合）は、9%（「世界子供白書2023」ユニセフ）で、先進国の中では低くはない。

母乳分泌に影響を与えます。お母さん自身が禁煙、禁酒に努めるだけでなく、周囲の人にも協力を求めましょう。

★**お母さんと赤ちゃんのからだと心のゆとりは、周囲のあたたかいサポートから**

お母さんと赤ちゃんのからだと心のゆとりは、家族や地域の方等周りの人々の支えから生まれます。不安や負担感を感じたときは一人で悩まず、家族や友人、地域の保健師など専門職に相談しましょう。

（厚生労働省）

❺ 妊娠・授乳期の栄養と食生活

check
低出生体重児は将来、糖尿病や高血圧症を発症しやすくなる（成人病胎児期発症説）という報告もある。

■ 妊産婦のための食事バランスガイドの1日分付加量 ■

	非妊産婦 1日分	妊娠初期	妊娠中期	妊娠後期・授乳期
主食	5〜7つ		付加量なし	+1
副菜	5〜6つ		+1	+1
主菜	3〜5つ	付加量なし	+1	+1
牛乳・乳製品	2つ		付加量なし	+1
果物	2つ		+1	+1

■ 妊娠中の体重増加指導の目安 ■

妊娠前の体格（BMI）		体重増加量指導の目安
低体重（やせ）	18.5 未満	12〜15kg
普通体重	18.5 以上 25.0 未満	10〜13kg
肥満（1度）	25.0 以上 30 未満	7〜10kg
肥満（2度以上）	30 以上	個別対応（上限 5kgまでが目安）

check
妊娠前の体格が「低体重（やせ）」や「ふつう」で、妊娠中の体重増加量が7kg未満の場合には、低出生体重児を主産するリスクが高くなると言われている。

 4　妊娠・授乳期の食生活の留意点

1 妊婦の体重管理

妊娠中の適正な体重増加は、長期的な母子の健康のために必要です。不足すると早産や胎児の**低出生体重**のリスクが高まり、過剰だと巨大児のリスクや妊娠**高血圧**症候群や妊娠**糖尿病**の合併症を引き起こします。胎児発育に与える影響は、特に、妊娠前の体格が**やせ**の場合により強いです。妊婦の体重管理は、妊娠中の**体重増加指導の目安**を参考にします。

2 妊産婦が摂取に留意すべき点

「妊娠前からはじめる妊産婦のための食生活指針」にも示されているように、妊産婦の食生活は胎児や乳児の発育に影響を与えます。妊産婦が過剰摂取に留意すべき栄養素等は、**ビタミン A**、メチル水銀、**アルコール**、カフェインなどです。

魚介類は、妊産婦にとっても欠かせない食材ですが、一部の魚（キンメダイ、メバチマグロなど）には、食物連鎖によりメチル水銀が多く含まれています。妊婦がそれを偏って摂取すると胎児に影響を与える可能性があるため、魚介類の種類と量とのバランスを考えて摂るとよいとされています。なお、ツナ缶については通常の摂取で差し支えありません。

check
妊婦の魚介類からの水銀摂取に関する注意事項は、「妊婦への魚介類の摂食と水銀に関する注意事項」（薬事・食品衛生審議会食品衛生分科会 乳肉水産食品部会〔平成22年改訂〕）に示されている。

■ 妊産婦が摂取に留意すべき点 ■

留意すべきもの	主な含有食品	影響
ビタミン A	レバー、うなぎ、栄養機能食品	妊娠初期の過剰摂取：奇形児の発現のリスクが高まる
葉酸	緑黄色野菜、納豆	妊娠前後の摂取不足：神経管閉鎖障害のリスクが高まる
ビタミン K	緑黄色野菜、納豆	妊娠期の摂取不足：新生児頭蓋内出血症、新生児メレナの発症リスク
鉄	レバー、緑黄色野菜	摂取不足：鉄欠乏性貧血
アルコール	酒類	妊娠期：胎児性アルコール・スペクトラム障害 授乳期：母乳から乳児に移行し影響を与える
ニコチン	たばこ	妊娠期：早産や低出生体重児の発生率が高まる 乳幼児突然死症候群（SIDS）の一因とされている
カフェイン	コーヒー、紅茶	妊娠期の過剰摂取：中枢神経を興奮させる作用をもち、胎児の心拍数と呼吸に影響 授乳期の過剰摂取：乳幼児突然死症候群（SIDS）の一因とされる
メチル水銀	キンメダイ、メバチマグロ	妊娠期の過剰摂取：胎児の神経系の発達（聴力）に影響を与える
リステリア菌	ナチュラルチーズ（非加熱）、パテ、生ハム、スモークサーモン	妊娠期：早産や流産の原因になりうる

問題 次の記述で正しいものに○、誤っているものに×をつけよ。

1. 「日本人の食事摂取基準（2020年版）」では、妊娠期にカルシウムの付加量が設定されている。

2. 「妊娠前からはじめる妊産婦のための食生活指針」（令和3年：厚生労働省）では、若い女性の「やせ」の割合が高く、エネルギーや栄養量の摂取不足が心配されていることから、「妊娠前から、バランスのよい食事をしっかりとりましょう」と示されている。

3. キンメダイやメバチマグロは、食物連鎖により水銀を多く含むため、妊娠中に食べる場合は注意が必要である。

4. 妊娠期間中の推奨体重増加量は、妊娠前の体格別に設定されている。

5. 「妊娠前からはじめる妊産婦のための食生活指針」（令和3年：厚生労働省）では、「乳製品、緑黄色野菜、豆類、小魚などで鉄を十分に」と示されている。

6. 「妊娠前からはじめる妊産婦のための食生活指針」（令和3年：厚生労働省）では、妊娠中、授乳中には必要なエネルギーも増加するため、「『主食』を中心に、エネルギーをしっかりと」と示されている。

7. 「妊娠前からはじめる妊産婦のための食生活指針」（令和3年：厚生労働省）では、妊娠を計画している人や妊娠初期の人には、神経管閉鎖障害の予防のため、葉酸のサプリメントを利用することを勧めている。

8. 「妊産婦のための食事バランスガイド」において、妊娠中期1日分付加量は、主食、副菜、主菜、牛乳・乳製品、果物の5つの区分すべてにおいて、＋1（SV: サービング）である。

解答

1 × **2** ○ **3** ○ **4** ○ **5** × **6** ○ **7** ○ **8** ×

1　妊娠期のカルシウム付加量は設定されていない。

5　鉄ではなくカルシウムである。

8　妊娠中期1日分付加量は主食、牛乳・乳製品はなし、副菜、主菜、果物は＋1である。

Section 6　乳児期の栄養と食生活

出題
point
- 母乳栄養
- 人工乳栄養
- 離乳食の進め方の目安

1　乳児期の発育栄養

　乳児期は成長が最も顕著な時期で、また、成長や蓄積のための栄養補給が重要な時期でもあります。成人と比べて体重1kg当たりのエネルギー、たんぱく質、カルシウム、鉄などの必要量や脂肪エネルギー比率が**高く**設定されています。また、乳児期には消化・吸収機能や**代謝**機能が未熟なため、発達段階に応じた栄養法や食事形態で与えることが重要です。

　乳児は生まれながらに、探索、捕捉、吸啜、嚥下を反射的に行うことができますが、咀しゃくは固形食を摂取することで獲得されていきます。また、乳児にとっての食事は、母乳や離乳食などを通して食事を与えられる安心感などを得られ、精神的な発達にも重要な役割をもっています。

　乳児期には、乳汁と離乳食でエネルギーや栄養素を摂取します。乳汁栄養には、下記の種類があります。

■ 乳汁栄養の種類 ■

母乳栄養	母乳
人工乳栄養	育児用ミルクなど
混合栄養	母乳と育児用ミルクの両方

●**check**
　日本の乳児の死亡率は、0.2％（「世界子供白書2023」ユニセフ）で、WHO加盟国の中でも極めて低い。

2 母乳栄養

1 母乳の特徴

母乳は、生後 5 か月頃までの乳児の**基本的**な栄養法です。

(1) 初乳

出産後数日間分泌される黄色の濃い母乳で、**感染防御因子**は成熟乳より多く、必ず飲ませることが大切です。

(2) 成熟乳

出産後約 10 日以後の一定の栄養成分を含む母乳で、成分組成は、乳児に最適なかたちで含まれています。

【たんぱく質】牛乳に比べ量は少ないが、ラクトアルブミンなどの乳清たんぱく質の割合が高く、カゼインが少ない。そのため消化吸収されやすい。新生児に必須のタウリン、シスチンが多い。
【脂質】牛乳と同じ程度の量が含まれるが、牛乳に比べて、消化吸収の良い多価不飽和脂肪酸（リノール酸、α‐リノレン酸、DHA）の割合が、かなり高い。
【糖質】多くは乳糖で、牛乳の約 2 倍量含み、オリゴ糖も含む。
【ミネラル】牛乳と比べて量は少なく、乳児に負担がかからない。
【ビタミン】ほとんどのビタミンが含まれるが、牛乳と比べると量は少ない。

2 母乳育児の利点と留意点

母乳育児には、次のような利点と留意点があります。

■ 母乳育児の利点と留意点 ■

利点	・成分組成が乳児に最適で、消化吸収がよく、代謝負担が少ない
	・感染症の発症及び重症度が低い 免疫グロブリン A（IgA）、ラクトフェリン、リゾチーム、オリゴ糖（ビフィズス菌増殖因子）などの感染防御因子が多い
	・小児期の肥満や 2 型糖尿病の発症リスクが低いという報告がある
	・良好な母子関係を育む
	・産後の母体の回復を促進する 乳児の吸啜刺激は、プロラクチン（催乳ホルモン）やオキシトシン（射乳ホルモン）の放出を促す。オキシトシンは、子宮の収縮作用があり、出産後の子宮の回復を促す

···check···
初乳から成熟乳に移行するまでの母乳は移行乳という。

···check···
育児用ミルクを少しでも与えると肥満になるわけではない。

···check···
母乳栄養児に乳幼児突然死候群（SIDS）の発症率が少なくなるという報告もある。

留意点	・母乳不足 乳児の母乳摂取量が分かりにくいので、体重の増加量で判断する。不足量は調製乳で補う
	・母乳性黄疸 多くの新生児は生理的黄疸が現れるが、母乳栄養児は長引くことがある
	・ビタミン K、鉄分の不足
	・母親の薬物、飲酒、喫煙などの影響を受ける

3 母乳の与え方

　母乳での授乳は、乳児が欲しがるときに欲しがるだけ与える自律授乳を基本とします。母乳を必要としなくなる時期には、個人差があるため、母乳を与える時期を与える側が決める断乳ではなく、子ども自身が自然に母乳を飲むことをやめる卒乳を待つのがよいです。

4 母乳の保存

　母親が乳児に授乳できない場合は、母乳を搾乳して市販の母乳パックに移し、冷蔵・冷凍保存ができます。健康な乳児への利用であれば、冷蔵（4℃）で 72 時間、冷凍（－20℃）で 3 か月の保存が可能です。保管容器には氏名等を明記して、他の乳児に誤って飲ませることがないよう十分注意し、授乳直前に湯せんします。

check

　冷凍母乳を解凍するときは、免疫グロブリン A などの成分が一部変化するのを避けるため、電子レンジ、熱湯は使用せず、容器のまま流水や微温湯で行い、体温以上にならないようにする。飲み残しは捨てる。

3 人工乳栄養

　様々な理由から、母乳栄養を行うことができず、母乳以外の乳（育児用ミルク）で乳汁栄養を行うことを人工乳栄養といいます。育児用ミルクのうち、乳児用調製乳は母乳の代替品で、乳児用調製粉乳と乳児用調製液状乳があります。乳児用調製乳は「生乳、牛乳もしくは特別牛乳またはこれらを原料として製造した食品を加工し、または主要原料とし、これに乳幼児に必要な栄養素を加え、粉末状及び液状にしたもの」と規定されています。

1 育児用ミルク

主な育児用ミルクは以下のとおりです。

■ 主な育児用ミルクの種類 ■

調製乳	**乳児用調製粉乳** 牛乳の成分を母乳に近づけるように改良し、母乳の代替品として用いられる粉ミルク。特別用途食品	
	乳児用調製液状乳（乳児用液体ミルク） 調製粉乳と同じ成分で、調乳・殺菌済みのため、そのまま哺乳瓶に移し替え、与えることができる。紙パックや缶製品があり、常温で長期保存可能。緊急時、災害時に便利。特別用途食品	
	フォローアップミルク（離乳期幼児期用粉乳） 生後9か月から使用できる粉ミルク。乳児用調製粉乳よりたんぱく質、カルシウム、鉄が強化されている。離乳が順調に進まず、鉄欠乏のリスクが高い場合や適当な体重増加がみられない場合は医師に相談の上、活用する	
	低出生体重児用粉乳 出生体重が2.5kg未満の低出生体重児用のミルク。栄養も母乳を理想としており、早産児の母乳を参考に、たんぱく質・糖質・ミネラルは多く、脂肪を減らしている。添加ビタミンも多い	
特殊ミルク（市販）	牛乳アレルゲン除去粉乳	**たんぱく質分解乳（ペプチドミルク）** アレルゲン性を低減したミルク。ただし、アレルギー予防やアレルギー治療のためのものではない
		アミノ酸混合乳（精製アミノ酸乳） 20種類のアミノ酸をバランスよく配合し、ビタミン、ミネラルを添加したもの。牛乳のたんぱく質を全く含まないアレルギー治療ミルク
	大豆たんぱく調製乳 大豆を主原料とし、メチオニン、ヨウ素を添加し、ビタミン、ミネラルを強化。牛乳のたんぱく質に対するアレルギー児用	
	低ナトリウム粉乳 心臓、腎臓、肝臓疾患児用で、ナトリウムを1/5以下に減量してある	
	無乳糖粉乳 乳児用調製粉乳から乳糖を除去し、ブドウ糖に置き換えた育児用粉乳。乳糖分解酵素欠損などのため乳糖で下痢をする乳糖不耐症児用のミルク	

2 調乳法

調乳法には**無菌操作法**と**終末殺菌法**があります。無菌操作法では、粉乳は正確に計量し、細菌（**サカザキ菌**など）汚染を避けるために一度沸騰させた**70℃以上の湯**（沸騰後30分以内のもの）で調乳し、調乳後**2**時間以内に飲まなかったミルクは廃棄します。哺乳瓶などは、洗浄・消毒（煮沸消毒、

check
乳児用液体ミルクは未開封であれば常温保存が可能である。開封後すぐに使用し、飲み残しは雑菌が繁殖しやすいので与えない。

check
フォローアップミルクは母乳や育児用ミルク、牛乳の代替品ではないので使用時期に注意が必要である。

check
缶入りの粉乳は使用開始日を記入し、開封後約1か月で使い切るようにする。使用後はすぐに蓋をして、直射日光の当たらない乾燥した涼しい場所に保管する（冷蔵庫や冷凍室は適さない）。スプーンは洗って消毒し、別の場所に保管する。

check
サカザキ菌は、髄膜炎や腸炎の発生に関係するといわれている。

薬液消毒、電子レンジ消毒）されたものを使用します。

無菌操作法	家庭や少人数の保育所などで授乳のたびに1回分ずつ調乳する方法
終末殺菌法	病院や乳児院などで行われている調乳法。1日分まとめて調乳し、哺乳瓶に入れて煮沸消毒した後、冷蔵保管し、授乳のたびに温める方法

check

調乳後は、直ちに哺乳瓶を流水などで人肌の温度（保育者の上腕内側に乳汁を垂らして確認）になるまで冷ます。

4 授乳の支援

授乳等の支援のポイント

　WHO（世界保健機関）とUNICEF（国連児童基金）から「母乳育児成功のための10のステップ」（2018年改訂）が共同発表されました。その中には、「新生児に医療目的以外、母乳以外の食べ物や液体を与えてはいけない」「出産後できるだけすぐ、直接肌を触れ合い、母乳育児を始められるよう支援する」「母親と乳児が一緒にいられ、24時間同室できるようにする」「母親に哺乳瓶やその乳首、おしゃぶりの使用のリスクについて助言する」などが示されています。

　「授乳・離乳の支援ガイド」（2019年改定：厚生労働省）における授乳等の支援のポイントの概要は次のとおりです。

■ 授乳・離乳の支援ガイドの主なポイント ■

◆妊娠期
・母子にとって母乳は基本であり、実現できるよう妊娠中から支援
・妊婦やその家族に、授乳方法や母乳育児の利点等の情報を提供する
・育児用ミルクを選択する場合はその決定を尊重し支援する
・母親の食生活は「妊産婦のための食生活指針」を踏まえた支援

◆授乳の開始から授乳のリズムの確立まで
・出産後はできるだけ早く、母子がふれあい母乳を飲めるよう支援
・特に出産後から退院まで、母親と子どもは終日同室を支援
・子どもが欲しがるサインや抱き方、乳房のふくませ方、哺乳瓶の乳首のふくませ方など適切な授乳の支援
・子どもが欲しがるとき、母親が飲ませたいときに授乳できるよう支援
・子どもの発育は乳幼児身体発育曲線を用い、子どもの状態に応じ支援
・できるだけ静かな環境で、適切な子どもの抱き方で、目と目を合わせて、優しく声をかける等授乳時の関わりについての支援

> ◆授乳の進行
> ・授乳のリズムを確立できるよう支援
> ・授乳のリズムの確立以降も、授乳・育児が継続できるよう支援
> ・困った時に相談できる母子保健事業の紹介や仲間づくり等、社会全体で支援
>
> ◆離乳への移行
> ・授乳を継続するか終了するかを判断できる情報提供、母親等の考えを尊重した支援

 5 離乳

1 離乳とは

「授乳・離乳の支援ガイド（2019年改定版）」によると、「離乳とは、成長に伴い、母乳又は育児用ミルク等の乳汁だけでは不足してくるエネルギーや栄養素を補完するために、乳汁から幼児食に移行する過程」をいい、そのとき与えられる食事を離乳食といいます。

2 離乳の支援の考え方および方法

離乳の支援にあたっては、子どもの健康を維持し、成長・発達を促すよう支援するとともに、健やかな母子、親子関係の形成を促し、育児に自信がもてるような支援を基本とします。また、この時期から生活リズムを意識し、健康的な食習慣の基礎を培い、家族等と食卓を囲み、ともに食事をとりながら楽しく食べる体験を増やしていきます。

「授乳・離乳の支援ガイド（2019年改定版）」に示されている離乳の支援の方法は、次のとおりです。

(1) 離乳の開始

> ・なめらかにすりつぶした状態の食物を初めて与えたときをいう
> ・発達の目安は、首がすわり寝返りができ、5秒以上座れる
> ・スプーンなどを口に入れても舌で押し出すことが少なくなる（哺乳反射の減弱）、食べ物に興味を示すなどである
> ・生後5～6か月頃が適当
> ・ハチミツは乳児ボツリヌス症を引き起こすリスクがあるため満1歳になるまで与えない

乳児ボツリヌス症は、食品中のボツリヌス毒素の摂取により発症する従来のボツリヌス食中毒とは異なり、1歳未満の乳児が、芽胞として存在しているボツリヌス菌を摂取し、その芽胞が消化管内で発芽、増殖し、それにより産生された毒素で発症する。

ボツリヌス菌は熱に強いため、通常の加熱調理では死滅しない。

(2) 離乳の進行

離乳食の食べ方の特徴および食べさせ方のポイントは下の通りです。

◆**離乳初期**（生後 5 〜 6 か月頃）
・口唇を閉じて、捕食や嚥下ができるようになり、口に入ったものを舌で前から後へ送り込むことができる
・平らな離乳食用スプーンで下唇にのせ、上唇が閉じるのを待ち、スプーンを引き抜くようにして食べさせる

◆**離乳中期**（生後 7 〜 8 か月頃）
・舌、顎の動きは前後から上下運動に移行し、口唇は左右対称に引かれるようになる
・平らな離乳食用スプーンで下唇にのせ、上唇が閉じるのを待って食べさせる

◆**離乳後期**（生後 9 〜 11 か月頃）
・舌で食べ物を歯ぐきの上にのせられるようになり、歯や歯ぐきでつぶすことができるようになる。口唇は左右非対称の動きとなり、噛んでいる方向によっていく動きがみられる
・丸み（くぼみ）のある離乳食用のスプーンで下唇にのせ、上唇が閉じるのを待つ
・手でつかんで食べたがるようになる。手づかみ食べの大切さをよく理解し、見守る

(3) 離乳の完了

離乳の完了の目安は下記のとおりです。

・形のある食物を噛みつぶすことができるようになり、エネルギーや栄養素の大部分が母乳または育児用ミルク以外の食物から摂取できるようになった状態をいう
・生後 12 〜 18 か月頃
・離乳の完了は、母乳または育児用ミルクを飲んでいない状態を意味するものではない
・食べ方は**手づかみ食べ**で、前歯で噛み取る練習をして、一口量を覚え、食具を使って自分で食べる準備をしていく
・手づかみ食べのできる食事や汚れてもよい環境を用意する

(4) 離乳の進め方の目安

離乳の進め方は、子どもの食欲や成長・発達に応じて調整しますが、進め方の目安は表のとおりです。

check
手づかみ食べは、目と手と口の協調運動であり、摂食機能の発達の上で重要な役割を担う。

check
離乳開始前に、果汁やイオン飲料を与えることの栄養学的意義は認められていない。

■ 離乳の進め方の目安 ■

	離乳の開始 →→→→→→→→→→→→→ 離乳の完了			
	離乳初期 5〜6か月頃	離乳中期 7〜8か月頃	離乳後期 9〜11か月頃	離乳完了期 12〜18か月頃
食べ方の目安	・子どもの様子を見ながら1日1回1さじずつ始める。 ・母乳や育児用ミルクは飲みたいだけ与える。	・1日2回食で、食事のリズムをつけていく。 ・いろいろな味や舌ざわりを楽しめるように食品の種類を増やしていく。	・食事のリズムを大切に、1日3回食に進めていく。 ・共食を通じて食の楽しい体験を積み重ねる。	・1日3回食で食事のリズムに、生活リズムを整える。 ・手づかみ食べにより、自分で食べる楽しみを増やす。
調理形態	なめらかにすりつぶした状態	舌でつぶせる固さ	歯ぐきでつぶせる固さ	歯ぐきで噛める固さ
歯		乳歯が生え始める。	前歯が8本生えそろう。奥歯(第1乳臼歯)が生え始める。	
摂食	口を閉じて取り込みや飲み込みができるようになる。	舌と上あごでつぶしていくことができるようになる。	歯ぐきでつぶすことが出来るようになる。	歯を使うようになる。

資料:「授乳・離乳の支援ガイド(2019年改定版)」(厚生労働省)より作成

(5) 食品の種類と調理

離乳の進行に応じ食品を増やし、食べやすく調理します。

離乳の開始頃	・おかゆ(米)から始め、じゃがいもや人参等の野菜、果物へ ・さらに豆腐、白身魚、固ゆで卵黄へ ・魚は白身魚⇒赤身魚、青皮魚へと進める ・卵は卵黄⇒全卵へと進める ・脂肪の少ない肉類、豆類、各種野菜、海藻、ヨーグルト、塩分や脂肪の少ないチーズなど種類を増やしていく
離乳中期頃〜	・穀類(主食)、野菜(副菜)・果物、たんぱく質(主菜)を組み合わせた食事とする ・調味前の家族の食事を取り分けて与えられるようになる ・不足しやすい鉄やビタミンDを供給する食品を積極的に摂る ・離乳完了期の1回あたりのご飯の目安量は80gである

check

離乳食の量の評価には成長曲線のグラフを用い、体重や身長を記入して、成長曲線のカーブに沿っているかどうか確認する。

check

牛乳を飲料として与えるのは、鉄欠乏性貧血予防の視点から、1歳を過ぎてからが望ましい。

調理方法	・調理を行う際には衛生面には十分配慮する ・初期はなめらかなすりつぶした状態にし、中期頃には飲み込み易いようにとろみをつける工夫も必要 ・おかゆは「つぶしがゆ」⇒「粗つぶし」⇒「つぶさないまま」⇒「軟飯」へと進める ・離乳開始時の調味料は必要ない ・素材の味を生かし、食塩、砂糖などは薄味に調理する ・油脂類も少量の使用とする

3 ベビーフード

　市販のベビーフードは作る手間が省け、忙しい時や外出時に便利です。食材の**大きさ、固さ、味付け**等が手作りの際の参考となり、手作りと**併用**するとメニューに変化が出ます。鉄分を補給するレバー製品の利用など、用途に合わせ選択するとよいです。与える前に一口食べてみて、**温度**、味、固さを確認し、食べ残しや作りおきは与えません。

4 平成 27 年度乳幼児栄養調査結果の概要（厚生労働省）

・乳汁栄養は母乳栄養の割合が増加しており、混合栄養も含めると約 9 割だった。
・妊娠中、母乳育児を希望する者の割合は 9 割を超えていた。
・授乳について困ったことがある者は約 8 割で、そのうち最も困ったことは「母乳が足りているかどうかわからない」（約 41%）だった。
・離乳食で困りごとを抱えている保護者の割合（約 75%）は高く、「作るのが負担、大変」「もぐもぐ、かみかみが少ない（丸のみしている）」「食べる量が少ない」の順だった。

アドバイス
「平成 27 年度乳幼児栄養調査結果」の内容はほぼ毎年出題される。割合もしっかりつかんでおこう。

問題 次の記述で正しいものに○、誤っているものに×をつけよ。

1. 母乳育児の利点として、小児期の肥満やのちの2型糖尿病の発症リスクの低下が報告されている。

2. 離乳初期には、食物アレルギーのリスク回避のため、卵黄を与えてはいけない。卵は卵白（固ゆで）から全卵へ進めていくとしている。

3. 離乳の開始とは、なめらかにすりつぶした状態の食物を初めて与えた時をいう。

4. 離乳後期（生後9〜11か月頃）の食べさせ方は、丸み（くぼみ）のある離乳食用のスプーンで下唇にのせ、上唇が閉じるのを待つのがよい。

5. 無菌操作法の調乳の際には、一度沸騰させた後、70℃以上の湯（沸騰後30分以内のもの）を使用し、調乳後2時間以内に使用しなかった乳は廃棄する。

6. 乳児用液体ミルクは、液状の人工乳を容器に密封したものであり、常温での保存が可能なものである。

7. 「平成27年度乳幼児栄養調査結果の概要（厚生労働省）」によると、「離乳食について困ったこと」で、割合が最も高かったのは、「食べる量が少ない」だった。

8. 「授乳・離乳の支援ガイド（2019年改定版）」（厚生労働省）では、「フォローアップミルクは母乳代替食品ではなく、離乳が順調に進んでいる場合、摂取する必要はない」としている。

9. 「平成27年度乳幼児栄養調査結果の概要（厚生労働省）」（回答者：0〜2歳児の保護者）によると「授乳について困ったこと」がある者は、約5割であった。

解答

1 ○ **2** × **3** ○ **4** ○ **5** ○ **6** ○ **7** × **8** ○ **9** ×

2 「授乳・離乳の支援ガイド（2019年改定版）」では、離乳初期で子どもが慣れてきたら、固ゆでの卵黄などの食品を増やしていくと示されている。

7 最も割合が高かったのは「作るのが負担、大変」だった。

9 約8割であった。

重要度

section 7　幼児期の栄養と食生活

出題 point
- 幼児の栄養摂取
- 間食
- 幼児期の食生活の問題点

1 幼児期の栄養と食生活

1 幼児期の発育

　幼児期は乳児期に比べ、身体発育の速度は緩やかになりますが、1歳から5歳までの間に身長は約1.5倍、体重は約2倍となり、乳児期に次いで成長します。運動機能も発達し、運動量が増え、エネルギー消費量が多くなります。

　精神発達については、1歳前後では自己意識の芽生えから、何でも自分でやりたがるようになりますので、この頃から手づかみ食べをします。2歳頃になるとますます自己主張が強くなり、食事にも好き嫌いが出てきます。

　5歳頃になると社会性が出て、相手の話を十分理解し、食事の準備への参加などができるようになります。

　幼児期の消化機能は、大人に比べて未熟で、消化不良を起こすこともあるので、与える量に配慮します。細菌に対する抵抗力も大人より弱いため、食中毒に注意します。3歳頃に第2乳臼歯が生えて、全ての乳歯が生えそろい、奥歯で噛めるようになっていきますが、大人と比べるとまだまだ咀しゃく力が弱いため、調理形態に配慮が必要です。

　摂食行動は、十分に手づかみ食べをさせた後は、次第にスプーン食べに移行し、3歳頃には箸も使えるようになっていきます。

check
スプーンの持ち方は、手のひら握り→指握り→鉛筆握りへと進み、その後箸へ移行する。

2 幼児期の栄養

　幼児期は離乳食を完了し、**成人**と同じ食事へと進めていく時期です。心身の発達に対応させながら適切な食習慣を通して、嗜好の幅を広げ、十分な栄養を与えることが大切です。幼児期には盛んな**成長・発達と運動量増加**のために、体重1kgのエネルギー、たんぱく質、カルシウム、鉄などの必要量は成人の**2〜3**倍となります。

　食事の内容は、1食ごとに、穀類から主食、たんぱく質性食品から主菜、野菜や海藻、いも類から副菜を組み合わせ、バランスのとれた献立にすることが大切です。

■ 体重1kg当たりの食事摂取基準の比較（男性の場合）■

年齢（歳）	1〜2	3〜5	18〜29
推定エネルギー必要量（kcal/kg）	83	79	41
たんぱく質（推奨量：g/kg）	1.7	1.5	1.0
カルシウム（推奨量：mg/kg）	39	36	12
鉄（推奨量：mg/kg）	0.4	0.3	0.1

資料：「日本人の食事摂取基準（2020年版）」（厚生労働省）をもとに作成、
　　　エネルギーは身体活動レベルⅡ（ふつう）の場合

3 間食

　幼児期は、1日3回の食事だけでは必要な栄養をとることが難しいため、間食で不足しがちな栄養素を補います。そのため間食は、**食事の一部**と考えて、**エネルギー**や**栄養素**、**水分**を補います。

　間食は、楽しい経験を増やしながら、むし歯や肥満、偏食の原因とならないように、時間と量を決めて与えます。間食の目安量は、1日の摂取エネルギーの**10〜20%**とします。

■ 間食の与え方 ■

量・回数	1日のエネルギーの約10〜20%、1~2回
与え方	時間を決め規則的に与える。
利用したい食品	季節の果物、野菜、牛乳・乳製品、穀類、いも類、水分など

👑 check
　幼児期の食事摂取基準の年齢区分は1〜2歳、3〜5歳の2区分である。

2 幼児期の食生活の問題点

1 平成 27 年度乳幼児栄養調査結果の概要（厚生労働省）

- 子どもの主要食物摂取頻度について、穀類、お茶など甘くない飲料、野菜、牛乳・乳製品は「毎日 2 回以上」の割合が最も高かった。
- 食事で特に気をつけていることは、「栄養バランス」「一緒に食べること」「食事のマナー」の順だった。
- 食事で困っていることは、「食べるのに時間がかかる」「偏食する」「遊び食べをする」「むら食い」が多かった。
- 朝食を必ず食べる子どもの割合は、93.3％ だった。
- 朝食を必ず食べる子どもの割合は、保護者が朝食を「必ず食べる」、子どもの起床時刻が「午前 6 時前」、就寝時刻が平日は「午後 8 時前」、休日は「午後 8 時台」で最も高かった。
- 共食をする子どもの割合は、朝食（95.2％）よりも夕食（99.7％）が高かった。
- 家で 1 日に平均してテレビやビデオを見る時間、ゲーム機やタブレット等を使用する時間は、平日、休日とも「1~2 時間」の割合が最も高かった。
- むし歯の有無別に、間食の与え方をみると、「時間を決めてあげることが多い」「甘いものは少なくしている」「間食でも栄養に注意している」の割合は、むし歯のない子どもの方が高かった。
- むし歯予防のための行動として、「間食の与え方について注意している」の割合は、むし歯のない子どもの方が高かった。
- 食事が原因と思われるアレルギー症状を起こした子どもの割合は 14.8％ だった。
- 経済的な暮らし向きにおいて、「ゆとりあり」で魚、大豆・大豆製品、野菜、果物の摂取頻度が高い傾向がみられ、「ゆとりなし」で菓子（菓子パン含む）、インスタントラーメンやカップ麺の摂取頻度が高い傾向がみられた。

check
食事で困っていることは、2~3 歳未満で最も多いのは、「遊び食べをする」、3 歳以上では「食べるのに時間がかかる」である。

朝食の欠食
··> p.188

アドバイス
「平成 27 年度乳幼児栄養調査結果」の内容はほぼ毎年出題される。特に食事で困っている内容はしっかりつかんでおくとよい。

2 窒息などの事故

乳歯が生えそろっても、咀しゃく機能が未熟な子どもが硬すぎるものを食べた場合、のどや気管に詰まらせ窒息したり、肺炎を起こすリスクがあるので、次のような注意が必要です。

- 豆やナッツ類など、硬くかみ砕く必要のある食品は5歳以下の子どもには食べさせない。
- ミニトマトやブドウ等の球状の食品を乳幼児に与える場合は、4等分する、調理して軟らかくする、などしてよく噛んで食べさせる。
- 食べているときは、姿勢をよくし、食べることに集中させる。物を口に入れたままで、走ったり、笑ったり、泣いたり、声を出したりさせない。
- 節分の豆まきは個包装されたものを使用するなど工夫して行い、子どもが拾って口に入れないように後片付けを徹底する。

資料：「食品による子どもの窒息・誤嚥事故に注意！」（令和3年1月：消費者庁）

3 むし歯（う歯）

むし歯の原因として、おやつの回数が多いことや、糖分が多く、口の中に残りやすい飲食物の摂取等があげられます。菓子では、ドロップ、キャラメルなどはむし歯になりやすく、せんべい、クラッカーなどは、むし歯になりにくいです。食べた後は水で口をゆすぐ、歯を磨くなどの習慣が大切です。

■ むし歯の危険性とおやつ ■

危険性が高い	ドロップ、ヌガー、キャラメルなど
危険性が低い	せんべい、クラッカー、スナック菓子など

4 肥満

「保育所における食事の提供ガイドライン」（平成24年：厚生労働省）によると、肥満の幼児の食生活の特徴として、1回の食事の品数が少ない割に摂取エネルギーが多い、高脂肪食である、肉を中心としたたんぱく質の摂取が多い、ご飯などの炭水化物や食物繊維摂取が少ない、おやつ（甘い物）を好み、ジュースや牛乳等を水がわりに飲む、孤食や外食の回数が多いなどがあげられます。成長期であるため、極端な食事制限は行わず、食生活や運動などの生活習慣を見直すようにします。

check
人口動態統計（厚生労働省）によると、平成29年から令和3年までの5年間に、食品を誤嚥して窒息したことにより、14歳以下の子どもが56名死亡している。そのうち5歳未満が45名で8割を占めている。

check
むし歯は、歯垢（歯の表面に付着した細菌叢のことで、プラークともいう）に存在するミュータンス連鎖球菌が飲食物の糖分を分解し、酸を生成し、その酸で歯の表面のエナメル質が溶かされることにより発生する。

ここで チャレンジ

問題 次の記述で正しいものに○、誤っているものに×をつけよ。

1. 「平成27年度乳幼児栄養調査結果の概要」（厚生労働省）によると、むし歯予防のための行動として、「間食の与え方について注意している」親の割合は、むし歯のない子どもの方が高かった。

2. 幼児は、成人に比べてからだが小さく、胃の容量も小さいが、体重1kgあたりのエネルギー必要量は成人より多い。

3. 幼児期の間食の量は1日の摂取エネルギーの30～40%を目安とする。

4. 「平成27年度乳幼児栄養調査」（厚生労働省）の結果によると、幼児期で朝食を必ず食べる子どもの割合は、93.3%だった。

5. 「平成27年度乳幼児栄養調査」（厚生労働省）の結果によると、子どもの食事で困っていることの上位4つは、「食べるのに時間がかかる」「偏食する」「むら食い」「遊び食べ」である。

6. スプーンの握り方は、手のひら握り、鉛筆握り、指握りへと発達していく。

7. ミニトマトやブドウ等の球状の食品を乳幼児に与える場合は、4等分する、調理して軟らかくするなどして、よく噛んで食べさせる。

8. 豆やナッツ類など、硬くかみ砕く必要のある食品は5歳以下の子どもには食べさせない。

解答

1 ○ **2** ○ **3** × **4** ○ **5** ○ **6** × **7** ○ **8** ○

3 間食の量は1日の摂取エネルギーの10～20%を目安とする。

6 手のひら握り、指握り、鉛筆握りへと発達していく。

学童期・思春期の栄養と食生活／生涯発達と食生活

出題
point
- 学童期・思春期の栄養と食生活の特徴
- 学校給食法
- 生涯発達と食生活の特徴

1 学童期・思春期の栄養の特徴

　学童期は 6 〜 12 歳で、思春期は、個人差はありますが、第二次性徴の始まりから性成熟までの時期を指します。

　このころは身体の発達が著しく、十分な栄養の質と量の確保が重要です。男女間には発育に差が見られ、女性の方が男性より 2 歳ほど早く第二発育急進期を迎え、女性の参照身長、参照体重は男性を上回ります。

　精神面では、社会性、協調性、自制心、論理思考などが発達してきます。しかし急激な発達のあいだで、不安や葛藤が生じたりすることもあります。

　年齢階級別にみて、男性は 15 〜 17 歳、女性では 12 〜 14 歳で、推定エネルギー必要量が一生の中で最大値となり、特にエネルギー、たんぱく質、カルシウム、鉄などの摂取基準は成人よりも高くなります。

check
「日本人の食事摂取基準」2025 年版では、推定エネルギー必要量や鉄の食事摂取基準の数値の変更が予定されている。

check
12 〜 14 歳におけるカルシウム推奨量は、骨塩量増加に伴うカルシウム蓄積量が生涯で最も増加する時期であるため、他の年代に比べて最も高い。

■ 食事摂取基準の比較（2020 年版）■

年齢	12 〜 14 歳		15 〜 17 歳		18 〜 29 歳	
性別	男性	女性	男性	女性	男性	女性
推定エネルギー必要量 *(kcal/ 日)	2,600	2,400	2,800	2,300	2,650	2,000
たんぱく質（推奨量）(g/ 日)	60	55	65	55	65	50
カルシウム（推奨量）(mg/ 日)	1,000	800	800	650	800	650
鉄（推奨量）(mg/ 日)	10.0	12.0	10.0	10.5	7.5	10.5

* 身体活動レベルⅡ（ふつう）、鉄は女子の場合月経あり

2 学童期・思春期の食生活の問題点

1 生活リズムの乱れ

　この時期は、活動範囲や生活時間が多様になり、夜型生活が増えます。調査によると、毎日一定の時刻に寝ていない子どもは、小中学生で約 **2** 割でした。生活リズムの乱れは、就寝時間、起床時間に影響します。

2 朝食の欠食

　朝食の欠食の理由には、「**食欲**がない」「食べる**時間**がない」があり、夜型生活の影響が見られます。朝食の欠食により、集中力が出なかったり、立ちくらみなどの不定愁訴も出やすくなります。「令和 5 年度全国学力・学習状況調査」によると、朝食を「毎日食べる」以外の小学 6 年生は 16.3%、中学 3 年生は 21.2% です。この状況の小中学生は、「毎日食べる」小中学生よりも学力調査の正答率は、**低い**傾向がみられました。また、「令和 5 年度全国体力・運動能力、運動習慣等調査」においても、朝食を「毎日食べる」以外の小中学生の体力合計点は、**低い**傾向がみられました。朝食の欠食は**学力・体力**に影響を与えます。

3 孤食と個食

　孤食の弊害として、食欲不振や過食、食事内容の偏り、精神的な不安定などが報告されています。学童期から思春期にかけて、孤食は朝食、夕食ともに、**増加**傾向です。

■ 孤食の割合（%）■

	小学 1 〜 2 年		中学生		高校生	
	男子	女子	男子	女子	男子	女子
朝食	16.2	18.2	50.5	47.7	66.1	64.4
夕食	3.0	2.3	23.6	19.2	39.8	33.3

資料：「平成 30 年度・令和元年度児童生徒の健康状態サーベイランス事業報告書」（日本学校保健会）

　家族一人ひとりが食べたい時に食べたいものを食べる個食では、カップ麺などの簡便な食事やカレーライスなどの 1 品料理となりやすく、栄養の偏りが懸念されます。

★…check ✶
文部科学省「全国学力・学習状況調査」（令和 5 年度）によると毎日同じくらいの時刻に寝ていない小学 6 年生は 19%、中学 3 年生は 21.8% である。

★…check ✶
欠食の理由は、「平成 30 年度・令和元年度児童生徒の健康状態サーベイランス事業報告書」（日本学校保健会）による。

孤食、個食
•••▶ p.186

4 肥満と痩身（やせ）

　文部科学省の「令和4年度学校保健統計調査」によると、学童期後半から肥満傾向児、痩身傾向児ともに増加傾向にあり、肥満傾向児は女子より**男子**に多くみられます。

　肥満の原因として、生活習慣の変化や運動不足が考えられます。小児期の肥満は成人期につながりやすいため、小児期**メタボリックシンドローム**の診断基準を重視します。

　痩身では、やせ願望による欠食や誤ったダイエット、過食や拒食などの摂食障害によるものが多く、虐待や貧困による場合もあります。これらによる栄養不足が一定期間続くと、無月経、骨密度の低下、貧血などにつながります。中学生以上の女子では、7割以上がやせ願望をもっており、ダイエットの開始年齢とともに**低年齢化**しています。15〜19歳の女性では、約**2**割がやせに該当しています。

　肥満・痩身のどちらにおいても、運動や食事の習慣、睡眠のとり方など、生活習慣全体の見直しが大切です。

■ 肥満・痩身傾向児の出現率 ■

	肥満傾向児出現率（%）		痩身傾向児出現率（%）	
	男	女	男	女
小学1年	5.74	5.50	0.28	0.44
小学5年	15.11	9.74	2.36	2.53
中学1年	13.27	9.51	3.21	3.85
高校1年	12.51	7.68	4.43	3.13

資料：「令和4年度学校保健統計調査結果」（文部科学省）

5 鉄欠乏性貧血

　鉄欠乏性貧血は、**学童**期から**思春**期の女子に多く、月経に伴う場合や不適切な食事内容や過度のダイエットが原因とされています。また、男子の場合は、急激な発育に必要な鉄が追い付かなくなり貧血になることがあります。動物性たんぱく質とビタミンCとを同時に摂取して鉄の吸収率を上げ、鉄の供給に努めます。また、過剰な運動からくる鉄不足にならないようにします。

check
　小児期メタボリックシンドロームの診断基準は男女共通で、腹囲は必須項目、脂質、血圧、血糖のうち2つ以上が該当するとメタボと診断される。各項目の基準値は子どもの体格を考慮した値に設定されている。

check
　「令和元年国民健康・栄養調査報告」（厚生労働省）によると、女性のやせ（BMI＜18.5 kg/㎡）の割合は、15〜19歳（21.0%）、20〜29歳（20.7%）である。

check
　学童期・思春期の体格の判定は、性別・年齢別・身長別の標準体重に対しての肥満度を算出し、肥満度が20%以上の場合を肥満傾向児とする。

3 学校給食

1 学校給食の状況

学校給食の起源は、明治時代に私立小学校で貧困児童を対象に無料で給食を実施したこととされています。1954（昭和29）年に「学校給食法」が制定され、国の補助による学校給食が展開されるようになりました。2009（平成21）年には改正学校給食法が施行され、学級担任や教科担任と栄養教諭等とが連携し、学校給食を活用した食育の指導を行うことが位置付けられました。令和5年度学校給食実施状況等調査によると、学校給食は小学校の**99.1**%、中学校の91.5%で実施されており、完全給食の実施率は94.6%です。

2 学校給食の目的

学校給食法1条では、学校給食の目的は「児童及び生徒の心身の健全な発達に資するものであり、かつ、児童及び生徒の食に関する正しい理解と適切な判断力を養う上で重要な役割を果たすものであることをかんがみ、学校給食及び学校給食を活用した食に関する指導の実施に関し必要な事項を定め、もつて学校給食の普及充実及び学校における食育の推進を図ること」とし、その目標を次のようにあげています。

覚えよう！

●**学校給食の7つの目標（学校給食法2条）**●
①適切な栄養の摂取による健康の保持増進を図ること。
②望ましい食習慣を養うこと。
③明るい社交性・協同の精神を養うこと。
④生命・自然を尊重する精神や環境の保全に寄与する態度を養うこと。
⑤勤労を重んずる態度を養うこと。
⑥優れた伝統的な食文化についての理解を深めること。
⑦食料の生産・流通・消費について正しい理解に導くこと。

check
学校給食には完全給食（主食、おかず及びミルク）、補食給食（おかず、ミルク）、ミルク給食（ミルクのみ）の区分がある。

check
「令和5年度学校給食実施状況等調査」（文部科学省）によると、完全給食を実施している国公私立学校での米飯給食の週当たりの平均実施回数は3.6回である。

check
「食に関する指導の手引　第二次改訂版」（平成31年文部科学省）では、「給食指導とは、給食の準備、会食、片付けなどの一連の指導を、実際の活動を通して、毎日繰り返し行う教育活動」であると述べられている。

3 学校給食の実施

学校給食は、「学校給食実施基準」（令和 3 年文部科学省一部改正）に従い、実施されています。その中で「学校給食の食事内容の充実等について」には次の内容が示されています。

①献立に使用する食品や献立のねらいを明確にした献立計画を示すこと
②各教科等の食に関する指導と意図的に関連させた献立作成とすること
③地場産物を使用し、食に関する指導の「生きた教材」として使用することは、地域の自然、文化、産業等に関する理解や生産者の努力、食に関する感謝の念を育む上で重要である
④郷土に伝わる料理を積極的に取り入れ、歴史、ゆかり、食材を学ぶ取組に資するように配慮する。また、地域の食文化等を学ぶ中で、世界の多様な食文化等の理解も深めることができるよう配慮すること
⑤学校給食を通して、日常又は将来の食事作りにつなげることができるよう、献立名や食品名が明確な献立作成に努めること
⑥食物アレルギー等のある児童生徒に対しては、学校長、学級担任、栄養教諭、学校栄養職員、養護教諭、学校医等による指導体制を整備し、保護者や主治医との連携を図り、個々の児童生徒の状況に応じた対応に努めること

4 生涯発達と食生活

生涯発達とは、受胎の瞬間から死に至るまでの人間の一生を通じて、身体的及び精神的に生じる量的・質的変化の過程といえます。日本は世界有数の長寿国ですが、健康寿命を延ばすためにも、各ライフステージでの適切な食生活が必要です。

1 成人期

成人期には次のような特徴がみられます。

🗯️アドバイス 💬

「学校給食の食事内容の充実等について」は「学校給食実施基準の一部改正について（通知）」（令和 3 年文部科学省）に記載されているが、他の内容も理解しておくとよい。

✨check ✨

「第 4 次食育推進基本計画」（農林水産省）（令和 3 ～ 7 年度）では、実施最終年度末までに、学校給食における地場産物を活用した取組等を増やすことを設定している。

✨check ✨

「学校給食摂取基準の策定について（報告）」（令和 2 年文部科学省）によると、学校給食のない日は、ある日と比べて、カルシウムの摂取不足が顕著である。

- 成人期は 20 歳から 64 歳までの期間。
- 40 歳代頃から過栄養による肥満、糖尿病、脂質異常症、高血圧などの生活習慣病が発生しやすい。
- 内臓脂肪蓄積（腹囲が基準以上）に高血圧、高血糖、脂質代謝異常のうち 2 つ以上を合わせもったメタボリックシンドローム（内臓肥満症候群）の場合は、脳卒中や心筋梗塞のリスクが高まる。
- 女性は 40 歳半ばから閉経期に入り、更年期障害がみられる。卵胞ホルモン（エストロゲン）が減少し、骨粗しょう症のリスクも高まる。男性にも更年期障害がある。

成人期の食生活は次のようなことに気をつけます。

- 主食・主菜・副菜を基本に栄養バランスのよい献立にし、塩分を控える。
- 1 日 3 回の食事リズムを守る。

2 高齢期

高齢期には次のような特徴がみられます。

- 高齢期は 65 歳以上。
- 個人差があるが、身体機能、代謝機能、摂食機能が徐々に低下し、精神的機能も衰退し、援助が必要になってくる。
- エネルギーやたんぱく質の摂取不足による低栄養状態が増え、これがフレイルにつながる。
- 低栄養はサルコペニア（加齢に伴って生じる骨格筋量、骨格筋力低下）を引き起こし、それにより活動量が減少し、食欲や摂取量が低下し、悪循環に陥る場合が多い。

高齢期の食生活は次のようなことに気をつけます。

- 主食・主菜・副菜を基本に揃え、特にエネルギーやたんぱく質を摂り、低栄養を予防する。
- 食べやすく工夫し、食事を楽しめるような配慮をする。
- 1 日 3 回の食事リズムを守る。
- 水分補給を心がける。

令和元年国民健康・栄養調査によると 20 歳以上の肥満者（BMI ≧ 25）の割合は 27.2%（男性 33.0%、女性 22.3%）である。

令和元年国民健康・栄養調査によると 20 歳以上のメタボリックシンドロームの疑いのある者の割合は 31.9%（男性 52.0%、女性 17.5%）である。

フレイル
•••▶ p.205

問題 次の記述で正しいものに○、誤っているものに×をつけよ。

1. 10 〜 11（歳）の参照身長、参照体重ともに、女性の方が男性を上回っている。

2. 「令和 5 年度学校給食実施状況等調査」（文部科学省）によると、完全給食を実施している国公私立学校での米飯給食の週当たりの平均実施回数は 2回である。

3. 学童期後半および思春期の肥満傾向児の出現は、男子よりも女子に多い。

4. 朝食を一人で食べるのは、小学生よりも中学生、高校生の方が多い。

5. 「学校給食法」では、学校給食の目標の一つに「適切な栄養の摂取による健康の保持増進を図ること」をあげている。

6. 「学校給食摂取基準の策定について（報告）」（令和 2 年　文部科学省）によると、学校給食のない日は、ある日と比べて、カルシウムの摂取不足が顕著である。

7. 「食に関する指導の手引　第二次改訂版」（平成 31 年　文部科学省）では、「給食指導とは、給食の準備、会食、片づけなどの一連の指導を、実際の活動を通して、毎日繰り返し行う教育活動」であると述べられている。

8. 学童期・思春期の体格の判定は、性別・年齢別・身長別の標準体重に対しての肥満度を算出し、肥満度が 20% 以上の場合を肥満傾向児とする。

9. 「学校給食実施基準」には、学校給食を通して、日常又は将来の食事作りにつなげることができるよう、献立名や食品名が明確な献立作成に努めることが示されている。

10.「令和元年国民健康・栄養調査報告」（厚生労働省）によると、女性のやせ（BMI ＜ 18.5kg /㎡）の割合は、15 〜 19 歳で約 1 割である。

解答

1 ○　**2** ×　**3** ×　**4** ○　**5** ○　**6** ○　**7** ○　**8** ○　**9** ○　**10** ×

2　平均実施回数は 3.6 回である。

3　男子に多い。

10　約 2 割である。

重要度

食育の基本と内容

出題
point

- 食育基本法の理念
- 発育・発達過程に応じて育てたい「食べる力」
- 保育所の食育

1 食育基本法

(1) 食育基本法

　食育基本法では、食育を「生きる上での**基本**であって、知育、徳育及び体育の基礎となるべきものと位置付けるとともに、様々な経験を通じて『食』に関する**知識**と『食』を**選択する力**を習得し、健全な食生活を実践することができる人間を育てること」とし、「子どもたちに対する食育は、心身の成長及び人格の形成に大きな影響を及ぼし、生涯にわたって**健全な心と身体**を培い**豊かな人間性**をはぐくんでいく基礎となるものである」としています。

■ 食育基本法の 7 つの基本理念 ■

1 国民の心身の健康の増進と豊かな人間形成
2 食に関する感謝の念と理解
3 食育推進運動の展開
4 子どもの食育における保護者、教育関係者等の役割
5 食に関する体験活動と食育推進活動の実践
6 伝統的な**食文化**、環境と調和した生産等への配意及び農山漁村の活性化と**食料自給率**の向上への貢献
7 食品の安全性の確保等における食育の役割

(2) 食育推進基本計画

　食育推進基本計画は、食育基本法に基づき、食育の推進

check
　第 4 次食育推進基本計画は 2021（令和 3）年度から 2025（令和 7）年度までの 5 年間を対象としている。

check
　重点事項②では、具体的に、環境の環（わ）、人の輪（わ）、和食文化の和（わ）を支える食育推進の必要性をあげている。

SDGs
⋯▶ p.47

に関する基本的な方針や目標について定めています。地方自治体でも地域性のある食育推進計画が策定され、家庭とともに保育所・幼稚園、学校、地域ぐるみで食育が推進されています。現在の**第4次食育推進基本計画**（2021〔令和3〕〜2025〔令和7〕年度）では、コンセプトを**SDGs**の実現に向けた食育の推進とし、次の3つを重点事項としています。

---

①生涯を通じた心身の健康を支える食育の推進
②持続可能な食を支える食育の推進
③「新たな日常」やデジタル化に対応した食育の推進

---

 2 発育・発達過程に応じた食育

　「楽しく食べる子どもに〜食からはじまる健やかガイド〜」（厚生労働省2004〔平成16〕年）では、発育・発達過程において配慮すべき側面を「心と身体の健康」「人との関わり」「食のスキル」「食の文化と環境」の4つに分類しています。また、「発育・発達過程に応じて育てたい"**食べる力**"」を次のように示しています。

　　　　■ 発育・発達過程に応じて育てたい"食べる力"■

〜安心と安らぎの中で食べる意欲の基礎づくり〜（授乳期・離乳期）
①安心と安らぎの中で母乳（ミルク）を飲む心地よさを味わう
②いろいろな食べ物を見て、触って、味わって、自分で進んで食べようとする
〜食べる意欲を大切に、食の体験を広げよう〜（幼児期）
①おなかがすくリズムがもてる
②食べたいもの、好きなものが増える
③家族や仲間と一緒に食べる楽しさを味わう
④栽培、収穫、調理を通して、食べ物に触れはじめる
⑤食べ物や身体のことを話題にする
〜食の体験を深め、食の世界を広げよう〜（学童期）
①1日3回の食事や間食のリズムがもてる
②食事のバランスや適量がわかる

👑check
　第4次食育推進基本計画では、2025（令和7）年度までに「共食の回数を増やす」「子どもの朝食欠食をなくす」「学校給食における地場農産物を活用した取組を増やす」「食塩摂取量を平均値8g/日以下に」「野菜摂取量の平均値350g/日以上」「果物摂取量100g未満/日の者の割合を30%以下に」等の目標を設定している。

💬アドバイス💬
　「発育・発達過程に応じて育てたい"食べる力"」はよく出題されるので、各期の内容を理解しておく。

③家族や仲間と一緒に食事づくりや準備を楽しむ

④自然と食べ物との関わり、地域と食べ物との関わりに関心をもつ

⑤自分の食生活を振り返り、評価し、改善できる

～自分らしい食生活を実現し、健やかな食文化の担い手になろう～ （思春期）

①食べたい食事のイメージを描き、それを実現できる

②一緒に食べる人を気遣い、楽しく食べることができる

③食料の生産・流通から食卓までのプロセスがわかる

④自分の身体の成長や体調の変化を知り、自分の身体を大切にできる

⑤食に関わる活動を計画したり、積極的に参加したりすることができる

 3 保育所における食育

1 保育所保育指針における食育

　保育所保育指針では、保育所の食育について、第3章「健康及び安全」2「食育の推進」で次のように示しています。

■ 食育の推進 ■

（1）保育所の特性を生かした食育

ア　保育所における食育は、健康な生活の基本としての「食を営む力」の育成に向け、その基礎を培うことを目標とすること。

イ　子どもが生活と遊びの中で、意欲をもって食に関わる体験を積み重ね、食べることを楽しみ、食事を楽しみ合う子どもに成長していくことを期待するものであること。

ウ　乳幼児期にふさわしい食生活が展開され、適切な援助が行われるよう、食事の提供を含む食育計画を全体的な計画に基づいて作成し、その評価及び改善に努めること。栄養士が配置されている場合は、専門性を生かした対応を図ること。

（2）食育の環境の整備等

ア　子どもが自らの感覚や体験を通して、自然の恵みとしての食材や食の循環・環境への意識、調理する人への感謝の気持ちが育つように、子どもと調理員等との関わりや、調理室など食に関わる保育環境に配慮すること。

イ　保護者や地域の多様な関係者との連携及び協働の下で、食に関する取組が進められること。また、市町村の支援の下に、地域の関係機関等との日常的な連携を図り、必要な協力が得られるよう努めること。

ウ　体調不良、食物アレルギー、障害のある子どもなど、一人一人の子どもの心身の状態等に応じ、嘱託医、かかりつけ医等の指示や協力の下に適切に対応すること。栄養士が配置されている場合は、専門性を生かした対応を図ること。

また、食育の実践にあたっては、「**養護**と**教育**の一体性」を重視し、総合的に展開していくことを基本的な考え方にしています。

2　食育の目標と内容

「楽しく食べる子どもに～保育所における食育に関する指針～」では、保育所における食育の目標を、現在を最もよく生き、かつ、生涯にわたって健康で質の高い生活を送る基本としての“**食を営む力**”の育成に向け、その基礎を培うこととしています。具体的には、**5つの子ども像**（姿）への成長を目指します。また、食育のねらいと内容が示され、3歳以上児については、**食育の5項目**が設けられました。

💬 **アドバイス** 💬

「保育所における食育に関する指針」の年齢区分別の「ねらい」「内容」「配慮事項」はよく出題されるので熟読しておく。

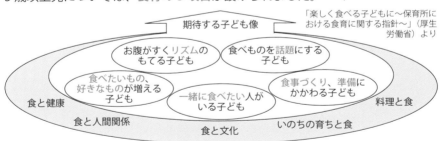

期待する子ども像

「楽しく食べる子どもに～保育所における食育に関する指針～」（厚生労働省）より

- お腹がすくリズムのもてる子ども
- 食べものを話題にする子ども
- 食べたいもの、好きなものが増える子ども
- 一緒に食べたい人がいる子ども
- 食事づくり、準備にかかわる子ども

食と健康　食と人間関係　食と文化　いのちの育ちと食　料理と食

3　食を通した保護者や地域の子育て家庭への支援

保育所には、栄養士、調理員、保育士らの専門職が配置されており、園庭や調理室があります。保護者や地域の子育て家庭に対しても保育所の**専門的な機能**を生かして、食に関する講習や交流会の実施、情報の交換、相談・支援など積極的に展開することが求められています。

ここで **チャレンジ**

問題 次の記述で正しいものに○、誤っているものに×をつけよ。

1. 「第4次食育推進基本計画」（令和3年農林水産省）の3つの重点事項の一つに、「生涯を通じた心身の健康を支える食育の推進」がある。

2. 保育所は、食を通した地域の子育て家庭の支援として、交流の場の提供及び交流の促進を行う。

3. 「楽しく食べる子どもに〜保育所における食育に関する指針〜」（平成16年：厚生労働省）で掲げられている食育の目標の一つに「嫌いなもの、苦手なものが少ない子ども」がある。

4. 学童期に育てたい「食べる力」に、「食事のバランスや適量がわかる」がある。

5. 「楽しく食べる子どもに〜保育所における食育に関する指針〜」（平成16年：厚生労働省）において、食育の目標を、現在を最もよく生き、かつ、生涯にわたって健康で質の高い生活を送る基本としての"健全な身体"の育成に向け、その基礎を培うこととしている。

6. 「保育所保育指針」第3章「健康及び安全」の2「食育の推進」では、食事の提供を含む食育計画を全体的な計画に基づいて作成し、その評価及び改善に努めることと示されている。

7. 食育推進基本計画は、食育基本法に基づき、食育の推進に関する基本的な方針や目標について定めている。

8. 食育基本法に定められた食育に関する基本理念の一つに、「健康寿命の延伸及び健康格差の縮小」がある。

解答

1 ○ 2 ○ 3 × 4 ○ 5 × 6 ○ 7 ○ 8 ×

3 「食べたいもの、好きなものが増える子ども」と示されている。

5 「健全な身体」ではなく「食を営む力」である。

8 「健康寿命の延伸及び健康格差の縮小」は食育基本法の基本理念には入っていない。「国民の心身の健康の増進と豊かな人間形成」などの7つの理念がある。

家庭や児童福祉施設の栄養と食生活

出題
point
- 児童福祉施設の食事の提供
- 衛生管理
- 保育所の給食

1 家庭における食事

　家庭の食事は、子どもの発達やその日の体調に合わせて作ることができ、その積み重ねから、子どもは食事時間や食事内容、分量、味つけを自然に身につけていきます。また、家族が一緒に食事をすることで、子どもは食事のマナーや食べ方を学びます。また、大人も楽しんで、子どもと一緒に食事の準備を行うことで、料理や食べ物への興味や関心を持つようにもなります。家庭における楽しい食事は、子どもの健やかな心と体を育みます。

2 児童福祉施設の食事と栄養

1 児童福祉施設における食事の提供の基本方針

　児童福祉施設における食事の提供は、「児童福祉施設における食事の提供ガイド」（平成22年：厚生労働省）に沿って行われています。ガイドで示されている子どもの健やかな発育・発達を目指した食事・食生活支援の概念図では、「心と体の健康の確保」「安全・安心な食事の確保」「豊かな食体験の確保」「食生活の自立支援」を目指した子どもの食事・食生活の支援を行うことが大切であるとされています。

アドバイス

　児童福祉施設における食事の提供ガイドの概念図は、保育士試験でよく出題されるので確認しておこう。

2 児童福祉施設における食事に関する基準

「児童福祉施設の設備及び運営に関する基準」において、次のように定めています。

> 第11条　児童福祉施設において、入所している者に食事を提供するときは、当該児童福祉施設内で調理する方法により行わなければならない。
> 2　その献立は、できる限り、変化に富み、入所している者の健全な発育に必要な栄養量を含有するものでなければならない。
> 3　食事は、食品の種類及び調理方法について栄養並びに入所している者の身体的状況及び嗜好を考慮したものでなければならない。
> 4　調理は、あらかじめ作成された献立に従って行わなければならない。ただし、少数の児童を対象として家庭的な環境の下で調理するときは、この限りでない。
> 5　児童福祉施設は、児童の健康な生活の基本としての食を営む力の育成に努めなければならない。

資料：「児童福祉施設の設備及び運営に関する基準」より要約

check
保育所等での食事提供は自園調理が原則であるが、2010（平成22）年より業務効率化などを目的として、3歳以上児や一部自治体では公立保育所等の3歳未満児にも外部搬入方式が認められている。

3 児童福祉施設における食事の提供の手順

食事の提供と食育を一体的な取組として栄養管理を行うには、PDCAサイクル（計画 Plan －実施 Do －評価 Check －改善 Action）に基づいて実施します。

> ①子どもの発育・発達状況、栄養状態、生活状況等について実態を把握（アセスメントの実施）し、その結果を分析、判定して栄養管理の目標を明確にする。
> ②目標を実現するため、提供する食事の量と質についての計画（食事計画）を立てる。
> ③食事計画に沿って、提供する食事についての具体的な計画を立て（献立作成）、調理時の品質管理を行う。
> ④適切に計画が進行しているか途中の経過を観察し（モニタリング）、計画どおりに調理及び食事の提供が行われたか評価を行い、適切に進んでいなかったら計画を修正する。
> ⑤一定期間ごとに、摂取量調査や子どもの発育・発達状況について再度把握し、一定の期間で実施し得られた（変化した）

結果を目標と照らし合わせて確認する（評価）

⑥評価結果に基づき、食事計画を見直すとともに、献立作成など一連の業務内容の改善を行う。

資料：「児童福祉施設における食事の提供ガイド」（厚生労働省）

4 施設における衛生管理

(1) 食事の提供における衛生管理

- 原材料の受け入れ、および下処理段階での検収の実施と記録
- 加熱調理食品は中心部の加熱を 75℃、1 分間以上とする（ノロウイルスの危険がある場合 85 ～ 90℃で 90 秒以上）
- 二次汚染防止の徹底
- 原材料および調理後の食品の保管を 10℃以下（冷蔵庫）又は 65℃以上（温蔵庫）で行う。調理後 2 時間以内に喫食する。
- 検食の保存（原材料および調理済み食品を食品ごとに 50g 程度を清潔な容器に密封し、− 20℃以下で 2 週間以上保存）

資料：「大量調理施設衛生管理マニュアル」（厚生労働省）

(2) 調乳における衛生管理

- 乳児用調製粉乳で使用する湯は 70℃以上に保つこと
- 調乳後 2 時間以内に使用しなかったミルクは破棄すること

資料：「乳児用調製粉乳の安全な調乳、保存及び取扱いに関するガイドライン」

(3) 調理実習（体験）等における衛生管理

- 計画段階から衛生面・安全面への配慮、職員全体の合意・連携。
- 献立は年齢、発達段階に応じた構成で、容易に十分加熱できるものにする。
- 菜園で栽培されたじゃがいもは、ソラニン食中毒予防のため、芽や緑色の皮は切除し、小さい未成熟なものは喫食しない。
- 体調不良や下痢、手指に傷がある子どもの状態を確認し、状態に応じてはその子どもの作業は控える。
- 実習前の清潔な服装でエプロン、三角巾等着用および適切な手洗い、消毒を確認する。
- 調理中も子どもの手洗い等の衛生管理を確認する。
- 加熱は中心温度計で計測、確認、記録を実施する。

資料：「児童福祉施設における食事の提供ガイド」（厚生労働省）

check
　給食の運営は、関係職員の協力のもと、給食運営会議で話し合って行われる。

check
　発育状況はカウプ指数、肥満度、成長曲線などを参考にする。

check
　学校給食法では、事故を防ぐために、配食前に 1 人分の給食を責任者が試食し、異常がないか確認する義務を設けている。これも検食という。

check
　調理実習（体験）等でも調理済み食品は「調理後はすみやかに（2 時間以内）喫食する」と「原材料や調理済み食品の保存食を確保する」がある。

5 施設別の給食

(1) 保育所

- 給与栄養量は「日本人の食事摂取基準」を用いて、幼児食は1〜2歳児と3〜5歳児に分けて設定し、乳児食は乳汁と離乳食に分けて設定している。
- 3〜5歳児では、基本的には、昼食及び1回の間食を給与し、1〜2歳児では、昼食及び2回の間食を給与する。
- 献立作成は、3〜5歳児を基本にし、分量や調理形態を変えて1〜2歳児にし、発育状況（カウプ指数、肥満度、成長曲線など）で定期的に評価し、見直すことも必要である。
- 新規の食物は、家庭において、2回以上、何らかの症状が誘発されないことを確認した上で給食として提供するのが理想。
- 集団としての側面を持ちつつも、年齢差、個人差が大きいこと、離乳食、食物アレルギーのある子どもや障害のある子ども等、個別の配慮が必要な場合があり、柔軟な対応が大切。

(2) 乳児院

- 入所時には、授乳・離乳食の状況、アレルギーの有無等の入所前の家庭での食に関する状況、病院での看護記録等も含めケースワーカーや家族等からの情報により把握する。
- 安心して楽しく食事ができる家庭的雰囲気づくりに配慮する。

(3) 児童養護施設

- 子どもたちの健やかな発育・発達を促す食事の提供。
- 社会的自立に向けた栄養・食生活支援につながる食育を推進。

(4) 障害者施設

- 個々の子どもの障害特性に応じて、食事の提供に関する留意点は多岐にわたる。
- 栄養ケア・マネジメントの重要性、家庭への支援が重要。
- 障害児施設から通学する場合には、家族、行政、医療機関、特別支援学校との連携が重要である。
- 食を通した自立支援を行う。

ここで チャレンジ

問題　次の記述で正しいものに○、誤っているものに×をつけよ。

1. 「児童福祉施設における食事の提供ガイド」（平成22年：厚生労働省）における「食事の提供における食中毒予防のための衛生管理」では、「大量調理施設衛生管理マニュアル」に基づき、加熱調理において、中心部を75℃で1分間以上（ノロウイルス汚染の危険がある場合は85〜90℃で90秒以上）加熱すると示されている。

2. 児童福祉施設において、食事の提供と食育を一体的な取組みとして栄養管理を行うには、PDCAサイクル（計画（Plan）－実行（Do）－評価（Check）－改善（Action））に基づき行っていく。

3. 「児童福祉施設における食事の提供ガイド」（平成22年：厚生労働省）における「食事の提供における食中毒予防のための衛生管理」では、「大量調理施設衛生管理マニュアル」に基づき、調理後の食品は3時間以内に食べると示されている。

4. 保育所給食において、3〜5歳児では、基本的に昼食および2回の間食を給与する。

5. 児童福祉施設では、「心と体の健康の確保」「安全・安心な食事の確保」「豊かな食体験の確保」の3つの視点を目指して、子どもの健やかな発育・発達に向けて、食事・食生活支援を行う。

6. 新規の食物は、家庭において可能であれば2回以上、何らかの症状が誘発されないことを確認した上で、給食として提供することが理想的である。

解答

1 ○　**2** ○　**3** ×　**4** ×　**5** ×　**6** ○

3　2時間以内に食べるとなっている。
4　間食は1回である。
5　「食生活の自立」を含め、4つの視点を目指している。

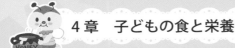

特別な配慮を要する子どもの食と栄養

出題 point
- 疾病及び体調不良の子どもへの対応
- 食物アレルギーのある子どもへの対応
- 障害のある子どもへの対応

1 疾病及び体調不良の子どもへの対応

　比較的多い子どもの疾病の特徴や体調不良の際の食事については、次のような対応が必要です。

1 体調不良

　一般的には、脱水症予防のための**水分補給**と、煮る、蒸すなどの加熱法で薄味に調理した**消化**のよいものとします。水分補給に用いられるものは、**白湯**（湯冷まし）、麦茶、**乳児用電解質飲料**（経口補水液）、みそ汁の上澄み、りんごジュースなどです。

■ 症状に応じた食事対応 ■

症状	食事の対応
発熱	・水分補給。母乳や育児用ミルクは欲しがるだけ与える ・消化器系の症状がない場合は、特に食事制限はないが、ゼリー、プリンなど半固形状の食品、アイスクリームなど冷たいものが食べやすい
下痢	・水分補給。母乳や育児用ミルクは欲しがるだけ与える ・消化のよい粥、うどんなどの穀類、りんごなどがよい ・冷たいもの、脂肪の多いもの、食物繊維の多いものは控える ・糖分の多すぎるものは下痢を長引かせるので注意
嘔吐	・吐き気が落ち着いたら、水分補給 ・消化のよい粥、うどんなどの穀類、りんごなどがよい

check
脱水症は、排尿間隔が長くなり、尿量が減る。

check
発熱の原因には、風邪などの感染症や熱中症などがある。

check
下痢・嘔吐は感染症や食中毒、食べ過ぎ、飲み過ぎなどにより起こる。また、乳児は胃の形状から嘔吐しやすい。

check
嘔吐物の処理で使用した手袋、マスク、エプロン、雑巾等は、ビニール袋に密閉して廃棄する。

便秘	・食事の量とバランスに注意する ・食物繊維の多い食品の摂取、水分補給 ・離乳期開始頃の乳児は、乳汁や水分の不足、腸内細菌バランスの変化で便秘になりやすいので、乳汁、野菜スープ、果汁などで水分補給をし、生活リズムを整える
口内炎	・酸味、塩味の強いもの、熱いものなど刺激物は避ける ・ゼリー、プリン、茶わん蒸しなどが食べやすい ・粘膜の修復にはビタミン B 群やビタミン A、E が有効

2 疾病の特徴と対応

(1) 先天性代謝異常症

　生まれつき特定の酵素が欠損していることにより起こる病気である。病気の種類は多数あるが、その一部は新生児マススクリーニング検査◆により発見される。早期に発見し、早期に治療をすれば、発症を防ぐことが可能である。このうち、フェニルケトン尿症、メープルシロップ尿症、ホモシスチン尿症、ガラクトース血症では、発見後直ちに特殊ミルクを用いた食事療法が開始される。

(2) 小児肥満

　摂取エネルギーが消費エネルギーより多いため体脂肪が蓄積して発生する。学童期の肥満は成人肥満に移行しやすいため、生活リズムや食習慣の改善、エネルギー、脂質、糖質制限が必要となる。

(3) 小児糖尿病

　糖尿病は血糖をコントロールするホルモン（インスリン）の作用の低下により、高血糖状態になる病気で、1 型と 2 型がある。
　1 型は乳幼児期から 15 歳頃にかけて発症し、治療はインスリン注射、食事療法、運動療法などである。食事には 80kcal を 1 単位とする食品交換表を利用する。
　2 型は、遺伝との関係が深く、多くは成人以降に発症するが、小児肥満の予防が重要である。治療は食事療法、運動療法など。

2 食物アレルギーのある子どもへの対応

1 食物アレルギー

　食物アレルギーとは、食べたり、触ったり、吸い込んだりした食物に対して、体が過敏に反応して起こる症状です。特に皮膚、粘膜症状が多く、全身性のものは、アナフィラキシーといいます。食物アレルギーの診断には、食物経口負荷試験や特異的IgE抗体検査、皮膚テストなどがあります。
　食物アレルギーの有症率は乳児期が最も高く、成長とともに減っていく傾向にあります。

check
便秘の原因は、食物の摂取量の不足、腹圧不足、不規則な生活習慣、心因性などがあげられる。

check
日本人の糖尿病の約 90％は 2 型糖尿病で、最近は肥満の増加につれ、小児にも 2 型糖尿病が増える傾向がみられる。

用語
◆新生児マススクリーニング検査
　生まれつきの病気の有無を調べる検査で、国内で生まれたすべての赤ちゃんを対象に、生後数日に実施されている。原則 20 疾患（18 種類の代謝異常疾患および 2 種類の内分泌疾患）については、公費負担で受けられる。従来法の新生児マススクリーニング検査方法に、現在はタンデムマス法も導入されている。
…▶ p.123,178

■ 食物アレルギーの有症率 ■

区分	乳児期	保育所	小学生	中学生
有症率（%）	5 ～ 10	4.9	4.6	2.2

資料：「食物アレルギー診療ガイドライン 2016」（日本小児アレルギー学会）

2 食物アレルギーの原因食物

食物アレルギーの原因となる抗原を**アレルゲン**といい、その多くは**たんぱく質**です。乳児期の場合、**鶏卵**、**牛乳**、**小麦**の順に多く、幼児期から学童期にかけては、**ピーナッツ**、**果物**、**魚卵**（いくら）、**甲殻類**、**そば**が上位を占めます。発症を予防するため、**8** 品目について食品表示を義務付けています。

 覚えよう！

● **アレルギーの食品表示義務 8 品目** ●
卵、乳、小麦、そば、落花生、えび、かに、くるみ

小麦粉粘土や牛乳パックを使用する制作活動や豆まき等も、触れる、吸入することで食物アレルギーを発症する子どもがいるので注意が必要です。

3 食物アレルギーへの食事対応

食物アレルギーが判明した場合は、**医師**の診断による食物アレルギー生活管理指導表に基づき、必要最小限度の食物除去（**除去食**）を行います。症状が治ったと診断されたら、除去解除となります。除去食を提供する場合は、栄養士の協力を得て栄養が不足しないように**代替食**を用意し、他の子どもと楽しく食べることができるよう配慮します。

check
食物アレルギーがあっても原則的には給食を提供する。

check
食物アレルギーであっても、離乳食の開始や進行を遅らせる必要はない。

check
食物依存性運動誘発アナフィラキシーを防止するためには、食後 2 時間以内の運動を避けることが望ましい。

	食べられないもの	基本的に除去不要な食品など	代替となるもの・調理の工夫など
鶏卵アレルギー	鶏卵と鶏卵を含む加工食品（マヨネーズ、アイスクリーム、洋菓子など）、うずらの卵	鶏肉や魚卵、卵殻カルシウム	・加熱すると卵白のオボムコイド以外、アレルゲン性は低下する。 ・肉料理のつなぎ⇒片栗粉、おろしれんこんなど、揚げ物衣⇒水、小麦粉、片栗粉、洋菓子⇒プリンはゼラチン、寒天、ケーキは重曹など

牛乳 アレルギー	牛乳と牛乳を含む加工食品（ヨーグルト、生クリーム、全粉乳、カレーのルウ、調味料の一部など）	牛肉、乳酸菌、乳酸カルシウム、乳化剤（一部を除く）、カカオバター、ココナッツミルク	・アレルゲン性は加熱しても変化しない。 ・飲用乳⇒豆乳（牛乳に比べカルシウム含有量が少ないので留意） ・ホワイトソース⇒すり下ろしじゃがいもなど
小麦 アレルギー	小麦と小麦を含む加工食品（小麦粉、パン、うどん、カレーのルウ、洋菓子など）	米や雑穀類、醤油、麦芽糖、麦茶（一部を除く）	・ルウ⇒米粉、片栗粉など、揚げ物衣⇒米粉パン粉、パンやケーキ生地⇒米粉や雑穀、麺⇒米麺、雑穀麺など
大豆 アレルギー	豆腐、油揚げ、きな粉、納豆など	大豆油、醤油、味噌、小豆、えんどう豆、いんげん豆	———

3 障害のある子どもへの対応

1 障害の種類

(1) 発達障害

　発達障害の中の自閉症は、感情のコントロールに関わる脳のシステムに障害があると考えられています。社会性やコミュニケーション能力の発達が遅れ、行動や興味・関心が限定されているため物事に**こだわる行動**、多動傾向、パニック、視線が合わないなどの特徴がみられます。また、通常とは異なる感覚器官の特徴があり、**感覚過敏**や臭覚、味覚に偏りがみられます。このため食生活においても、決まった食べ物しか食べない**偏食**、必要以上に食べる**過食**、食べ物以外の物を食べる**異食**など、食行動に問題のみられることが多くあります。

　食事のマナーについては、箸や食器などの食具をうまく使えないことがありますが、一人一人の子どもの特徴を十分理解し、総合的に食生活を支援する必要があります。

(2) ダウン症候群

　ダウン症候群は、**染色体異常**の中で最も頻度が高く、知的障害を伴うことが多い疾患です。**筋肉の緊張**が低いため、乳児期は身体が柔らかいという特徴があり、首のすわる時期が遅れる傾向にあります。また、先天性心臓疾患の合併症

をもつことが多いです。口腔形態の特徴から、咀しゃく、嚥下機能が不十分なことが多く、舌が口から出やすい、**丸呑み**するなど、食べる機能の障害が多くみられます。また、好きな物に固執し、肥満になりやすい傾向もあります。

　食事では**噛む**習慣をつけさせ、規則正しい生活と適度な運動が必要となります。

(3) 脳性まひ

　脳性まひは、中枢神経の障害による四肢体幹の運動障害と姿勢の異常が生じます。まひの型によって、筋肉が強く緊張し、自分の意志で身体を動かせない型と自分の意志に関係なく筋肉が動く型があります。また、知的障害、言語障害などを伴い、症状によっては、寝たきりになる場合もあります。摂食姿勢の維持が難しいことや手指の機能障害のほか、口の開閉の不自由さから、食べ物を口に入れる**捕食**や**咀**しゃく、**嚥下**が困難です。

　そのため、食生活では食事の内容や形態、**自助具**の工夫を図るなど、個人に応じた支援が必要となります。

(4) 口唇・口蓋裂

　口唇・口蓋が裂けて生まれたことにより、乳汁をうまく吸うことができないために、**むせ**たり、鼻からもれてしまったりします。そのような場合は、専用の哺乳瓶を使用します。手術後は、次第に普通の子どもと同じものが食べられるようになります。

2 食事の介助

　食事介助では、**本人ができないことだけ**を支援します。食事の場面ではよく観察し、個人差に応じた介助をします。摂食障害のある場合は、嚥下障害が起きないように様々な配慮が必要です。

■ 食事の介助で配慮する内容 ■

◆**食事時の姿勢**
・咀しゃくや嚥下がしやすいように筋肉をリラックスさせ、頭は少し**前かがみ**にするとよい。
・体は床面に対して 30 〜 45 度に起こした状態（半仰臥位）

がよい。

◆食べ物の形態・大きさ・固さなど

・噛む力が弱い場合は、刻み、蛇腹切り、そぎ切りなど切り方や大きさに配慮する。ただし、小さく切ったものはむせやすく、誤嚥を引き起こす場合があるので気をつける。

・噛む力と飲み込む力が弱い場合は、ペースト状、プリン状など固さや形態を変えたり、とろみを加える。裏ごし器、フードプロセッサーなどの調理器具や片栗粉や寒天、市販の増粘剤であるとろみ調整食品（加熱不要）などを使用するとよい。水分は誤嚥しやすいため、水やみそ汁などの飲食物にはとろみ調整食品を混ぜ合わせるとよい。また、再形成されて作られた新しいタイプのソフト食もよい。

◆嚥下障害が起きやすい食品

・咀しゃくしにくいもの…いか、こんにゃく、繊維の多い野菜など

・パサつくもの…カステラ、食パン、ゆで卵など

・のどに貼りつくもの…乾燥のり、わかめ、葉もの野菜、硬いマッシュポテトなど

・酸味が強くむせるもの…酢の物、夏みかんなどの柑橘類など

・液体と固体の混合物…お茶漬け、水分の多い果物など

◆食具

・スプーンは口の幅より狭い、浅いものがよく、一口の食べ物の量は少なめにして、口唇で取り込みやすいようスプーンの先の方にのせる。

・柄を太くしたスプーン、器の縁が内側にカーブしている食器、ノーズカットコップ、滑り止めシートなど自助具を対象者に合わせて利用するとよい。

◆介助

・介助者は対象者と同じ目の高さで介助する。

・介助者は対象者に食べ物を見せてから声をかけながら楽しい雰囲気で介助する。

・誤嚥を防ぐために、対象者の食べるスピードに合わせる。

・手づかみ食べも十分にさせる。

・食前には水分をとらせて、唾液や胃液の分泌を促す。

・食後は口腔ケアも兼ねて、水やお茶を飲ませるようにする。

check
誤嚥とは水分や食物が気管に入ること。窒息や誤嚥性肺炎を起こす危険があるので注意する。

問題 次の記述で正しいものに○、誤っているものに×をつけよ。

1. 食物アレルギーが判明した場合は、医師の診断による必要最小限度の食物除去（アレルゲン除去）を行う。

2. 食事を介助する場合、スプーンのボール部の幅は、口の幅より狭いものがよい。

3. 容器包装された加工食品では、特定原材料である卵、乳、小麦、えび、かに、そば、大豆、くるみの8品目は表示義務がある。

4. 食物アレルギーであっても、離乳食の開始や進行を遅らせる必要はない。

5. 大豆アレルギーの場合、大豆油は基本的に使用できない。

6. 鶏卵アレルギーは卵白のアレルゲンが主原因であり、オボムコイド以外は加熱や調理条件によってアレルゲン性は低下する。

7. 座位が不安定で車椅子などを使用する場合、誤嚥を防ぐために、頭が後屈しないよう配慮する。

8. 口内炎では、食事の調味は薄味とし、酸味、香辛料は避けて、体温程度で与える。

9. とろみ調整食品（増粘剤）は、加熱をしなくてもとろみをつけることができる。

10. 下痢の時には、食物繊維の多く含む料理を与える。

11. 食物アレルギーのアレルゲンは、ほとんどが食品中に含まれるたんぱく質である。

12. 酸味の強い食品は、むせやすく誤嚥しやすい。

解答
~~~~~~
1○ **2**○ **3**× **4**○ **5**× **6**○ **7**○ **8**○ **9**○ **10**× **11**○ **12**○

3 大豆ではなく、落花生である。

5 使用できる。

10 食物繊維は消化が悪く、腸に負担をかけるため控える。

264

5章

保育実習理論

学習ポイント

〈音楽〉
・伴奏和音、音楽用語、移調などが出題されます。
・ト音記号、ヘ音記号、リズム譜の楽譜を読み取れるようにしましょう。
・音程の種類、和音の種類、調号の種類を理解しましょう。
・童謡のメロディやリズム、作者、楽器等についても押さえておきましょう。

〈造形〉
・表現の発達段階や、材料、道具の使い方、技法の種類、色彩のしくみなど総合的な問題が出されています。
・絵本作家の名前や作品名、特徴的な絵の表現技法も押さえておきましょう。
・図を使った事例問題がよく出題されています。普段から身近なものの展開図や道具の構造などにも興味をもっておきましょう。

〈保育所保育指針等〉
・保育所保育指針を踏まえた実際の保育現場を想定した事例問題が増えています。指針をしっかり理解しておきましょう。
・言葉の発達過程や言葉を育む保護者の関わりなども確認しておきましょう。
・児童養護施設での援助や障害のある子どもの援助についても押さえておきましょう。

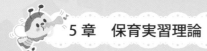

保育所保育

出題
point
- 保育所の役割と機能
- 保育計画
- 保育の内容

 1 保育所保育の役割と機能

1 保育所の役割

　保育所は児童福祉法に基づく児童福祉施設です。その役割は「入所する子どもの最善の利益を考慮し、その福祉を積極的に増進する」と保育所保育指針に記されています。

　実際の保育においては、子どものことを第一に考え、養護と教育を一体的に行います。また、保育所は入所する子どもの保育のほかにも、保護者や地域の子育て家庭に対する支援等も担っており、保育士には高い専門性が求められています。なお、この章では、特に表記がない場合、保育所保育指針の記載場所を示しています。

■ 保育所の役割（1章1 (1) イ）■

> イ　保育所は、その目的を達成するために、保育に関する専門性を有する職員が、家庭との緊密な連携の下に、子どもの状況や発達過程を踏まえ、保育所における環境を通して、養護及び教育を一体的に行うことを特性としている。

2 保育所の社会的責任

　保育所は、子育て家庭や地域社会に対して、保育の知識や経験、技術を提供する場です。その際には、子どもの人権を尊重し、地域社会との交流や連携を図ることが重要で

 check
　保育所は児童福祉法 39 条の規定に基づいている。

check
　保育所保育指針は児童福祉施設の設備及び運営に関する基準 35 条に基づいている。

す。さらに保育所が行う保育内容を地域社会や保護者に説明し、**個人情報の保護**と保護者の苦情に対しても解決を図るよう努めることが求められています。

check
子どもの人権を守るために、「憲法」「児童福祉法」「児童憲章」「児童の権利に関する条約」における子どもの人権について理解が必要。

■ 保育所の社会的責任（1章1（5））■

> ア　保育所は、子どもの人権に十分配慮するとともに、子ども一人一人の人格を尊重して保育を行わなければならない。
> イ　保育所は、地域社会との交流や連携を図り、保護者や地域社会に、当該保育所が行う保育の内容を適切に説明するよう努めなければならない。
> ウ　保育所は、入所する子ども等の個人情報を適切に取り扱うとともに、保護者の苦情などに対し、その解決を図るよう努めなければならない。

2 保育計画

保育所は、保育の計画、評価、改善というプロセスを通して、保育の質の向上を図ります。

1 全体的な計画

全体的な計画は、保育所保育の実践の基本となるもので、保育所保育指針に示されている保育の内容が保育所生活全体を通して総合的に展開されるように編成したものです。

check
保育所が知り得た子どもや保護者の情報は正当な理由なく漏らしてはならない。児童福祉法18条の22に保育士の秘密保持義務について明記されている。

■ 全体的な計画（1章3（1））■

> ア　保育所は、保育の目標を達成するために、各保育所の保育の方針や目標に基づき、子どもの発達過程を踏まえて、保育の内容が組織的・計画的に構成され、保育所の生活の全体を通して、総合的に展開されるよう、全体的な計画を作成しなければならない。
> イ　全体的な計画は、子どもや家庭の状況、地域の実態、保育時間などを考慮し、子どもの育ちに関する長期的見通しをもって適切に作成されなければならない。
> ウ　全体的な計画は、保育所保育の全体像を包括的に示すものとし、これに基づく指導計画、保健計画、食育計画等を通じて、各保育所が創意工夫して保育できるよう、作成されなければならない。

2 指導計画

　指導計画は、全体的な計画に基づいて、保育目標や保育方針を**具体化する実践計画**で、具体的なねらいと内容、環境構成、予想される活動、保育士等の援助、家庭との連携等で構成されるものです。そして、一人一人の子どもが乳幼児に**ふさわしい環境**と保育士との**多様なかかわり**を通して、柔軟に保育が展開していけるように作成されます。

■ 指導計画の作成のポイント ■

- 全体的な計画に基づき、具体的な保育が適切に展開されるよう、子どもの生活や発達を見通した長期的な指導計画と、それに関連しながら、より具体的な子どもの日々の生活に即した短期的な指導計画を作成する。
- 指導計画の作成に当たっては、子ども一人一人の発達過程や状況を十分に踏まえる。
- 保育所の生活における子どもの発達過程を見通し、生活の連続性、季節の変化などを考慮し、子どもの実態に即した具体的なねらい及び内容を設定する。
- 具体的なねらいが達成されるよう、子どもの生活する姿や発想を大切にして適切な環境を構成し、子どもが主体的に活動できるようにする。

3 指導計画作成上の留意事項

　指導計画を作成するに当たっては、3歳未満児は特に心身の発育・発達が顕著な時期で、**個人差**も大きいことから、一人一人の子どもの**生育歴**や、心身の発達、活動の実態などに即した、**個別**の指導計画を作成する必要があります。

　3歳以上児については、個の成長と、子ども相互の関係や**協同的**な活動が促されるよう配慮した計画の作成が必要です。

　また、異年齢の子どもたちで構成される保育の場合には、それぞれの子どもの生活や経験、発達過程などを把握し、適切な援助や環境構成ができるような配慮が必要です。

　現在では、保育所で長時間を過ごす子どもが増加しているため、子どもに負担なく、落ち着いて過ごせるような指導計画が必要になります。

3 養護と教育

1 養護

保育における「養護」とは、子どもの**生命の保持**及び**情緒の安定**を図るために保育士等が行う援助や関わりをあらわしています。

(1) 生命の保持

生命の保持とは、ただ単に子どもの命を守るということだけではありません。一人一人の子どもが**快適**に、**健康**で**安全**に過ごすためには、子どもの普段の健康状態と発達状況を正確に把握し、家庭との連携を密にすることが重要になります。

保育所保育指針では、生命の保持について、次のようなねらいをあげています。

■ 生命の保持のねらい（1章2（2）ア（ア））■

①一人一人の子どもが、快適に生活できるようにする。
②一人一人の子どもが、健康で安全に過ごせるようにする。
③一人一人の子どもの生理的欲求が、十分に満たされるようにする。
④一人一人の子どもの健康増進が、積極的に図られるようにする。

(2) 情緒の安定

子どもにとって、自分の気持ちを安心して表すことができ、受け止めてもらえるということはとても大切なことです。自分の気持ちをわかってくれる人がいるという**安心感**が情緒の安定につながります。子どもの置かれている状態や発達過程を把握し、子どもの欲求を満たしながら、子どもの気持ちを受け入れ、信頼関係を築くことで、子どもは主体的に活動し、自己を肯定する心を育んでいきます。

また、長時間保育においては、子ども一人一人がくつろいで過ごすことができるような**環境**を構成し、心身の疲れが癒やされるようなねらいをもって保育を行うことが必要です。

check
子どもにとって保育所が快適な生活の場になるように、一人一人の生活リズムを大切にする。そのためには家庭との緊密な連絡が必要。

■ 情緒の安定のねらい（1章2（2）イ（ア））■

①一人一人の子どもが、安定感をもって過ごせるようにする。
②一人一人の子どもが、自分の気持ちを安心して表すことができるようにする。
③一人一人の子どもが、周囲から主体として受け止められ、主体として育ち、自分を肯定する気持ちが育まれていくようにする。
④一人一人の子どもがくつろいで共に過ごし、心身の疲れが癒されるようにする。

子どもが保育士等と安定感を持ち、安心して過ごせる環境は子どもの心の成長の基盤となる。

2 教育に関わる保育の内容

保育所での様々な活動の中で、保育士は、どのような資質や能力を育みたいのか、という保育士の見方をもって子どもに関わり、環境を整えます。そのためには、子どもの発達についての正しい理解が必要です。子どもの発達について保育所保育指針では、「乳児」「1歳以上3歳未満児」「3歳以上児」の3つの年齢区分で区別しています。

乳児に対しては、身体的発達に関する視点から「健やかに伸び伸びと育つ」、社会的発達に関する視点から「身近な人と気持ちが通じ合う」、精神的発達に関する視点から「身近なものと関わり感性が育つ」の3つの視点をもって保育にあたります。

1歳以上3歳未満児及び3歳以上児では、乳児保育を基盤とし、「5領域」と呼ばれる5つの領域から保育にあたります。

5領域は、「健康」「人間関係」「環境」「言葉」「表現」で、乳児保育の3つの視点は、この5領域につながっていきます。

保育所保育指針には、これらの視点について、それぞれ保育を通して育みたい資質・能力が「ねらい」として、示されています。また、「内容」には、この「ねらい」を達成するために、子どもの生活やその状況に応じて保育士等が適切に行う事項と、保育士等が援助して子どもが環境に関わって経験する事項が示されています。

check
保育所における「教育」とは、子どもが健やかに成長し、その活動がより豊かに展開されるための発達援助である。

check
5領域のねらいは子どもの「心情」「意欲」「態度」などを示している。

5領域
‥‥> p.33

check
各領域（乳児の場合は、視点）で示される保育の内容は、養護における「生命の保持」「情緒の安定」に関わる保育の内容と一体となって展開されるものであることに留意が必要である。

3 乳児保育

　乳児期には、**感覚**（視覚、聴覚など）や運動機能（座る、**はう**、歩くなど）が著しく発達し、また、**特定の大人**との応答的な関わりを通して**情緒的な絆**を形成していきます。

　この時期は、疾病への抵抗力が弱く、心身の機能の未熟さに伴う疾病の発生が多いことから、一人ひとりの発育、発達状態や健康状態についての適切な判断に基づく**保健的**な対応が必要です。

　乳児は、身近な生活用具や、用意された玩具や絵本など、身の回りのものに興味や好奇心をもちます。生活や遊びの中で様々なものに触れ、音、**形**、色、**手触り**などに気付き、感覚の働きを豊かにします。保育士と一緒に絵本を見たり、玩具や身の回りのものをつまむ、つかむ、たたく、引っ張るなど、手や指を使ったりして遊びます。また、歌やリズムに合わせて手足や体を動かして楽しみます。

■ 乳児保育の内容の取扱いの留意事項（2章1（2）ウ（ウ））■

> ①玩具などは、音質、形、色、大きさなど子どもの発達状態に応じて適切なものを選び、その時々の子どもの興味や関心を踏まえるなど、遊びを通して感覚の発達が促されるものとなるように工夫すること。なお、安全な環境の下で、子どもが探索意欲を満たして自由に遊べるよう、身の回りのものについては、常に十分な点検を行うこと。

　乳児はまだ言葉を獲得できていません。しかし、乳児は、表情や発する声、体の動きなどで感情を表現します。その姿を、保育士は積極的に受け止め、子どもの気持ちを読みとり、子どもの気持ちに応えるような働きかけを行います。子どもが気持ちを表現したくなるような**楽しい雰囲気**をつくり、乳児が様々な活動を楽しむことを通して豊かな表現力を獲得する手助けをします。

②身近な人に親しみをもって接し、自分の感情などを表し、それ
に相手が応答する言葉を聞くことを通して、次第に言葉が獲得
されていくことを考慮して、楽しい雰囲気の中での保育士等と
の関わり合いを大切にし、ゆっくりと優しく話しかけるなど、積
極的に言葉のやり取りを楽しむことができるようにすること。

　また、発達の個人差が大きいこの時期は、特に保護者と
の連携を密にして家庭での姿を捉え、**特定の保育士**による
関わりが大切です。

■ 保育の実施に関わる配慮事項（2章1（3））■

　イ　一人一人の子どもの生育歴の違いに留意しつつ、欲求を適切
　　　に満たし、特定の保育士が応答的に関わるように努めること。
　オ　担当の保育士が替わる場合には、子どものそれまでの生育
　　　歴や発達過程に留意し、職員間で協力して対応すること。

4 1歳以上3歳未満児の保育

　1歳以上3歳未満児は、基本的な運動機能（歩き始める、
歩く、**走る**、**跳ぶ**など）や指先の機能（**つまむ**、めくるなど）
が発達し、**排泄**の自立のための身体的機能も整ってきます。
食事や**衣類の着脱**などは、保育士の援助があれば、自分で
できるようになります。
　さらに、**語彙**が増え、明瞭な発声で、自分の**意思**や**欲求**
を言葉で表現でき、自分でできることが増えていきます。
保育士は、子どもの**自分でしようとする気持ち**を尊重し、
温かく見守るとともに、愛情豊かに、**応答的**に関わります。
思い通りにいかないとき等の子どもの不安定な気持ちも、
保育士が温かく受け止めていきます。
　「自分」というものが表れ、自我が形成されていくこの時
期は、自他の区別が十分でないことから、自分のことを主
張することが多く、友達とのトラブルが多くなります。保
育士が子どもの気持ちに**寄り添い**、**仲立ち**となって、子ど

もの気持ちを相手に伝えること、そして、相手の気持ちにも気付けるように関わっていくことが必要です。

■ 人間関係に関する留意事項（2章2（2）イ（ウ））■

②思い通りにいかない場合等の子どもの不安定な感情の表出については、保育士等が受容的に受け止めるとともに、そうした気持ちから立ち直る経験や感情をコントロールすることへの気付き等につなげていけるように援助すること。

子どもの語彙が増え、自分の知っている言葉を相手に伝えようとする姿がみられますので、保育士はその気持ちや態度を受け止めます。保育士との楽しい言葉のやり取りの中で、保育士が発する言葉を、子どもは獲得していきます。

■ 言葉に関する留意事項（2章2（2）エ（ウ））■

①身近な人に親しみをもって接し、自分の感情などを伝え、それに相手が応答し、その言葉を聞くことを通して、次第に言葉が獲得されていくものであることを考慮して、楽しい雰囲気の中で保育士等との言葉のやり取りができるようにすること。

この時期の子どもは、水、砂、土、紙、粘土など様々な素材に触れ、生活の中の様々な音、形、色、手触り、動き、味、香りなどにも気付いたり、感じたりして楽しみます。また、リズムに合わせた体の動き、歌を歌うこと、簡単な手遊びや全身を使う遊びを楽しみ、生活や遊びの中での出来事を通して、イメージを豊かにしていきます。

生活や遊びの中で、興味のあることや経験したことなどを自分なりに表現しますので、保育士は、様々な場面で表出されている子どもの表現を積極的に受け止めます。

■ 表現に関する留意事項（2章2（2）オ（ウ））■

④身近な自然や身の回りの事物に関わる中で、発見や心が動く経験が得られるよう、諸感覚を働かせることを楽しむ遊びや素材を用意するなど保育の環境を整えること。

5

保育実習理論

❶ 保育所保育

5 3歳以上児の保育

　3歳以上児は、仲間を意識した**集団的**な遊びや**協同的**な活動を行うようになります。保育士は、子どもの**個**の成長と**集団**としての活動の充実を図ります。

　友達との関わりが多くなり、**集団**での遊びや活動も次第に増えていきます。一人一人の子どもが自分のもつ力を発揮し、仲間から認められる体験を通して、自分への自信も高まります。

■ 人間関係に関する留意事項（2章3（2）イ（ウ））■

②一人一人を生かした集団を形成しながら**人と関わる力**を育てていくようにすること。その際、集団の生活の中で、子どもが自己を発揮し、保育士等や**他の子ども**に認められる体験をし、自分のよさや特徴に気付き、**自信**をもって行動できるようにすること。

　子どもは次第に自分の気持ちを言葉で伝えることができるようになり、保育者や友達の話を聞くこともできるようになります。言葉の理解が進み、**言葉による伝え合い**ができるようになります。また、言葉の響きやリズムを感じて楽しみ、同じ音で意味の異なる言葉や反対の意味をもつ言葉などにも気付いて言葉にするようになったり、身の回りの**記号**や**文字**に興味を示すようになります。上手く書けるようになるには時間がかかりますが、この時期は文字に触れること、文字を使って人に伝えることができる喜びや楽しさを経験することを大事にします。

■ 言葉に関する留意事項（2章3（2）エ（ウ））■

④子どもが生活の中で、言葉の**響きやリズム**、新しい言葉や表現などに触れ、これらを使う楽しさを味わえるようにすること。その際、絵本や物語に親しんだり、**言葉遊び**などをしたりすることを通して、言葉が豊かになるようにすること。

⑤子どもが日常生活の中で、文字などを使いながら思ったことや考えたことを伝える**喜びや楽しさ**を味わい、文字に対する

check
　3歳以上児は、運動機能の発達により、基本的な動作が一通りできるようになり、基本的な生活習慣もほぼ自立する。また、理解する語彙数が急激に増え、知的興味や関心も高まる。

興味や関心をもつようにすること。

　また、感じたこと、考えたことなどを音や動きなどで表現し、さらに、自由に描いたり、つくったりすることを楽しみ、**遊びに使ったり**、**飾ったり**します。いろいろな素材に親しみ、工夫して遊ぶので、子どもの**表現する意欲**を十分に発揮させることができるような環境を整えることが保育士には求められます。

■ 表現に関する留意事項（2 章 3（2）オ（ウ））■

> ③生活経験や発達に応じ、自ら様々な表現を楽しみ、表現する意欲を十分に発揮させることができるように、遊具や用具などを整えたり、様々な素材や表現の仕方に親しんだり、他の子どもの表現に触れられるよう配慮したりし、表現する過程を大切にして自己表現を楽しめるように工夫すること。

6 幼児期の終わりまでに育ってほしい姿

　保育所での活動を通して資質・能力が育まれていく子どもの姿について、小学校就学までに育ってほしい姿をイメージした具体的な 10 項目が示されています。これは、幼稚園や幼保連携型認定こども園などと共通の項目です。

　同様に、幼児教育施設で共有すべき、育みたい資質・能力の 3 つの柱も示されています。

■ 言葉による伝え合い（1 章 4（2）ケ）■

> 　保育士等や友達と心を通わせる中で、絵本や物語などに親しみながら、豊かな言葉や表現を身に付け、経験したことや考えたことなどを言葉で伝えたり、相手の話を注意して聞いたりし、言葉による**伝え合い**を楽しむようになる。

7 保育実施上の全般的な配慮事項

　乳幼児期の子どもは心身の発達や活動に**個人差**が大きいことを配慮し、さらにそのときどきの子どもの**気持ちを受け止め**、寄り添っていくことが大切です。また、家庭などの背景も把握することで、子どもの理解を深めます。

❶ 保育所保育

幼児期の終わりまでに育ってほしい姿
••▶ p.33

幼稚園教育において育みたい資質・能力の 3 つの柱
••▶ p.32

ア　子どもの心身の発達及び活動の実態などの個人差を踏まえるとともに、一人一人の子どもの気持ちを受け止め、援助すること。

イ　子どもの健康は、生理的、身体的な育ちとともに、自主性や社会性、豊かな感性の育ちとがあいまってもたらされることに留意すること。

ウ　子どもが自ら周囲に働きかけ、試行錯誤しつつ自分の力で行う活動を見守りながら、適切に援助すること。

エ　子どもの入所時の保育に当たっては、できるだけ個別的に対応し、子どもが安定感を得て、次第に保育所の生活になじんでいくようにするとともに、既に入所している子どもに不安や動揺を与えないようにすること。

オ　子どもの国籍や文化の違いを認め、互いに尊重する心を育てるようにすること。

カ　子どもの性差や個人差にも留意しつつ、性別などによる固定的な意識を植え付けることがないようにすること。

8 子育て支援

　保育士の仕事は、入所している子どもの保育のみではありません。保護者や地域の子育て支援も行います。保育士がもつ保育や子育てに関する知識や技術などの専門性と、常に子どもがいるという保育所の特性を生かし、保護者自身が子どもの成長に気付いて、子育ての喜びを感じられるように努めます。

　特に、保育所を利用している保護者については、様々な機会を活用し、子どもの日々の様子に関する情報交換を行います。また、保育所保育の意図を説明して、保護者からの理解を得たり、保育士が保護者を理解したりします。

　代わりにやってほしいという保護者からの依頼があった場合も、保育士が安易にすべてを引き受けるのではなく、保護者の子育ての実践力が向上するように、保育の活動への保護者の参加を大切にします。

■ 保育所の特性を生かした子育て支援（4章1（1）イ）■

> 保育及び子育てに関する知識や技術など、保育士等の専門性や、子どもが常に存在する環境など、保育所の特性を生かし、保護者が子どもの成長に気付き子育ての喜びを感じられるように努めること。

■ 保育所を利用している保護者に対する子育て支援（4章2（1））■

> ア　日常の保育に関連した様々な機会を活用し子どもの日々の様子の伝達や収集、保育所保育の意図の説明などを通じて、保護者との相互理解を図るよう努めること。
> イ　保育の活動に対する保護者の積極的な参加は、保護者の子育てを自ら実践する力の向上に寄与することから、これを促すこと。

9 自己評価

　保育士は、自身の**保育実践**を振り返り、自己評価することを通して、専門性の向上や**保育実践**の改善を行います。

■ 保育士等の自己評価（1章3（4）ア）■

> （ア）保育士等は、保育の計画や保育の記録を通して、自らの保育実践を振り返り、自己評価することを通して、その専門性の向上や保育実践の改善に努めなければならない。
> （イ）保育士等による自己評価に当たっては、子どもの活動内容やその結果だけでなく、子どもの心の育ちや意欲、取り組む過程などにも十分配慮するよう留意すること。
> （ウ）保育士等は、自己評価における自らの保育実践の振り返りや職員相互の話し合い等を通じて、専門性の向上及び保育の質の向上のための課題を明確にするとともに、保育所全体の保育の内容に関する認識を深めること。

■ 自己評価における子どもの育ちを捉える視点（解説1章3（4）ア）■

> 　保育士等は、乳幼児期の発達の特性とその過程を踏まえ、ねらいと内容の達成状況を評価することを通して、一人一人の子どもの育ちつつある様子を捉える。その際留意したいのは、発

達には個人差があること、できることとできないことだけではなく、子どもの心の動きや物事に対する意欲など内面の育ちを捉えることである。子どもが何をしていたのかということやその結果のみでなく、どのようにして興味や関心をもち、取り組んできたのか、その過程を理解することが保育をよりよいものとしていく上で重要である。また、子ども同士及び保育士等との関係など、周囲の環境との関わり方も視野に入れて捉える。

保育実践の振り返りや自己評価の際には、子どもの心の育ちや意欲、取り組む過程などにも配慮します。

また、保育士自身の自己評価だけでなく、保育所の自己評価も必要です。保育所の保育の内容等について、客観的に振り返ります。地域の実情や保育所の実態に即した評価の観点で項目等を設定し、すべての職員による共通理解をもって取り組みます。

■ 保育所の自己評価（1章3（4）イ）■

（イ）保育所が自己評価を行うに当たっては、地域の実情や保育所の実態に即して、適切に評価の観点や項目等を設定し、全職員による共通理解をもって取り組むよう留意すること。

保育所ではこのような自己評価を行うことにより、専門性の向上及び保育の質の向上につなげます。

10 研修

保育所が質の高い保育を展開していくためには、一人一人の職員の資質向上、そして職員全体の専門性向上に絶えず努める必要があります。そのためには、各職員が自己評価に基づいた課題等を踏まえ、保育所内外の研修等を通して、知識や技術の修得、維持及び向上に努めます。

また、保育所全体における保育の質の向上のためには、日常的に職員同士が主体的に学び合う姿勢と環境が重要です。

■ 職場における研修（5章3（1））■

職員が日々の保育実践を通じて、必要な知識及び技術の修得、

維持及び向上を図るとともに、保育の課題等への共通理解や協働性を高め、保育所全体としての保育の質の向上を図っていくためには、日常的に職員同士が主体的に学び合う姿勢と環境が重要であり、職場内での研修の充実が図られなければならない。

内部研修だけでは内容に偏りが生じたり、同じ内容の繰り返しになったりすることがあり、専門性の向上という観点からは不十分な場合があります。外部の研修に参加することで、幅広い内容について学ぶことができます。また、視野が広がり、日々の保育や問題点に気づくきっかけにもなります。

■ 外部研修の活用（5章3（2））■

　各保育所における保育の課題への的確な対応や、保育士等の専門性の向上を図るためには、職場内での研修に加え、関係機関等による研修の活用が有効であることから、必要に応じて、こうした外部研修への参加機会が確保されるよう努めなければならない。

保育の質の向上には、全職員で取り組みます。保育所は、職員のキャリアパスを見据え、保育経験や職位を踏まえた上で、専門性を高めるための研修計画を作ります。

■ 体系的な研修計画の作成（5章4（1））■

　保育所においては、当該保育所における保育の課題や各職員のキャリアパス等も見据えて、初任者から管理職員までの職位や職務内容等を踏まえた体系的な研修計画を作成しなければならない。

また、施設長は、保育所全体としての保育実践の質及び専門性の向上について考えなければなりません。研修への参加が特定の職員に偏ることなく、職員がバランスよく研修へ参加できるように配慮します。

■ 研修の実施に関する留意事項（5章4（3））■

　施設長等は保育所全体としての保育実践の質及び専門性の向上のために、研修の受講は特定の職員に偏ることなく行われるよう、配慮する必要がある。

ここで チャレンジ

問題 次の記述で正しいものに○、誤っているものに×をつけよ。

1. 保育士が、自己評価によって子どもの育ちを捉える際には、子どものできることとできないことだけではなく、子どもの心の動きや物事に対する意欲など内面の育ちを捉えるようにする。

2. 乳児期から様々な人との関わりに慣れるように、できるだけ多くの保育士が子どもに関わる。

3. 保育の全体的な計画は、指導計画、保健計画、食育計画等を通じて、各保育所が創意工夫して保育できるよう、作成されなければならない。

4. 指導計画は、子どもの生活や発達を見通した短期的な指導計画と、それに関連しながら、より具体的な子どもの日々の生活に即した長期的な指導計画を作成する。

5. 3歳以上児は集団的な遊びが多くなるため、個の成長を意識するのではなく、集団としての活動が充実することを意識して保育を展開する。

6. 保育所全体の保育の質の向上を図るためには、日常的に職員同士が主体的に学び合う姿勢と環境が重要であり、職場内での研修の充実が図られなければならない。

解答

1 ○ **2** × **3** ○ **4** × **5** × **6** ○

2 乳児においては、特定の保育士による関わりが大切である。

4 子どもの生活や発達を見通した長期的な指導計画と、より具体的な子どもの日々の生活に即した短期的な指導計画を作成する。

5 集団的な遊びが見られるようになる発達の特徴を踏まえ、個の成長と集団としての活動の充実が図られるような保育を意識する。

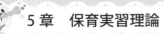

保育所以外の児童福祉施設の養護

出題
point

- 児童福祉施設と保育士の役割
- 児童福祉施設の一般原則
- 児童福祉施設の養護の内容

 1 児童福祉施設と保育士の役割

　現在、日本社会では経済的格差とそこから生じる**貧困**が社会問題の一つになっており、貧困は、離婚や虐待などの家庭生活の破たんの原因ともなります。様々な家庭の事情により、**居住型（入所型）の児童福祉施設**◆で生活する子どもがいます。

　児童福祉施設は児童福祉法によって定められた **13** 種類の施設から構成されています。具体的には、助産施設、**乳児院**、**母子生活支援施設**、保育所、幼保連携型認定こども園、児童厚生施設（児童館等）、児童養護施設、障害児入所施設、児童発達支援センター、**児童心理治療施設**、児童自立支援施設、児童家庭支援センター、里親支援センターがあります。それぞれの施設は種別ごとに目的が違いますが、児童にとって家庭に代わる生活の場になるものです。したがって、保育士をはじめとする職員が家庭の親に代わって、児童の**欲求**を個々に充足させその健全な**成長・発達**を保障することが重要です。そのために児童福祉施設で働く保育士は、施設を利用する児童・親の個別の**ニーズ**を充足するための援助をすることが基本となります。様々な背景をもつ児童・親とコミュニケーションをとりながら**良好な関係**を築き、児童とともに生きる姿勢が重要です。

（用語）
◆**居住型（入所型）の児童福祉施設**
　入所者の生活を保障するもので、家庭における養育・保護の代替機能を果たす。

 check
　虐待を受けて保護される児童数は増加傾向にあり、保育所以外の児童福祉施設に入所する児童数も増加している。

2 児童福祉施設の設備及び運営に関する基準

　都道府県は、児童福祉施設に入所している者が、明るく、衛生的な環境において、素養があり、かつ、適切な訓練を受けた職員の指導により、心身共に健やかにして、社会に適応するように育成されることを保障するために、条例で児童福祉施設の設備及び運営についての基準（最低基準）を定めなければなりません。その場合、配置する従業者とその員数、居室等の床面積などは、国が定める「児童福祉施設の設備及び運営に関する基準」の規定に従います。様々な専門職種で構成されているのが児童福祉施設の特徴の一つですが、それぞれの専門性を発揮しながら職員同士が連携し、情報交換をしながら児童及び親の支援を行います。

■ 児童福祉施設の設備及び運営に関する基準（抜粋）■

第3章　乳児院◆
　第21条（職員）**第1項**　乳児院（乳幼児10人未満を入所させる乳児院を除く。）には、小児科の診療に相当の経験を有する医師又は嘱託医、看護師、個別対応職員、家庭支援専門相談員、栄養士及び調理員を置かなければならない。ただし、調理業務の全部を委託する施設にあっては調理員を置かないことができる。
　第3項　心理療法を行う必要があると認められる乳幼児又はその保護者10人以上に心理療法を行う場合には、心理療法担当職員を置かなければならない。
第4章　母子生活支援施設
　第27条（職員）**第1項**　母子生活支援施設には、母子支援員（母子生活支援施設において母子の生活支援を行う者）、嘱託医、少年を指導する職員及び調理員又はこれに代わるべき者を置かなければならない。
　第2項　心理療法を行う必要があると認められる母子10人以上に心理療法を行う場合には、心理療法担当職員を置かなければならない。
第7章　児童養護施設◆
　第42条（職員）**第1項**　児童養護施設には、児童指導員、嘱託医、保育士、個別対応職員、家庭支援専門相談員、栄養

 用語
◆乳児院
　1歳未満の乳児を主に入院させ、養育する施設。児童福祉法37条に規定されている。

用語
◆児童養護施設
　保護者のいない児童、虐待されている児童、その他環境上養護を要する児童を入所させ、養護し、その自立を援助することを目的とした施設。児童福祉法41条に規定されている。

士及び調理員並びに乳児が入所している施設にあつては看護師を置かなければならない。ただし、児童 40 人以下を入所させる施設にあつては栄養士を、調理業務の全部を委託する施設にあつては調理員を置かないことができる。

第 3 項　心理療法を行う必要があると認められる児童 10 人以上に心理療法を行う場合には、心理療法担当職員を置かなければならない。

第 9 章　児童心理治療施設

第 73 条（職員）第 1 項　児童心理治療施設には、医師、心理療法担当職員、児童指導員、保育士、看護師、個別対応職員、家庭支援専門相談員、栄養士及び調理員を置かなければならない。ただし、調理業務の全部を委託する施設にあつては、調理員を置かないことができる。

第 10 章　児童自立支援施設

第 80 条（職員）第 1 項　児童自立支援施設には、児童自立支援専門員、児童生活支援員、嘱託医及び精神科の診療に相当の経験を有する医師又は嘱託医、個別対応職員、家庭支援専門相談員、栄養士並びに調理員を置かなければならない。ただし、児童 40 人以下を入所させる施設にあつては栄養士を、調理業務の全部を委託する施設にあつては調理員を置かないことができる。

第 3 項　心理療法を行う必要があると認められる児童 10 人以上に心理療法を行う場合には、心理療法担当職員を置かなければならない。

　各施設は、その特性を活かしながら**子ども**や**保護者**、関係機関と関わって**情報収集**し、適切な対応が求められます。子どもの気持ちを受け止め、様々な背景をもつ子どもを理解して関わることが必要です。

 3　個人情報の保護

　近年、プライバシーや**個人情報の保護**に関して確かな自覚をもった行動をすることが社会全体として求められています。特に、専門職としての保育士の責任は大きく、児童福祉施設を利用する子どもやその保護者の秘密を守ること

5
保育実習理論

❷ 保育所以外の児童福祉施設の養護

（用語）
◆児童心理治療施設
　家庭や学校での交友関係等の環境上の理由により社会生活への適応が困難な児童に対し、主に心理に関する治療及び生活指導を行う施設。児童福祉法 43 条の 2 に規定されている。

 check
　児童自立支援施設の生活指導、職業指導は、45 条の児童養護施設の規定を準用する。

check
　2024（令和 6）年 4 月から、新たに里親支援センターが児童福祉施設として位置付けられた。

 check
　個人情報の保護については、保育所においても同様の注意が必要である。

は必須です。知り得た情報を安易に人に話すことは、自身の家族であっても認められることではありません。

　実習等の学びの場でも細心の注意を払わなければなりません。例えば、実習記録には、たくさんの個人情報が記入されているので取り扱いには十分に気を付けます。うっかり読まれて個人の情報が洩れるというようなことはあってはなりません。

　SNS（ソーシャル・ネットワーキング・サービス）等に利用者名や施設名称、個人の情報を書き込むことや、利用者の写真等を掲載することも通常は認められません。また、様々な事情により入所している子どもに対し、入所理由を直接尋ねるようなことは、子どもの心を傷つけるような関わりでもあり、避けなければなりません。保護者や子どものプライバシー保護に関しては、保育所保育指針にも記されています。

■ 子育て支援に関して留意すべき事項（4章1（2））■

> イ　子どもの利益に反しない限りにおいて、保護者や子どもの
> 　プライバシーを保護し、知り得た事柄の秘密を保持すること。

　ただし、**子どもの利益**を第一に考え、虐待等が疑われる場合には関係機関と連携し、適切な対応を行います。

■ 不適切な養育等が疑われる家庭への支援（4章2（3））■

> イ　保護者に不適切な養育等が疑われる場合には、市町村や関
> 　係機関と連携し、要保護児童対策地域協議会で検討するなど
> 　適切な対応を図ること。また、虐待が疑われる場合には、速や
> 　かに**市町村又は児童相談所**に通告し、適切な対応を図ること。

　また、実習などでは、子ども（利用者）への関わり方について困難を感じることもあります。どのように対応してよいのかわからないときには、実習指導者から**スーパービジョン**を受け、自身の保育実践の向上につなげます。

　保育士としての自覚と責任をもち、確かな知識と実践が求められています。

check
利用者の名前は、実名ではなく、個人情報に配慮し、イニシャル等を使用することも多くなっている。

 問題 次の記述で正しいものに〇、誤っているものに×をつけよ。

1. 同じ職場で働く保育士、看護師、調理師が一緒に話し合い、子どもに関する対応を考える。

2. 児童養護施設に入所している中学1年生の女子児童から、「職員は誰も私のことをわかってくれない」と言われ、「そういうことを言ってはいけない」と注意した。

3. 実習日誌の記録は、子どものことを正確に記述しなければならないため、子どもの個人名は必ずフルネームで記載しなければならない。

4. 保育士は秘密保持の義務があるため、家族であっても知り得た情報を話してはならない。

5. 保育士には秘密保持の義務があるため、虐待が疑われる子どもを見つけても通報しない。

6. 保育園に通う子どもから「お母さんが、ご飯を作ってくれない」といった話を聞き、母親の養育態度に問題があると感じた場合、児童相談所は直ちに母子分離をし、子どもを児童養護施設に措置する必要がある。

解答

1 〇 **2** × **3** × **4** 〇 **5** × **6** ×

2 「そういうことを言ってはいけない」と注意する以前に、子どもの気持ちを受け止める必要がある。

3 実習日誌には個人情報が含まれるため取り扱いには十分注意し、子どもの名前は実名ではなく、イニシャル等を使用するほうがよい。

5 虐待など不適切な養育等が疑われる場合は、子どもの利益を第一に考え、市町村や関係機関と連携し、適切な対応をとる。

6 子どもによる発言のみではなく、保護者や関係機関（例えば、小学生のきょうだいがいるのであれば、小学校）から情報を得た上で、どのような対応が適切かを考える必要がある。

音楽理論1

出題
point
- 楽譜と鍵盤
- 音名と階名
- 音符と休符・拍子

1 音楽表現に関する技術

1 保育者に求められる音楽表現と技術

　音楽表現に関する技術という言葉からは、楽器や歌をうまく演奏できる技術、という印象を受けますが、保育者に求められるのは難易度の高い楽曲を演奏する技量ではありません。保育における音楽表現のねらいとするものは、子どもたちが音楽に親しみを持ち、楽しむことです。

　音楽表現は「保育士が自ら音楽を楽しみ、その姿を見せること」であり、それが保育実技（音楽）の根底にある視点です。

2 保育の中での音楽と保育士の関わり

　保育において子どもが音楽に触れ楽しむには保育士の関わりが不可欠です。

(1)乳幼児の音楽的活動と保育者の関わり

- 子どもに優しく語りかけをしたり、歌いかけたり、泣き声や喃語に応えながら、保育士との関わりを楽しいものにする。
- 保育士の歌を楽しんで聞いたり、音楽（歌やリズム）に合わせて手足や体を動かして楽しめるようにする。

(2) 3 歳未満児の音楽的活動

- 音楽、リズムやそれに合わせた体の動きを楽しむ。

アドバイス

　試験では、伴奏付けや移調の知識、基本的な音楽理論、音楽用語などが出題される。

アドバイス

　保育の中での音楽活動例である。個々の発達に配慮し、反応を見ながら関わることが大切である。

- 保育士と一緒に歌ったり簡単な手遊びをしたり、全身を使う遊びを楽しんだりする。

(3) 3歳以上児の音楽的活動

- 音楽に親しみ、聴いたり、歌ったり、体を動かしたり、**簡単な楽器（リズム楽器等）**を鳴らしたりして楽しむ。
- **絵本**や**童話**などに親しみ、興味を持ったことを保育士と一緒に言ったり、歌ったりなど様々に表現して遊ぶ。
- **友達**と一緒に音楽を聴いたり、歌ったり、体を動かしたり、楽器を鳴らしたりして楽しむ。
- 音楽に親しみ、**みんな**と一緒に聴いたり、歌ったり、踊ったり、楽器を弾いたりして、音色の**美しさ**やリズムの楽しさを味わう。

　身体表現を基礎におく音楽の教育方法の一つに、**スイス**の作曲家、エミール・ジャック＝ダルクローズによって創案された**リトミック**があります。本来のカリキュラムには、ソルフェージュや即興演奏などもありますが、保育現場では**リズム運動**に重点が置かれ、広く取り入れられています。

2 楽譜

　楽譜は、耳で聴く音楽を目に見える形にしたものです。5本の線（**5線譜**）の上または間に**音符**で書かれており、音の高さと長さが一目でわかる表ととらえることができます。

　試験では、楽譜を読み取り、リズムから曲名をあてるものや、曲の伴奏部分をあてはめる、といった問題が出題されます。選択する伴奏和音は 𝄢（ヘ音記号）での出題です。音符が読めることや、メロディと伴奏の共通音がわかることがポイントです。

　伴奏和音は「ドミソ」「シレソ」「ドファラ」（ハ長調）など、**「主要三和音」**と呼ばれる和音から出題されています。

・・check・・
　リトミックは小林宗作が普及させた。自由で芸術的な音楽教育を目指し、リトミックを教育基盤に置いた幼小一貫校のトモエ学園を設立した。

アドバイス
　ふだんから、童謡や子どもの歌を歌詞だけではなく音名（階名）で歌う練習や手で高さを表しながらハミング（鼻歌やラララ）などで歌う練習が効果的である。この練習により楽譜を見て音をイメージできるようになる。

伴奏和音（主要三和音）
••▶ p.303

1 5線と音部記号

(1) 5線と加線

音の高さを表すためには**5線**を使います。上に行くと**高い**音、下に行くと**低い**音になります。５本の線と、線と線の間には名前があります。５線に書ききれない高い音や低い音は、５線の上下に短い線（加線）を加えて表します。

■ 5線の名称 ■

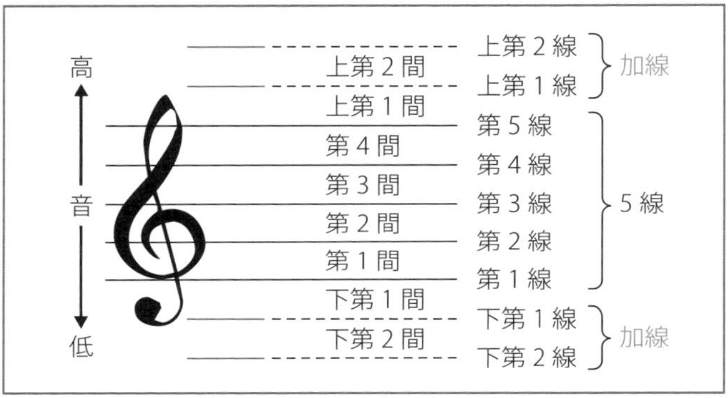

(2) 音部記号

５線の音の高さを決める基準の記号です。**ト**音記号、**ヘ**音記号、ハ音記号があります。ピアノの楽譜には**ト**音記号と**ヘ**音記号を使います。

- **ト**音記号（高音部記号）…第**２**線が**ソ**の高さであることを示す記号です。**ソ**は日本語で「**ト**音」というため、**ト**音記号と名付けられました。

ト音記号

- **ヘ**音記号（低音部記号）…第**４**線が**ファ**の音であることを示す記号です。ファは日本語で「**ヘ**音」というため、**ヘ**音記号と名付けられました。

ヘ音記号

音名
••> p.290

check

試験では𝄢で書かれた伴奏和音を選択する問題や、指示されたコードネームの鍵盤位置を選択する問題などが出題される。

2 音と鍵盤の位置・5線の関係

　ピアノの鍵盤の位置と楽譜の5線の音との関係は、次のようになっています。

■ ピアノの鍵盤と5線の音との関係 ■

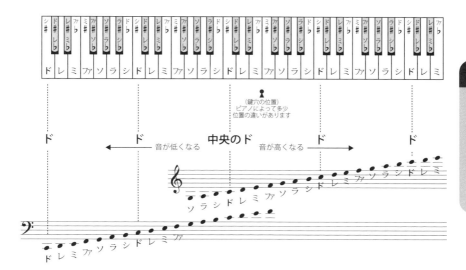

3 変化記号

　音の高さを上げたり、下げたり変化させる記号を変化記号といい、次のようなものがあります。変化記号の付かない音は幹音、変化記号が付いた音は派生音といいます。

- ＃ シャープ（嬰記号）…音を半音高くする記号
　　　　　　　　　　　　　1つ右隣の鍵盤に移行
- ♭ フラット（変記号）…音を半音低くする記号
　　　　　　　　　　　　　1つ左隣の鍵盤に移行
- ♮ ナチュラル …………シャープやフラットが付いた音
　　（本位記号）　　　　　を元の高さに戻す記号

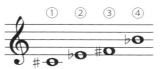

👑 c h e c k
　＃や♭が付くと黒鍵を弾く、と思い込みがちであるが白鍵を弾く場合もある。シの＃はド、ミの＃はファ、ドの♭はシ、ファの♭はミの鍵盤を弾く。

👑 c h e c k
　半音とは白鍵黒鍵関係なく隣り合った鍵盤の幅を示す。
•••▶ p.295

4 音名

(1) 音名

音楽で使われる音の高さにそれぞれ付けられた固有の名称です。国によって異なる名称が使われています。

■ 主な国の音名 ■

日　本	ハ	ニ	ホ	ヘ	ト	イ	ロ
ドイツ	C ツェー	D デー	E エー	F エフ	G ゲー	A アー	H ハー
アメリカ イギリス	C シー	D ディー	E イー	F エフ	G ジー	A エイ	B ビー
イタリア	Do ド	Re レ	Mi ミ	Fa ファ	Sol ソル	La ラ	Si シ
フランス	Do (Ut) ド(ウト)	Ré レ					

アドバイス

調の問題では日本音名、コードネームの問題では英語音名を使用するのでしっかり覚えよう。

読譜では一般的にイタリア語の音名ドレミファソラシを使います。「ハ長調」「ト長調」など調の名前をいうときは日本語の音名ハニホヘトイロ、和音を表すコードネームは英語の音名 CDEFGAB を使います。

また、イタリア音名は、実際の音とは別に音階上の位置を示す「階名」としても使われます。区別して理解しましょう。

階名
•••> p.298

(2) 変化記号のついた音名

♯のついた 音名	嬰ハ	嬰ニ	嬰ホ	嬰ヘ	嬰ト	嬰イ	嬰ロ
	C♯	D♯	E♯	F♯	G♯	A♯	B♯
♭のついた 音名	変ハ	変ニ	変ホ	変ヘ	変ト	変イ	変ロ
	C♭	D♭	E♭	F♭	G♭	A♭	B♭

5 音の長さ

(1) 音符と休符

音の長さは音符の種類で示されます。また、音の休止している部分は**休符**で示されます。

■ 音符と休符の長さ ■

音符の名前	音符の長さ		休符の名前	休符の長さ		4分音符を1拍とした場合の拍数
全音符	𝅝		全休符	▬		4拍
2分音符 （全音符を2つに分けた長さ）	♩	♩	2分休符	▬		2拍
4分音符 （全音符を4つに分けた長さ）	♩ ♩	♩ ♩	4分休符	𝄽		1拍
8分音符 （全音符を8つに分けた長さ）	♪ ♪ ♪ ♪	♫ ♫	8分休符	𝄾		$\frac{1}{2}$拍
16分音符 （全音符を16に分けた長さ）	♬♬♬♬	♬ ♬	16分休符	𝄿		$\frac{1}{4}$拍

(2) タイ

タイは隣り合った同じ高さの音符をつなぐ弧線で、タイでつながれた音符は1つの音符として演奏されます。

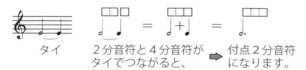

タイ　　　　2分音符と4分音符がタイでつながると、➡ **付点2分音符**になります。

 覚えよう！

タイと同じ弧線であらわす記号のスラーは、**なめらかに演奏する**という意味である。同じ弧線だが意味の違いを区別すること。

スラー　　　　スラー

 check
タイは同じ高さの音をつなぐが、スラーは高さの異なる音群に付けられる。

291

⑶ 付点

　付点は、音符の右側に付き、付いている音符の**半分**の長さの役割をします。2分音符に付いている付点は**4**分音符、4分音符に付いている付点は**8**分音符の長さを示しています。付点の付いた音符は付点音符といい、その音符の**半分**の長さが足された長さになります。例えば、付点4分音符は4分音符と**8**分音符を足した長さ、付点2分音符は2分音符と**4**分音符を足した長さになります。

check

　付点と同じ小さな点を使う音楽記号にスタッカートがある。小さな点が音符の下または上に付き、音の長さではなく奏法として「短く切って演奏する」という意味になる。通常、音符の半分程度の長さに切って演奏される。

スタッカート
…▶ p.305

■ 付点音符の長さ ■

付点音符	名前	長さ	4分音符を1拍とした場合の拍数
𝅝.	付点全音符	𝅝 ＋ 𝅗𝅥 ＝ 𝅗𝅥 ＋ 𝅗𝅥 ＋ 𝅗𝅥	6拍
𝅗𝅥.	付点2分音符	𝅗𝅥 ＋ ♩ ＝ ♩ ＋ ♩ ＋ ♩	3拍
♩.	付点4分音符	♩ ＋ ♪ ＝ ♪ ＋ ♪ ＋ ♪	$1\frac{1}{2}$拍
♪.	付点8分音符	♪ ＋ ♬ ＝ ♬ ＋ ♬ ＋ ♬	$\frac{3}{4}$拍

　付点音符はほかの音符と組み合わされ（♫）、スキップリズムとも呼ばれます。

⑷ 拍子記号

　拍子記号とは、1小節の中に単位となる音符または休符がいくつあるかを示したものです。拍子記号は分数の形で表され、数学で使う分数と読み方は同じですが、意味が異なります。

♔アドバイス♔

　拍子には強拍と弱拍がある。どの拍子も1拍目が強拍である。4拍子3拍目は中強拍と呼ばれる。

（例）ちょうちょう

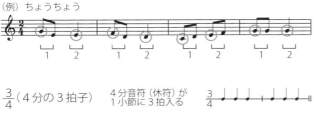

$\frac{3}{4}$（4分の3拍子）　4分音符（休符）が1小節に3拍入る

（例）こいのぼり

$\frac{4}{4}$（4分の4拍子）　4分音符（休符）が1小節に4拍入る

（例）むすんでひらいて

拍子には種類があります。

拍子の種類	意味	例
単純拍子	単位となる長さの音符1つ分を1拍として数える拍子	$\frac{2}{4}$、$\frac{3}{4}$、$\frac{4}{4}$ など
複合拍子	単位となる長さの音符3つ分を1拍として数える拍子	$\frac{6}{8}$、$\frac{9}{8}$、$\frac{12}{8}$ など

$\frac{6}{8}$（8分の6拍子）　8分音符（休符）が1小節に6拍入る

（例）思い出のアルバム

アドバイス

○で囲んだ音は拍の頭と呼ばれる位置である。伴奏和音に含まれる音が入っている場合が多い。また、試験では音符が5線に書かれないでリズムのみの楽譜の出題もある。

check

$\frac{4}{4}$（4分の4拍子）はＣとも書く。

check

$\frac{6}{8}$拍子は8分音符3つを1拍として数える。指揮をするときはゆったりとした2拍子として表現する。
同様に、$\frac{9}{8}$は3拍子、$\frac{12}{8}$は4拍子となる。

 次の記述で正しいものに○、誤っているものに×をつけよ。
（問題5は、section4を学習した後に解答してください）

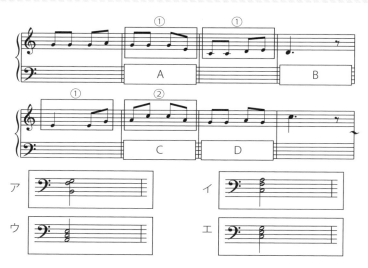

1. ①のメロディには「ド・ミ・ソ」の音が含まれている。

2. ②のメロディには「シ・ファ・ソ」の音が含まれている。

3. アの伴奏和音は「ド・ファ・ラ」である。

4. エの伴奏和音は「ラ・ド・ミ」である。

5. 「A・B・C・D」に入る伴奏和音は「エ・ア・イ・ア」である。

6. この曲の拍子は $\frac{4}{4}$ である。

【解答】

1 ○ **2** × **3** × **4** × **5** ○ **6** ×

2 「ド・ラ」の音が含まれている。

3 「ド・ファ・ラ」はイである。アは「シ・ファ・ソ」である。

4 「ラ・ド・ミ」はウである。エは「ド・ミ・ソ」である。

6 $\frac{2}{4}$ である。

5章　保育実習理論

重要度

音楽理論2

出題 point	・音程 ・音階 ・調号・調名・移調	・和音・コードネームと鍵盤の位置 ・音楽記号・用語（楽語）の意味

 音程

音程とは、音と音の**距離**を数字であらわしたものです。音程は最初の音も数に入れて、**1度**、**2度**…と数えます。

check

何の音からでも、3度、5度、7度上の音がわかるようにしておくと、コードの構成音がすぐにわかる。

また、音程には「半音」と「全音」という、音程の種類を判別する単位があります。これは、隣り合った音の幅を示します。

- **半音**…楽譜上、最も狭い幅で、白鍵・黒鍵に関係なく隣同士の音の幅（鍵盤2つ分）。音程では**短2度**といいます。
- **全音**…半音2つ分の幅で、間に1つの鍵盤をはさんだ同士の幅（鍵盤3つ分）。音程では**長2度**といいます。

「ドレミファソラシド」の音階ではミとファ、シとドの間が**半音**で、それ以外は**全音**です。

1オクターブには半音が12含まれる

ド レ ミ ファ ソ ラ シ ド

全音 全音 半音 全音 全音 全音 半音

音程は、2つの音の間に半音がいくつ入っているかによって呼び方が異なります。

■ 音程に含まれる全音と半音 ■

完全1度…同じ高さの音の音程
完全4度…半音5の音程（全音2＋半音1）
完全5度…半音7の音程（全音3＋半音1）
完全8度…半音12の音程（全音5＋半音2）
長2度……半音2の音程（全音）
長3度……半音4の音程（全音2）
長6度……半音9の音程（全音4＋半音1）
長7度……半音11の音程（全音5＋半音1）

完全音程より半音多い（＝広い）音程は、「**増〇度**」、半音少ない（＝狭い）音程は、「**減〇度**」となります。また、長音程より半音多い音程は「**増〇度**」、半音少ない音程は「**短〇度**」、さらに半音少ない音程は「**減〇度**」となります。

■ 音程の種類 ■

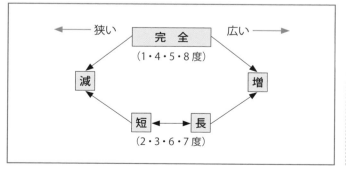

← 狭い　　　　完全　　　　広い →
（1・4・5・8度）

減　　　　　　　　　　　増

短 ←→ 長
（2・3・6・7度）

🐸アドバイス🐸

試験では、移調して変化する鍵盤の位置を求める問題や移調したコードネームを選択する問題が出題されている。直近の令和5年後期では鍵盤の位置、令和6年前期ではコードネーム、と交互に出されているので、どちらにも対応できるようにしておこう。2度、3度、4度音程をしっかり理解する。

👑check

ミーソの短3度を長3度にするためには、半音広げればよいので、上の音を上げて、ミーソ♯とするか、下の音を下げて♭ミーソとすればよい。

🐸アドバイス🐸

2、3、7度の長・短音程や、5度の増、減音程はコードネームの理解に必須である。

幹音（♯・♭の付かない音）の音程は次のとおりです。

1度

完全1度　完全1度　完全1度　完全1度　完全1度　完全1度　完全1度

全く同じ音

2度

長2度　長2度　短2度　長2度　長2度　長2度　短2度

「ミ・ファ」または「シ・ド」の2度は短2度

3度

長3度　短3度　短3度　長3度　長3度　短3度　短3度

「ミ・ファ」または「シ・ド」を含む3度は短3度

4度

完全4度　完全4度　完全4度　増4度　完全4度　完全4度　完全4度

「ミ・ファ」と「シ・ド」を含まない4度は増4度

5度

完全5度　完全5度　完全5度　完全5度　完全5度　完全5度　減5度

「ミ・ファ」「シ・ド」の両方を含む5度は減5度

6度

長6度　長6度　短6度　長6度　長6度　短6度　短6度

「ミ・ファ」「シ・ド」の両方を含む6度は短6度

7度

長7度　短7度　短7度　長7度　短7度　短7度　短7度

「ミ・ファ」「シ・ド」の両方を含む7度は短7度

8度

完全8度　完全8度　完全8度　完全8度　完全8度　完全8度　完全8度

8度は1オクターブ

覚えよう！

●移調問題によく出る音程●
・長2度の音程は半音2つ＝鍵盤3つ分
・短2度の音程は半音1つ＝鍵盤2つ分
・長3度の音程は半音4つ＝鍵盤5つ分
・短3度の音程は半音3つ＝鍵盤4つ分

2 音階

1 長音階と階名

長音階は1オクターブを**全・全・半・全・全・全・半**（音）という順番で並べた音階です。ハ長調でみていきます。

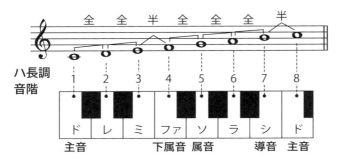

アドバイス

長音階と短音階の構成の違いはしっかりと押さえておく。

長音階の音には次のような役割（機能）があります。

主音	第1音	調名を決める最も重要な音。主役の音。階名「ド」
属音	第5音	主音から5度上で音階を支える音。階名「ソ」
下属音	第4音	主音から5度下で主音・属音の機能を補う音
導音	第7音	主音の半音下。主音へ導く音。階名「シ」

長音階の配列であれば、主音が移動してもドレミファソラシドに聞こえます。このように音階上の位置を示すイタリア音名を「**階名**」といいます。例えば、主音をニの音にした場合は、第3音のへと第7音のハに♯を付けて次のような配列にすれば長音階（ニ長調）になります。

アドバイス

子どもの曲のメロディは、ほとんどが音階の1、3、5音から始まり、1音で終わる。また、伴奏和音では音階の第1、4、5音を基にした和音が主に使われる。

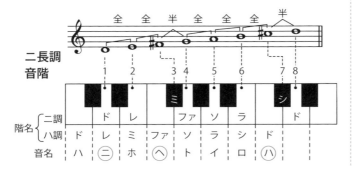

check

ファとドに付いた♯は「調号」と呼ばれ楽譜の最初にまとめて書かれる。
••▶ p.300

check

ニ長調の階名「ミ」の音名は「嬰へ」、階名「シ」の音名は「嬰ハ」となる。

2 短音階

短音階は長音階の**6番目の音**から作られた音階です。自然短音階・和声短音階・旋律短音階の3種類があります。第2音と第3音の間が半音になっていることが共通しています。イ短調でみていきます。

check
短音階の主音は階名「ラ」となる。

(1) 自然短音階

自然短音階は、全・半・全・全・半・全・全（音）の順番で並んでいます。

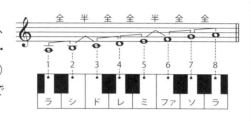

(2) 和声短音階

和声短音階は、自然短音階の第7音を半音上げ、全・半・全・全・半・全＋半・半（音）の順番で並んでいます。

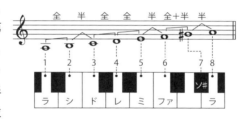

check
和声短音階は、主に短調の和音をつくるときに使う音階で、旋律短音階は、主にメロディをつくるときに使う音階である。

(3) 旋律短音階

旋律短音階は、上行するときだけ自然短音階の第6音と第7音を半音上げ、下行するときは、自然短音階と同じ、全・全・半・全・全・半・全（音）の順番で並んでいます。

上行形

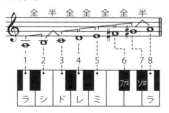

下行形

check
わらべうたや民謡などは1オクターブを5つの音で構成した5音階で作られているものが多い。

5

保育実習理論

❹ 音楽理論2

3 調

1 長調と短調

長音階を用いて作曲された音楽を長調、短音階を用いて作曲された音楽を短調といいます。

2 調号と調名

調号は譜表の最初にまとめて書かれる♯や♭のことです。最後に付いた♯は長音階の階名「**シ**」、最後に付いた♭は階名「**ファ**」の位置を示しています。調号は付く位置と順番が決まっており、ハ長調の階名でいうと次のようになります。

♯の調号の付く位置と順番→**ファ・ド・ソ・レ・ラ・ミ・シ**

♭の調号の付く位置と順番→**シ・ミ・ラ・レ・ソ・ド・ファ**
（♯の付く順番の逆）

この調号で**主音**（階名ドの位置）が決まります。調号なしはハ長調・イ短調です。

☝アドバイス☝

調号と調名は必ず出題される。♯、♭各3つまではしっかり覚えること。ヘ長調（♭が1つ）以外の♭系長調名にはすべて「変」が付くので注意しよう。

■ 調号と主音 ■

長調の主音＝○　短調の主音＝● （長調の主音の短3度下の音）

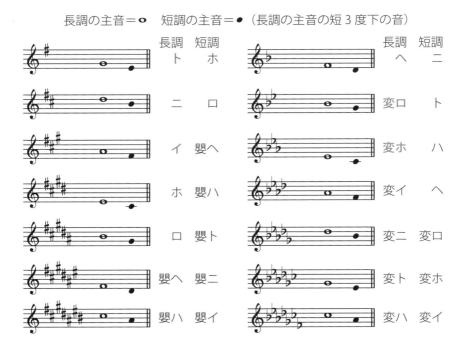

	長調	短調
	ト	ホ
	ニ	ロ
	イ	嬰ヘ
	ホ	嬰ハ
	ロ	嬰ト
	嬰ヘ	嬰ニ
	嬰ハ	嬰イ

	長調	短調
	ヘ	ニ
	変ロ	ト
	変ホ	ハ
	変イ	ヘ
	変ニ	変ロ
	変ト	変ホ
	変ハ	変イ

♯の付く調名は、調号が増えると主音が5度ずつ上がり、♭の付く調名は、調号が増えると主音が5度ずつ下がります。

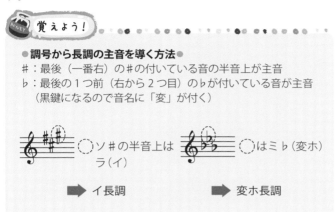

●調号から長調の主音を導く方法●
♯：最後（一番右）の♯の付いている音の半音上が主音
♭：最後の1つ前（右から2つ目）の♭が付いている音が主音
（黒鍵になるので音名に「変」が付く）

○ソ♯の半音上はラ（イ）　　　○はミ♭（変ホ）

➡ イ長調　　　➡ 変ホ長調

3　移調

曲全体を別の高さに移すことを移調といいます。例えば、ハ長調の旋律を長2度高くニ長調に移す、長2度低く変ロ長調に移す、などです。楽譜と鍵盤では、次のようになります。

■ 移調の例 ■

・ハ長調のメロディとコードネームを長2度上に移調

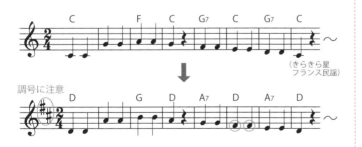

（きらきら星
フランス民謡）

調号に注意

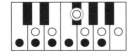

○はニ長調旋律の位置
●はハ長調旋律の位置

コードネーム
••▶ p.304

●アドバイス●

2, 3、4、5度音程をしっかり理解しておくこと。近年の試験では移調したコードネームや移調したメロディの鍵盤位置が問われている。

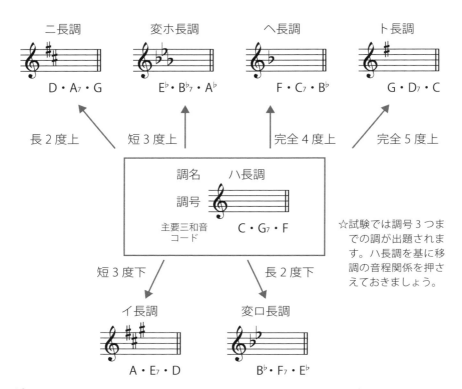

ニ長調 D・A₇・G

変ホ長調 E♭・B♭₇・A♭

ヘ長調 F・C₇・B♭

ト長調 G・D₇・C

長2度上

短3度上

完全4度上

完全5度上

調名　ハ長調

調号

主要三和音コード　C・G₇・F

短3度下

長2度下

イ長調 A・E₇・D

変ロ長調 B♭・F₇・E♭

☆試験では調号3つまでの調が出題されます。ハ長調を基に移調の音程関係を押さえておきましょう。

 4 和音・コードネーム

1　和音

　高さが異なる**複数**の音が同時に鳴り響いたものを和音といいます。英語でコード（chord）といいます。

(1) 三和音

　ある音（第1音）に3度上と5度上の音を積み重ねてできる和音を三和音といいます。三和音の第1音を**根音**といいます。

　三和音には形（かたち）があります。**根音**を一番下にした形が基本形で、第**3**音・第**5**音を下にしている形を転回形といいます。

基本形　第5音　根音　第3音

転回形　根音　第5音　第3音　4度　4度

check

　三和音の転回形は4度音程の上の音が根音となる。

　ピアノ伴奏では、転回形が多用される。

(2) 三和音の種類

　三和音には、根音と第3音、根音と第5音の音程の違いにより、長三和音、短三和音、増三和音、減三和音という種類があります。

（●は根音）

(3) 主要三和音

　伴奏付けの基本となる3つの和音です。音階上、1・4・5番目の音の上に作られた三和音で、長調ではいずれも長三和音です。

■ ハ長調の主要三和音と属七の和音 ■

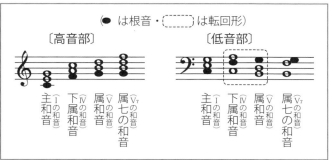

　英語で主和音（Ⅰ）はトニック、下属和音（Ⅳ）はサブドミナント、属和音（Ⅴ）はドミナントと呼ばれます。属和音に根音から短7度上の音を加えた属七の和音（Ⅴ₇）はドミナントセブンスと呼ばれます。

⑷ 伴奏和音

　伴奏和音は、メロディと不協和音にならないように、主要三和音のうち、メロディの音が含まれるものを選ぶことが基本です。

　また、和音の進行には、次の3つのパターンがあり、原則としてV→IVという進行はしないというルールがあります。

① I → V → I　　② I → IV → I　　③ I → IV → V → I

2 コードネーム

　コードネームは、和音の名称です。**調の区別がなく**、その和音の基本形・転回形を含めて使うことができます。ピアノの伴奏やギターの伴奏に使われます。

　コードネームは、英語の音名で示され、アルファベットは和音の**根音**を示しています。例えば、ドミソの和音の根音であるドの英語の音名は**C**なので、コードネームは**C**です。

　コードネームのみの場合は**長三和音**（メジャー）を意味しています。コードネームの右下に「m（マイナー）」とある場合は、**短三和音**であることを意味しています。メジャーの第**3**音を**半音下げた**和音になります。

　コードネームの右下に「**7（セブンス）**」とある場合は、長三和音の上に根音から**短7度**の音を加えた和音であることを意味しています。同様に根音から長三和音に長7度の音を加えた場合は M₇（メジャー・セブン）、短三和音に短7度の音を加えた場合は m₇（マイナー・セブン）と表記します。

　各コードの楽譜とその鍵盤の位置（鍵盤図の番号）は次のとおりです（〔　　〕内の番号は、転回形）。

C ：⑥⑩⑬〔①⑥⑩／⑩⑬⑱〕
Cm：⑥⑨⑬〔①⑥⑨／⑨⑬⑱〕
C₇：⑥⑩**⑬**⑯〔④⑥⑩**⑬**／⑩**⑬**⑯⑱〕
Caug：⑥⑩⑭〔⑩⑭⑱／②⑥⑩〕

☞ アドバイス ♨

　令和3年前期から令和5年後期までは、連続してハ長調の伴奏和音が出題された。それ以外には、令和2年後期及び令和6年前期はヘ長調、令和元年後期にはト長調が出題されている。

☞ アドバイス ♨

　ハ長調なら、シレソからドファラには進行しない。

☞ アドバイス ♨

　セブンスのコードは4音だが、試験では3音で問われる。その場合、根音、メジャーかマイナーかを決める音である第3音、セブンスを決める第7音の3音になる。つまり第5音を除いて選択する。

☞ アドバイス ♨

　黒丸白数字の番号は、和音の第5音。試験では省略されている。

D : ⑧⑫⑮ 〔③⑧⑫ / ⑫⑮⑳〕
Dm : ⑧⑪⑮ 〔③⑧⑪ / ⑪⑮⑳〕
D7 : ⑧⑫**⑮**⑱ 〔⑥⑧⑫**⑮** / ⑫**⑮**⑱⑳〕
D# : ⑨⑬⑯ 〔⑬⑯㉑ / ⑯㉑㉕〕

E : ⑩⑭⑰ 〔⑤⑩⑭ / ②⑤⑩〕
Em : ⑩⑬⑰ 〔⑤⑩⑬ / ①⑤⑩〕
E7 : ⑩⑭**⑰**⑳ 〔②**⑤**⑧⑩ / **⑤**⑧⑩⑭〕
E♭ : ⑨⑬⑯ 〔①④⑨ / ④⑨⑬〕

F : ⑪⑮⑱ 〔⑥⑪⑮ / ③⑥⑪〕
Fm : ⑪⑭⑱ 〔⑥⑪⑭ / ②⑥⑪〕
F7 : ⑪⑮**⑱**㉑ 〔⑨⑪⑮**⑱** / **⑥**⑨⑪⑮〕
Faug : ⑪⑮⑲ 〔③⑦⑪ / ⑦⑪⑮〕

G : ①⑤⑧ 〔⑤⑧⑬ / ⑧⑬⑰〕
Gm : ①④⑧ 〔④⑧⑬ / ⑧⑬⑯〕
G7 : ①⑤**⑧**⑪ 〔⑤**⑧**⑪⑬ / **⑧**⑪⑬⑰〕
Gaug : ①⑤⑨ 〔⑤⑨⑬ / ⑨⑬⑰〕

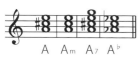

A : ③⑦⑩ 〔⑦⑩⑮ / ⑩⑮⑲〕
Am : ③⑥⑩ 〔⑥⑩⑮ / ⑩⑮⑱〕
A7 : ③⑦**⑩**⑬ 〔⑦**⑩**⑬⑮ / **⑩**⑬⑮⑲〕
A♭ : ②⑥⑨ 〔⑥⑨⑭ / ⑨⑭⑱〕

B♭ : ④⑧⑪ 〔⑧⑪⑯ / ⑪⑯⑳〕
B♭7 : ④⑧**⑪**⑭ 〔②④⑧**⑪** / ⑧**⑪**⑭⑯〕
B : ⑤⑨⑫ 〔⑨⑫⑰ / ⑫⑰㉑〕
Bm : ⑤⑧⑫ 〔⑧⑫⑰ / ⑫⑰⑳〕

アドバイス

✖ ダブルシャープはシャープ2つ分である。

check

セブンスの和音は4音で構成されるため、転回形は第3転回まである。第5音を省略した三和音にすると第2転回形と第3転回形は同じになるため、ここでは2例のみ載せている。転回形は2度音程の上の音が根音となる。

---

5 音楽記号・用語（楽語）

1 演奏奏法を表す記号

スタッカート

音を短く切る。

メゾ・スタッカート

音の流れを大切にしながら音を切って演奏する。

テヌート

音を十分に保つ。

フェルマータ

曲想や演奏者の解釈により任意の長さ（一般的には約2倍）に延ばす。

check

なお、*legato*（レガート）は「なめらかに」という意味である。

2 曲全体の速さを表す記号

■ 速さに関する記号 ■

遅いもの	grave	グラーベ	荘重に、ゆっくりと
	lento	レント	ゆるやかに
	largo	ラルゴ	幅広く、ゆっくりと
	adagio	アダージョ	静かに、ゆるやかに
やや遅いもの	andante	アンダンテ	ゆっくりと歩く速さで
	larghetto	ラルゲット	ラルゴより少し速く
中ぐらいの速さ	moderato	モデラート	中ぐらいの速さで
やや速いもの	allegretto	アレグレット	やや速く
速いもの	allegro	アレグロ	快速に
きわめて速いもの	vivace	ビバーチェ	活発に
	presto	プレスト	急速に

3 速さの変化を表す（部分的な速さを表す）記号

■ 速さの変化を示すもの ■

遅くするもの	meno mosso	メノモッソ	今までより遅く
	rallentando(rall.)	ラレンタンド	だんだんゆるやかに
	ritardando(rit.)	リタルダンド	だんだん遅く
速くするもの	accelerando(accel.)	アッチェレランド	だんだん速く
	più mosso	ピウモッソ	今までより速く
演奏上の自由をゆるすもの	ad libitum(ad lib.)	アドリビトゥム	速度を自由に
	tempo rubato	テンポルバート	自由な速さで
元の速さに戻すもの	a tempo	アテンポ	元の速さで
	tempo primo	テンポプリモ	最初の速さで
速さと強さの変化を示すもの	allargando	アラルガンド	強くしながらだんだん遅く
	smorzando	スモルツァンド	弱くしながらだんだん遅く
その他	M.M.	エムエム	メトロノームの速度を表す

アドバイス

　記号と意味を一致させて、正しく覚える。

4 強弱を表す記号

■ 強弱に関する記号 ■

crescendo	クレッシェンド	だんだん強く
decrescendo (decresc.)	デクレッシェンド	だんだん弱く
diminuendo (dim.)	ディミヌエンド	だんだん弱く

ff	フォルティッシモ	とても強く
f	フォルテ	強く
mf	メッゾフォルテ	少し強く
mp	メッゾピアノ	少し弱く
p	ピアノ	弱く
pp	ピアニッシモ	とても弱く

fz	フォルツァンド	特に強く
sf	スフォルツァンド	特に強く
sfz	スフォルツァンド	特に強く

5 発想を表す用語

■ 発想を示す用語 ■

agitato	アジタート	激しく
alla marcia	アッラマルチャ	行進曲ふうに
amabile	アマービレ	愛らしく
appassionato	アパッショナート	熱情的に
brillante	ブリランテ	はなやかに
cantabile	カンタービレ	歌うように
comodo	コモド	気楽に
dolce	ドルチェ	やさしく
espressivo	エスプレッシーボ	表情豊かに
leggero(leggiero)	レジェーロ	軽く
maestoso	マエストーソ	荘厳に
scherzando	スケルツァンド	おどけて
sostenuto	ソステヌート	音の長さを保って
tranquillo	トランクィッロ	静かに

⚓アドバイス ⚓

強い

順に覚えておこう。

弱い

✦check✦

♩ の > はアクセントである。「目立たせて、その音を特に強く」という意味である。

他にも

poco a poco
（少しずつ）

molto
（特に）

など、意味を付加する用語もある。

6 主な奏法

glissando（gliss.）グリッサンド	2音間をすべらせる	a cappella ア・カペラ	楽器伴奏のない合唱曲、楽曲
pizzicato ピッツィカート	弦を指ではじく	solo ソロ	ひとりで
arpeggio アルペッジョ（アルペジオ）	和音を下（上）から順に奏する	tutti トゥッティ	総奏、全部、みんなで
8va alta （オッターヴァ・アルタ）	8度（1オクターブ）高く	unison ユニゾン	同じ旋律を合奏・合唱すること（斉奏・斉唱）

7 反復記号

リピート記号‖:より:‖までそのまま**反復**する。

ただし、曲の始めにもどる場合‖:は省略される。

カッコのリピート記号 ⌐1.⌐ ⌐2.⌐ は、くり返した後 ⌐1.⌐ を演奏せずに ⌐2.⌐ へ進む。

ABCD ABCE の順で演奏する。

Dal Segno（*D.S.*）この記号から 𝄋 に**もどり**、*Fine* で終わる。

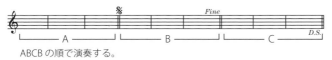

ABCB の順で演奏する。

Da Capo（*D.C.*）この記号から**曲の始め**に戻る。

Coda⎱ 結尾、終結部の意味であるが⊕から次の⊕または
⊕⎰ Coda に**とびこえて**演奏する。

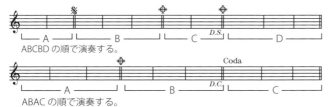

ABCBD の順で演奏する。

Coda

ABAC の順で演奏する。

☞アドバイス♕

反復記号と演奏方法が組み合わされ、演奏順を問われる場合もある。少し複雑に感じられるが、各記号の意味を正しく理解できるよう、練習を重ねておこう。

✦check✦

カッコのリピート記号には⌐1.2.⌐ や ⌐3.⌐ 等もある。

☞アドバイス♕

記号の読み方も覚えよう。
D.S. ダルセーニョ
𝄋 セーニョ
D.C. ダ・カーポ
⌢ フェルマータ
Fine フィーネ
⊕ コーダ（ヴィーデ）

 次の記述で正しいものに○、誤っているものに×をつけよ。

1. 「*mp*（メッゾピアノ）」「D.C.（ダ・カーポ）」は、どちらも音の強弱を示す用語である。

2. 次の和音は全てマイナーコードである。

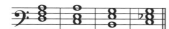

3. 次の曲を長2度下に移調した場合、コードの正しい組み合わせは、「D → C♯」「G → F♯」「A7 → G7」となる。

4. 3の曲を長2度下に移調した場合、○印の音符の鍵盤の位置は⑥である。

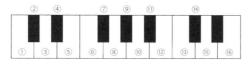

5. 3の楽譜の拍子は $\frac{3}{4}$ である。

6. 音楽用語の decresc. と dim. は同じ意味である。

解答

1 × **2** ○ **3** × **4** × **5** × **6** ○

1　「D.C.（ダ・カーポ）」は「曲の始めに戻る」を意味する反復記号である。

3　DはC、GはFとなる。A7は問題文の通り。元の楽譜がニ長調なので長2度下のハ長調のコードとなる。

4　⑤である。○印の音はファ♯⑦の位置なので、長2度下は鍵盤3つ分下の位置となる。

5　$\frac{2}{4}$ である。

 section 5
子どもの造形表現の発達と特徴

出題
point
- つくる活動と描く活動の発達段階「○○期」
- 子どもの描画表現の特徴

1 「表現」のとらえ方

1 領域「表現」

　領域「表現」は、子どもの**感性**や**表現力**、**創造性**の育ちに関する分野ですが、それのみに特化して他の領域と区別したり、時間を区切って活動するものではありません。子どもの姿をすべての領域からとらえながら、**総合的**な発達が遂げられるように働きかけることが保育の基本的な考え方です。

2 様々な表現

　子どもは視覚や聴覚、触覚、身体感覚など、様々な要素から表現を行っています。そのため、造形のほかに音楽や言葉、身体を使うなど、表現方法は様々です。それらの表現は単独の要素で成り立つのではなく、様々な要素が融合して行われます。代表的な例には、作ったものを使って**ごっこ遊び**をする、簡単なリズム楽器を作って演奏する、歌に合わせて踊るなどがあります。子どもの活動を柔軟にとらえる視点が重要です。

3 「表現」の様子

　子どもが何かをつくるとき、友達との楽しいお喋りは欠かせません。一方で黙々と取り組む子どもは、独り言をつぶやいたり心の中で自分自身と会話したりします。

　また製作活動中には、粘土を手で打つ時のペタペタと鳴

 check
　領域「表現」の理解には他領域の知識も必要。5領域のとらえ方は保育所保育指針と幼稚園教育要領とで一致している。

 アドバイス
　保育所保育指針の領域「表現」のねらいと内容はそのまま出題されることが多い。

る音やリズムを心地よく感じたり、その身体の動き自体を面白がったりしていることが顔の表情や身体全体にあらわれます。

2 つくる活動の発達

　子どもの造形活動の発達は、**つくる**活動と、**描く**活動に分けられます。各段階の傾向を学習しましょう。

1 「もてあそびをする時期」 1歳半〜2歳半頃

　「もてあそび」は、身の回りにある何かを**いじる行為**に始まり、物に働きかけて遊ぶことまでをいいます。物の形を変える行為が破壊的になるときもありますが、結果にとらわれずに楽しめます。一見無意味に思える行為であっても、つくる活動の基礎を経験しているのです。

2 「つくってから意味づける時期」 2歳〜3歳半頃

　「意味づける」とは、それが何であるのか**命名すること**です。ある物に何かをイメージする**象徴機能**は2歳頃に発達しますが、自分でつくった物に対して「意味づけ」をするには、**つくる力**の発達や日常生活での経験も必要です。自分でつくった物に興味を持っても、それに何かを見いだす具象的な手掛かりがなければ「○○みたい」とは思えません。この段階は、子どものもてあそびが上達し、形をつくることに慣れてからになるため、一般的に、描く活動の発達における象徴期（命名期）よりも年齢が遅れます。

3 「つくり遊びをする時期」 3歳〜9歳頃

　物への関わり方が、「もてあそび」から、つくりたい何かのイメージを持ち、過程にこだわって作品を完成させるようになります。また、**目的**を持って製作するようになります。様々な材料や用具の経験が増す時期ですが、初めて扱う素材では、「もてあそび」に戻り、物の性質を知ることから始めます。社会性が育つ5歳以降には、友達と協同して大型作品を製作したりもします。

check
「もてあそびをする時期」は無意味期ともいう。

check
2歳以前にみられる探索活動はつくる活動の準備段階として位置付けられる。

アドバイス
2歳頃から象徴機能が発達し、大人と一緒に簡単なごっこ遊びをする。3歳頃から観察力が増し、ごっこ遊びの内容が発展する。

check
「つくり遊びをする時期」は創造活動期ともいう。

5

保育実習理論

❺ 子どもの造形表現の発達と特徴

311

3 描く活動の発達

1 「なぐりがき期」 1歳〜2歳半頃

なぐりがきは、子どもが一人座りをしてペン等の描く物を握れるようになると始まります。大人の真似をしてペンを持ったり、大人がクレヨンを持たせたりと、きっかけは様々ですが、最初は子どもに何かを描く意図はありません。ペンなどを握ったまま腕を動かしていれば偶然に点や線が描けることに気付くと、次第にそれに注目しながら描くようになります。そして、肩と肘の運動機能の発達にしたがって思いのままに腕を動かし、いろいろな方向の単線や往復線、波線、ジグザグ線、うねうね線、渦巻き円や複円周など様々な線を描けるようになります。

check
「なぐりがき期」はスクリブル期、乱画期・掻画期・錯画期ともいう。

2 「象徴期」 2歳〜3歳半頃

この時期は、奔放なスクリブル（なぐりがき）の状態から、手と目の協応によって独立した形が描き出され、そこに子どもの想像が重なる段階です。何かのイメージを持って描くのではなく、描いた物を見てイメージが呼び起こされ、それが何であるのか名前をつけて意味を持たせる時期（命名期）です。

check
「象徴期」は「意味づけ期」や「描いてから、後で意味づけする時期」ともいう。

3 「前図式期」 3歳〜5歳頃

スクリブルで身に付けた線や形を組み合わせ、頭足人と呼ばれる人物や身近な物などを表現します。これは描いた本人だけでなく、他者にもそれが何であるのか大体理解できるような絵です。また、描きたいものを脈絡なく羅列的に描く表現がみられ、カタログ期ともいわれます。

check
「前図式期」は「そのものらしく描く時期」ともいう。

4 「図式期」 4歳〜9歳頃

その物らしさを絵に求めて、その物らしく描こうとするようになります。しかし、客観的観察に基づく写実的な絵とは本質的に異なります。この時期の子どもの絵は、観察よりも記憶に基づくのが特徴です。自分の思考や知識を自分なりに納得がいくように描きあらわそうとする中で表現

check
「図式期」は「絵になりかけた時期」ともいう。

方法に工夫がみられるようになります。

　図式期以降の描画には、子どもが認識している事柄や内容があらわれてきます。手や足の指を5本描くとか、歯や髭を1本ずつ描くなど、観察よりも記憶や知識に基づいて描こうとします。大人の感覚とは異なる、子どもなりの方法であらわすため、独特な表現が生まれます。

なぐりがき期	なぐりがき（スクリブル）	**思いのままに描く** 点、単線、往復線、波線、ジグザグ線、うねうね線、円、渦巻きなど。腕の運動感覚と心の解放を味わう。次第に線をコントロールすることができるようになる。	
前図式期	太陽の絵	**太陽に似たスクリブルの組み合わせ** 円の周りに放射状の線を描いた記号的な図。円と十字を重ねたマンダラに由来し、子どもが好んで描く。	
	頭足人	**人物に似たスクリブルの組み合わせ** 円や線で顔を描き、放射状の線で手足を描く。太陽の絵に由来するとか、身体は1つの塊である認識からくるという説がある。	
	カタログ表現	**羅列的に描く** お気に入りの水玉・星・ハートなどを並べる。繰り返し描ける喜びのあらわれであり、描き並べることで気持ちが満たされる。	
図式期	誇張表現（拡大表現）	**拡大して描く** まず最も描きたいものから画面中央に大きく描く。それについての知識があり、内容豊富に描けるから大きくなる。	
	多視点図	**いろいろな向きの絵が混ざる** そのものらしく見える向きを組み合わせる。観察よりも記憶に基づいて描くため、視点が統一されない。	
	基底線	**地面の線** 画面下の水平な線。帯状にあらわすときもあり、地面や水面を示す。天と地の空間認識があり、空と地上が描き分けられる。	

図式期	並列表現	**基底線上に並べる** 人物その他が地面の上にいることをあらわす。重ねて描いたり、奥行きをあらわしたりはしない。	
	積上表現	**並列に描ききれず上に描く** 基底線上に描けなくなると、その上の余白に描く。重ねることを避け、遠くのものを上に描くことで遠近感を出しているようにも見える。	
	レントゲン表現	**見えない内部を描く** 乗物や建物を外枠の線であらわし、中の様子が見えているかのように描く。物の内部まで描き出す工夫をする。	
	展開表現 (転倒式描法)	**タテのものをヨコにして描く** テーブルを囲む人や、道路沿いの建物などをサイドに倒れたように描く。絵の重なりを避け、物の正面を描いている。	
	ちょうかんしき 鳥瞰式構図	**飛んでいる鳥の視点で描く** 空から見下ろしたように運動会や動物園などの全体図を描く。ある範囲の中で、物の位置関係がわかる。	
	時間差描法 (異時同存表現) (同時同存表現)	**過去や未来の絵も描く** 時間の異なる場面を一枚の絵に描く。時間の経過による状況の変化や因果関係がわかり、想像しながら描く。	
	アニミズム表現	**擬人化して描く** 何にでも人間のような表情やしぐさ、ポーズをつける。万物には命が宿っていて心を通わせる対象ととらえている。	
	概念表現 (概念画)	**描き方がパターン化する** 花ならチューリップ、人はこう描く、というように決まった絵を描く。描き方は固定化するが、安定するともいえる。	
	代償行為	**マイナスな気持ちをぶつける** 乱暴に描いたり、真っ黒に塗り潰したりする。怒りや悲しみ、苦しく辛い気持ちを絵にぶつけて発散する。	

問題 次の記述で正しいものに○、誤っているものに×をつけよ。

1. 前図式期には、遠近感を明確に表せるようになる。

2. 同じ花や人物を基底線上などに繰り返し、横に並べて描く表現のことを「並列表現」という。

3. スクリブル期では、人物や動物などの輪郭がはっきりと描画される。

4. つくる活動の発達では、3歳半頃からつくったものに意味づけをする。

5. 蝶を人物よりも大きく描くような表現のことを「カタログ表現」という。

6. 描画表現を早く出現するものから並べると、「基底線」→「頭足人」→「写実的表現」の順となる。

7. 太陽やチューリップに顔を描くのは、子どもがそれらと友達のように心を通わせているためである。このような表現を「アニミズム表現」という。

8. 「基底線」は、地面や空などの空間的な関係を表している。

9. 乗り物や建物を描く際、見えないはずの内部を描くことを展開表現という。

解答

1 × **2** ○ **3** × **4** × **5** × **6** × **7** ○ **8** ○ **9** ×

1 ものの重なりや大きさの違いによって写実的に遠近を表現しようとする時期はおおむね9歳以降に芽生え始めると考えられる。

3 スクリブル期は、なぐりがきであり、物の形が具体的には描かれない。

4 意味づけは2歳頃から行われる。

5 実際の大きさにかかわらず、自分の描きたいものや、よく知っているものなどを大きく描くのは、誇張表現（拡大表現）である。

6 早く出現するものから並べると、「頭足人」→「基底線」→「写実的表現」である。

9 展開表現はタテのものをヨコにして描く。見えない内部を描くのはレントゲン表現である。

 section 6

表現活動の技法と材料

出題
point

- 技法遊び（モダンテクニック）
- 写す遊びと版画の種類
- 表現活動の材料

 1 技法遊び（モダンテクニック）

　子どもは、いろいろな技法遊びを通して、クレヨンや絵の具の性質・特徴などを体験的に学びます。技法といっても、技術の訓練ではなく、画材という物と関わって遊ぶことが主です。技法遊びは、造形表現方法を獲得する最初のステップです。

■ 技法遊びの表現方法と用いる材料 ■

スクラッチ（クレヨン）	数色で画面全体を塗り、1層目をつくる。その上から黒等で全体を塗り潰し、2層目をつくる。この画面を割箸などで**引っかく**と、2層目がはがれ1層目の色が見え、数色の線で描かれた絵になる。
バチック（蠟、クレヨン、絵の具）	はじめに撥水性のある描画材で絵を描く。その上から水溶き絵の具を塗ると、背景は染まるが、先に描かれた部分は絵の具を**はじく**ので染まらない。はじき絵ともいわれる。
フロッタージュ（クレヨン、色鉛筆、パステル）	物の輪郭や凹凸を写し取る。葉っぱや硬貨などに紙をかぶせて描画材で**こする**と、段差の部分が濃く浮き出て形があらわれる。古くから石碑や金属器などの文字や模様を写す拓本で用いられてきた。
デカルコマニー（絵の具、クレヨンとアイロン）	二つ折りにした紙の内側、片方の面に絵の具をつける。紙を閉じ、押さえて絵の具を転写させると、開いたときに**シンメトリー**（左右対称）な模様があらわれる。クレヨンで行う場合は押さえる代わりにアイロンの熱で溶かして転写する。

 check
　スクラッチの1層目の色は紙に定着しているので削れない。

 check
　なかやみわの絵本『くれよんのくろくん』で用いた技法は、スクラッチである。

スパッタリング (絵の具、歯ブラシ、金網)	金網に水溶き絵の具を塗り、専用の金ブラシや歯ブラシなどで擦って、しぶきを**散らす**。粗いスプレーのような感じになる。型紙を置いて行えば、型紙の形の白抜きができる。
ドリッピング (絵の具、絵筆、ストロー)	水溶き絵の具をたっぷり含ませた筆を振って、**滴を垂らし**たり散らしたりする。ぽたぽたと落ちた絵の具を、ストローで吹いて流したり、吹き飛ばしたりする「ブローイング」(吹き流し)という技法に発展させることもある。
ウォッシング (ポスターカラー、墨汁)	画用紙にポスターカラーで背景のない絵を描き、墨汁で画面全体を塗り潰す。乾燥後、画面を水で**洗う**と、ポスターカラーで描いた部分の墨汁が流され、背景のみが墨汁で染まった絵になる。
コラージュ (紙切れ、自然素材)	雑誌や広告の切り抜きなどを**貼り合わせて**構成する。既製の物の一部を持ち寄って新しい物をつくり出す方法。自然物を収集して画用紙や板などに貼りつけるような製作もある。
ストリングデザイン (絵の具、たこ糸、紐)	糸に絵の具をつけて画用紙の間に挟む。画用紙を上から押さえると同時に、糸の両端を引っ張る。糸のずれた軌跡が模様となってあらわれる。力が必要な作業であるが、紙を押さえる役と**糸を引っ張る**役がペアを組んで行う。
にじみ絵 (絵の具、画用紙)	適度に湿らせた画用紙に水溶き絵の具で描いて、にじませる。白地ににじみが広がる効果や色の境界がにじみによって**グラデーション**になる効果などが得られる。
転がし絵 (絵の具、ビー玉、コマ)	絵の具をつけたビー玉を空き箱に入れて転がすと、ビー玉の**転がった**軌跡で模様ができる。コマの軸の先に脱脂綿を小さく巻き、絵の具をつけてコマを回し、模様をつくる方法もある。
フィンガーペインティング (絵の具、小麦粉)	**手や指**に絵の具を直接つけて、画用紙になすりつけて描く。小麦粉、片栗粉、水糊などを絵の具に混ぜてとろみをつけると伸びがよくなり、描きやすい。全身を使って**ダイナミック**な動きを楽しんだり触感を味わったりできる。
スタンピング (絵の具、野菜、消しゴム、段ボール)	例えば、オクラやピーマン、レンコンなど野菜の断面や、巻いた段ボールの端、消しゴムを削ってつくった形に絵の具をつけて紙に**写す**。ポンポンとスタンプする繰り返しのリズムを体感したり、視覚的に味わったりする。
シャボン玉絵 (絵の具、シャボン液)	絵の具を溶いた色水とシャボン玉液を入れたバットに、ストローで息を吹き込み泡でいっぱいにし、これに紙をかぶせて**泡の模様**を写し取る。また、色をつけたシャボン玉を紙の上に落として輪の模様をつくる方法もある。

⏺アドバイス⏺

　過去に作品写真から技法名を答えるものが出題されている。各技法遊びの完成作品をイメージしておこう。

5

保育実習理論

6 表現活動の技法と材料

check

　エリック・カールの絵本『はらぺこあおむし』や『パパ、お月さまとって!』などは模様を描いた紙がコラージュされている。

check

　ヨゼフ・グッゲンモース文、イルムガルト・ルフト絵『葉っぱのきもち』は葉脈を刷り取ったものがコラージュされている。

check

　マーカス・フィスターの絵本『にじいろのさかな』は色のにじみにより海の中を美しく描き出している。

check

　レオ・レオニの絵本『スイミー』は、スタンピングの技法を用いて、魚群を表現している。

マーブリング （染色液、墨汁）	専用の染色液または墨汁を水面に垂らし、浮かべた状態で軽く息を吹きかける、静かに指でなぞるなどして、水の流れで模様をつくる。紙を被せて写し取ると、大理石のような**マーブル模様**があらわれる。
紙染め （絵の具、染色液、和紙）	**和紙**を小さく折りたたみ部分的に色をつけ、中まで色をしみ込ませてから広げると**連続的**な模様があらわれる。和紙を湿らせて行うと美しいにじみの効果が得られる。

覚えよう！

●**技法のキーワード**●

スクラッチ	引っかく	ウォッシング	洗い出す
バチック	はじく	コラージュ	貼り合わせる
フロッタージュ	こすり出す	ストリングデザイン	糸引き
デカルコマニー	転写、シンメトリー	フィンガーペインティング	指で描く
スパッタリング	飛び散らす	マーブリング	流れ模様
ドリッピング	垂らす		

2 版画の種類

1 写す遊び

　技法遊びの「**スタンピング**」は版画の原点です。子どもはハンコ押しの感覚を楽しみ、版画について知る前にスタンピングを通して物の形を写す経験を積みます。また、紙にペンで描くとテーブルに裏写りすることも、写るという経験の一つです。幼児期は、専門的な版画技法を学習する前段階であり、遊びによって**写る仕組み**を体験的に理解していくことが大切です。

　写す遊びは、スタンピングのほか、**手形**や野菜スタンプなどが保育でよく行われます。また、用具を使った例に**ローラー遊び**があります。ローラー遊びでは、重いゴムローラーよりも軽くて扱いやすいスポンジローラーやボール型のスポンジローラーが幼児に向いています。

◎アドバイス◎

　技法遊びの名称には言い換えたものがある。対策としてことばの意味や特徴的な行為・現象を押さえて同じ技法のことだとわかるようにしておこう。

◎アドバイス◎

　写すと形が反転することも子どもにとっては新しい発見である。

check

　ボール型スポンジローラーは、いろいろな方向に転がすことができる。

2 版画技法のいろいろ

(1) 凸版形式

版の凸部にインクをつけ、バレンやプレス機で刷り取ります。

木版画	図柄以外の部分を**削り取って**版にする。
紙版画	**重ね貼り**の段差で図柄をあらわし版にする。
スチレン版画	図柄を尖ったもので**引っかいて**版にする。

(2) 凹版形式

版の凹部にインクを詰め、プレス機で刷り取ります。

ドライポイント	**金属板**を尖ったもので引っかいて版にする。
エッチング （銅版画）	耐酸性の膜で覆った**銅板**を尖ったもので**引っか**き酸性の薬品で腐食させて版をつくる。

(3) 平版形式

版面に直接絵を描くか、描いた絵を転写して刷る技法です。

リトグラフ （石版画）	版面に**水性と油性**の部分をつくり、水をはじく部分に付着させたインクを刷り取る。
モノタイプ	アクリル板やガラス板などに**直接絵を描いて紙に転写**する。1回しか刷ることができない（2～3回刷れる場合もある）。

(4) 孔版形式

凸版・凹版・平版は原画が反転して刷り上がりますが、孔版は、版にあけた穴にインクを通過させるため、原画が反転しません。

シルクスクリーン	織り目の細かいスクリーンに型紙を貼り、**インクの通らない部分**をつくり版にする。
ステンシル （合羽版）	型を切り抜いて版にする。切り抜いた**孔に色を刷り込む**。

(5) その他の版画

ローラー版画	インクを塗った**型の上でゴムローラーを転がし**、型をローラーに写す。そのままローラーを紙の上で転がして型を転写する。

check
魚に直接墨を塗って紙に写す魚拓は凸版形式ともいえる。

check
シルクスクリーンで著名人の肖像画を数多く製作したことで有名な画家は、アンディ・ウォーホルである。

check
アンリ・マチスが版画集『ジャズ』で用いた技法はステンシルである。

5

保育実習理論

❻ 表現活動の技法と材料

●**写し取る遊びの分類**●
・**凸版**…版の凸部にインクをつけて刷る
（紙版画・スチレン版画・**スタンピング**、ストリングデザイン）
・**凹版**…版の凹部にインクを入れて刷る
・**平版**…版に直接描くか写した絵を刷る（モノタイプ、デカル
コマニー、マーブリング、フィンガーペインティング）
・**孔版**…型紙によるインクの有無を刷る（ステンシル）

 3 表現活動の材料

　描画材の種類によって子どもが経験できることは違ってきます。そのため、保育者は製作目的に適しているという視点だけでなく、子どもの表現の幅を広げ、経験を豊かにするという観点から様々な描画材を扱う機会をつくりたいものです。

1 幼児の活動に適した描画材

竹ペン 葦ペン	**竹や葦の先端**を削ってつくるペン。葦ペンはソフトな線、竹ペンはハードな線が描ける。割箸を削ったものでも代用できる。
フェルトペン	油性のものは、紙以外にも定着する。細字と太字の対で8〜12色セットが使いやすい。
鉛筆	子どもが絵を描くには濃くて軟らかめの **B〜2B** あたりが適している。
クレヨン	硬くて手がべとつかない反面、滑りやすい。**線描**が中心。軽いタッチの絵に向いている。
オイルパステル	色を重ねたり、混ぜたり、ぼかしたりできる。伸びがよく**面描**が中心。重厚なタッチに向く。
パステル	**発色がよく**顔料の鮮やかさが際立つ。保存のため定着液スプレーをかけて仕上げる。
絵筆	**丸筆**は自由な線描や面塗り、**平筆**は範囲内の面塗りに向いている。
不透明水彩絵の具	**重ね塗り**や**厚塗り**ができるので、透明水彩より幼児の製作に向いている。
ポスターカラー	不透明水彩の一種。**伸びがよく**、広い範囲を**むらなく塗**ることができる。
アクリル絵の具	乾くと**耐水性**となるので、屋外の展示物などにも使用できる。子どもの描画活動にはあまり適さない。

　鉛筆はHの数が増すと芯が硬く色が薄くなる。反対にBの数が増すと芯が軟らかく色が濃くなる。
　H　　HB　　B
薄い　標準　濃い

　絵筆には番号がついており、番号が大きいほど太くなる。絵筆の太さは10〜16号（10mm〜16mm）が幼児に適している。

🐤**アドバイス**👑
　水彩は、雨に濡れる可能性がある屋外での製作には適さない。

2 紙のサイズと種類

⑴ サイズについて

　幼児が絵を描くときは**八切判**の画用紙を使用することが多く、小学生以降の絵画製作では**四切判**がよく使用されます。紙の大きさを表す単位の「○切判」とは、もとの大きさを何分割に裁断したかを意味し、数が増えるとサイズは**小さく**なります。

■ 画用紙のサイズ ■

画用紙四切判	全紙の4分の1の大きさ
画用紙八切判	全紙の8分の1の大きさ

　用紙サイズの規格はA判とB判があります。数はもとの大きさの紙を裁断した回数を示し、数が1つ増えるとサイズは1/2になります。

■ 用紙サイズの規格 ■

A3判	297 × 420	B3判	364 × 515
A4判	210 × 297	B4判	257 × 364
A5判	148 × 210	B5判	182 × 257

(単位 mm)

⑵ 画用紙

　画用紙は、描く活動、つくる活動のどちらにおいても用途が広く造形活動に欠かせません。大きさや厚さのほか、目の粗さや柔らかさなど質の違いによって多くの種類があります。保育では、活動目的に応じた画用紙の選択が必要となり、保育者は最適なものを探すための教材研究が大切です。また、**色画用紙**は、色のイメージが子どもの想像力に積極的に働きかけるので、有効な造形材料といえます。

⑶ 模造紙

　保育では**掲示物**作成によく用いられます。**丈夫で薄く**、市販品の多くは788 × 1091mmで、四切判の大体4倍のサイズです。白以外に薄めの色、方眼入、10m巻などのロール状のものもあります。

check
画用紙の縦横の比率は大体1:1.4である。

check
全紙＞半切＞四切＞八切

check
規格が違っていてサイズが近いものの比較
四切判＞B3判
八切判＞B4判

5

保育実習理論

❻ 表現活動の技法と材料

(4) ボール紙

　片面・両面白ボールやチップボール（両面灰色）、黄ボールなどがあります。**強度**に優れ、造形用紙として**箱**や**玩具**などをつくるのに適しています。描く活動で灰色の面や黄土色の面を使えば、白描画材で表現できます。

(5) 段ボール

　段ボール箱のほか、巻段ボールや板段ボールがあります。行事の出し物や環境構成、子どもの**大型の共同製作**などの材料に活用されます。段ボールの厚さの単位はフルートであらわします。

(6) 折り紙

　折り紙は日本の伝統的な遊びです。正方形の専用紙や千代紙が一般的ですが、新聞紙などで作ることもあります。折り紙の折り図には、「谷折り＝**手前**に折る」、「山折り＝**後ろに折る**」など、折り方の決まりがあります。

3 粘土の種類

土粘土	水分を管理することで硬さの調整ができ、様々な製作活動に応用できる。湿らせた布をかけ密封状態で保管。
油粘土	乾燥しないので硬くなりにくく、繰り返し使える。腰がなく粘性は弱い。冷えると硬くなるが、手のひらの温度で温めることで軟らかくなる。
紙粘土・軽量樹脂粘土	水彩絵の具を直接混ぜることができ、軽くて応用範囲が広い。成形後、乾燥させることで硬化する。
小麦粉粘土	小麦粉と水で作る。成形が難しい面もあるが、安全で感触を楽しむのに向いている。絵の具を混ぜ着色することもできる。カビが発生するため長持ちはしない。
テラコッタ	土粘土を焼いたもの。成形後、乾燥させて素焼きする。素焼きは 700 ～ 800℃、本焼きは 1,250℃が適温。成形時の粘土の接着には**どべ**◆を使う。窯を使わずに野焼きで作ることもできる。テラコッタ用粘土の他に、土粘土などの粘性のある土を使っても代用できる。

4 その他の材料（自然物の利用・リサイクル材など）

　砂、石、木の実、木の葉、牛乳パック、ペットボトル、空き缶、空き箱、発泡スチロール、ロール芯、布、毛糸、セロファン、エアパッキンなどがあります。

アドバイス

　粘土の材料や扱い方、表現の可能性について理解しておこう。

アドバイス

　粘土造形の道具には、ヘラ、切り糸、タタラ板、のし棒などがある。

アドバイス

　市販品の紙粘土の多くは白色で彩色が引き立つ。ニスを塗って仕上げる。
　感触遊びに向く小麦粉粘土は、幼児の粘土遊びの最初の段階で扱われることが多い。

用語

◆どべ
　成形する粘土と同じ粘土を水で溶きドロドロにしたもの。

5 主な用具

(1) はさみ

　はさみは、**テコの原理**を応用し2枚の刃が交わったところで切れる仕組みになっています。右手用と左手用があるので構造の違いを理解しておきましょう。

(2) 鋸（のこぎり）

　一般的な鋸は引いたとき切れるようになっており、それを考慮して力を加減します。木材をしっかりと固定するためバイス（万力）などの固定工具が必要な場合があります。

両刃鋸	**縦挽き**と**横挽き**の刃が両側にある。縦挽きの歯は木目に沿って、横挽きの歯は木目を断ち切る。
片刃鋸	**横挽き**の刃がついているものが多く、胴付鋸とも呼ばれる刃の反対側に補強板がはめ込まれているものは精密な作業に適している。
畔（あぜ）引き鋸	主に**溝をつくる**ときに使用。刃が弧状に並び、首（刃から柄までの部分）が長い。
回し挽き鋸	鋸身（柄から出ている金属部分）が細長い。主に**曲線を切る**とき、**穴をあける**ときに使用する。
手引き糸鋸	弓鋸とも呼ばれ、弓形の枠に細く薄い刃を張った鋸。刃によっては**金属**も切れ、切り抜きや曲線切りに便利。

(3) 玄能（げんのう）（金槌・木槌・プラスチックハンマーなどの総称）

両口玄能	**平面**と**凸面**を持つ。平面で釘を打ち込み、最後を凸面で打ち、材に打痕をつけずに仕上げる。
片口玄能	**平面**と**円錐状**の面を持つ。尖っている片面は、カシメや釘シメに使用する。
箱屋槌	**平面**と**爪状**の面を持つ。爪部は、打ち損じて曲がった釘を抜くのに使用する。

(4) 釘

鉄釘	表面にメッキ加工がなく、**さびが出る**。
ステンレス釘	耐腐食性に優れており、**さびにくい**。

(5) 錐（きり）

四つ目錐	**普通の釘**の下穴をあける。
三つ目錐	**大きめの釘**の下穴をあける。
ねずみ歯錐	竹など**硬くて割れやすい材**に下穴をあける。

5 保育実習理論

❻ 表現活動の技法と材料

👑check⁺
　横挽きの刃は、縦挽きより細かく表裏交互に向いている。

👑check⁺
　釘打ちは、錐で下穴をあけておくと失敗しない。

 問題 次の記述で、絵本の原画に用いられた表現技法に関し、正しいものに○、誤っているものに×をつけよ。

1. レオ・レオニの「スイミー」はバチックである。

2. なかやみわの「くれよんのくろくん」はスクラッチである。

3. イルムガルト・ルフトの「葉っぱのきもち」はデカルコマニーである。

4. エリック・カールの「パパ、お月さまとって！」はスタンピングである。

5. マーカス・フィスターの「にじいろのさかな」はにじみ絵である。

 問題 次の記述で正しいものに○、誤っているものに×をつけよ。

6. 両刃鋸は、木目の向きにより使う刃を変える。

7. ポスターカラーは、屋外での展示物の製作に適している。

8. 小麦粘土は長期保存に向いている。

9. はさみは、左右どちらの手でも使えるようにできている。

10. ステンシルとは、型紙を使った版画の一種である。

11. スクラッチ表現は「ひっかき絵」ともいう。

解答

1× **2**○ **3**× **4**× **5**○ **6**○ **7**× **8**× **9**× **10**○ **11**○

1　小さな魚たちや海の中がスタンピングで表現されている。

3　刷り出した葉脈をコラージュして、魚や鳥などを表している。

4　コラージュである。エリック・カールの絵本は、色付けした紙のコラージュが多い。

7　水溶性のため適していない。雨に濡れる屋外では、耐水性のアクリル絵の具がよい。

8　カビが生えやすいので長期保存には向かない。

9　はさみは、右手用と左手用で構造が違い、右手用のはさみは左手では使いづらい。

色や形の基礎知識

出題
point
- 色の3属性、色相環、色の種類、色の機能や配色の印象
- 形態の基本、色や形の構成要素

1　色彩の基本

　色彩の基本知識は、理論を理解することが大切です。その理論を応用すれば、子どもの造形表現に関わる場面だけでなく、保育の環境構成でも役立ちます。実際の保育活動に生かせるように色彩の基本をしっかり覚えましょう。

1　無彩色と有彩色

　色には大きく分けて、無彩色と有彩色があります。

無彩色	白、黒、灰色。
有彩色	無彩色以外の色味のあるすべての色。

2　色の3属性（3要素）

　色には、明るい、暗い、くすんでいる、濁っている、澄んでいるなどの性質があります。また、有彩色は、何かの色味を帯びているという性質があります。これらの色の持つ性質が属している3つの要素を色の3属性といいます。

■ 色の3属性（3要素）■

明度	明るさの度合い。最も高いのは白、最も低いのは黒。
彩度	鮮やかさの度合い。
色相	帯びている色味、色合い。

check
　有彩色は3属性があるが、無彩色の属性は明度のみがある。

アドバイス
　最近の傾向では色の基礎知識を応用する事例の問題が出題されている。

3 色相環

　一般的な色相の標準色は 12 色です。それらの色を円環状に配置したものを色相環といいます。色相環で対極に位置する色を補色といいます。例えば赤の補色は青緑、青の補色は黄橙、黄色の補色は青紫です。

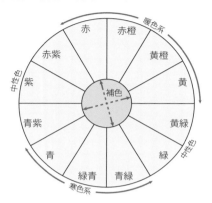

4 色立体

　色の 3 属性を三次元の立体で系列したものを色立体といいます。中心軸の上下方向が明度、中心軸から水平方向への距離が彩度、中心軸の周りに標準 12 色を配して色相を示します。中心軸の明度段階は無彩色で示され、上が白、下が黒です。

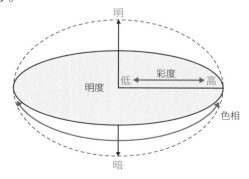

5 3 原色

　有彩色には、混色によってつくり出せる色とつくり出せない色があります。混色でつくり出せない 3 色を 3 原色と

check
ある色を見つめていると残像として補色が見えてくる。

check
青緑は青みを帯びた緑、緑青は緑みを帯びた青である。緑青のほうが青い。

check
　一般的な虹の 7 色は、赤・橙・黄・緑・青・藍・紫である。12 色相環にない橙と藍が含まれる。

check
　色の心理的効果によって、暖色、寒色、中性色に分類される。

アドバイス
　現代の色彩理論では、色料の 3 原色はマゼンタ・イエロー・シアンをいう。

いいます。3原色は、保育所などで使用する絵の具などの一般的な色料の色と、照明など光の色とで異なります。また、色料と色光では混色によって、つくり出せる色も異なります。

色の3原色	赤・黄・青	3色を混色すると灰色〜黒に近づく。
光の3原色	赤・緑・青	3色を混色すると白（透明）に近づく。

■ 色の3原色 ■

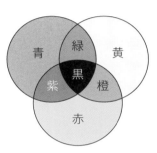

■ 光の3原色 ■

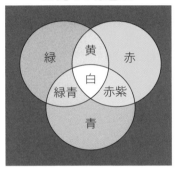

6 色の混色（混合）

絵の具を混ぜて色をつくることを**混色**といい、画面の上で透明色を塗り重ねることを**重色**といいます。

■ 色の混色（混合）■

減法混色	色を混ぜると明度が低くなる（暗くなる）。
加法混色	色を混ぜると明度が高くなる（明るくなる）。
併置混色	違う色を緻密に並べることで色が混ざっているように見せる混色。明度・彩度が低くならず色相の純度も保たれる。

7 色の対比

ある色が、隣り合う他の色の影響を受けて、実際の色とは違って見えることを**対比現象**といいます。色の対比によって脳が錯覚し、明度・彩度・色相などがずれて感じられるのです。同じ色であっても背景の色や隣り合う色によって様々な影響を受けるため、見え方は一定ではありません。

💬アドバイス💬
色の3原色と光の3原色の色の違いと特徴を理解しておこう。

💬アドバイス💬
重色をする場合は、色が乾くまで塗り重ねないことがポイント。

👑check
減法混色は減算混合、加法混色は加算混合、併置混色は並置混合ともいう。

👑check
併置混色（点描）は後期印象派画家スーラやシニャックが始めた技法である。

327

明度対比	明度差が大きくなると、明るい色はより明るく、暗い色はより暗く感じられる。
色相対比	色相を違えると、互いの色味が色相環上離れる向きにずれて感じられる。
彩度対比	彩度差が大きくなると、鮮やかな色はより鮮やかに、濁った色はより濁って感じられる。
補色対比	色相差が最大、互いの色みが最も強く感じられる。

···check
彩度の高い順
1 純色
2 清色（純色＋白）
3 清色（純色＋黒）
4 濁色（純色＋灰色）

8 色の種類

　色彩は、理論上はもちろん実際の場面であっても無限に階調が存在していて、色の性質や仕組みを理解するのは容易ではありません。これまでの用語に加えて色の種類を整理しておくと理解しやすくなるでしょう。

純色	濁りのない鮮やかな色。
清色	純色に白または黒を混ぜた色。
濁色	純色に灰色を混ぜた色。
補色	色相環の正反対にある色。混色すると濁った色になる。
反対色	色相環の反対にある色。補色よりやや範囲が広い。
同系色	同じ色相に属していて、明度・彩度が異なる色。
類似色	色相環で近くにある色。色みが似ているもの。
暖色	暖かく陽気な感じがする、赤・橙・黄などの色。
寒色	冷たく沈んだ感じがする、青みを帯びた色。

···check
純色に白を混ぜた色を明清色、純色に黒を混ぜた色を暗清色という。
純色＋白…彩度↓明度↑
純色＋黒…彩度↓明度↓

···check
濁色は中間色ともいう。

アドバイス
　色の対比と色の種類の説明から、正しい色の組み合わせを問うものが過去に出題されている。理解を深めておこう。

9 色の機能

　ものの大きさや距離感が実際とは違って感じられる色があります。例えば、派手で目立つ色は「目に飛び込んでくる」などと表現され、壁に用いれば圧迫感を感じたりします。また、それとは反対の効果（機能）を持つ色もあります。

膨張色 （進出色）	暖色、明度が高い、彩度が高い。 他と比べた際に、大きく感じられる。
収縮色 （後退色）	寒色、明度が低い、彩度が低い。 他と比べた際に、小さく感じられる。

10 配色

配色は、画面から受ける感じや、空間の雰囲気を演出するうえで重要です。色の選択と配置しだいで与える印象が大きく変わることを知っておく必要があります。

(1)色相を主とした配色とその印象

類似色の配色	調和がとれ穏やかな感じがする。
反対色の配色	派手でどぎつい感じがする。対照色ともいう。

(2)彩度を主とした配色とその印象

高彩度と高彩度	派手で刺激的な感じがする。
低彩度と低彩度	地味で渋みのある感じがする。
高彩度と低彩度	互いに協調し合い安定した感じがする。

(3)明度を主とした配色とその印象

高明度と高明度	明るくすっきりとした感じがする。
低明度と低明度	暗く重苦しい感じがする。
高明度と低明度	互いに協調し合い、よく目立つ。
無彩色のみ	情緒性に欠けるが知的な感じがする。

2 形態の基本

形態には、**自然形**と**人工形**とがあります。自然形は、動物や植物、鉱物の形などで、成長や循環の過程で環境に適応しながら絶えず変化しています。人工形は、いうまでもなく人間がつくり出した形です。そういうと自然形の奥深さには到底かなわないと思えてくるのですが、人間は、自然の摂理が生み出した自然形にヒントを得ながら創造的に形を生み出してきました。その土台となるのが**基本形**や**構成要素**の知識です。

複雑な自然形も形態的に還元していくと、積木のような基本形に行きつきます。様々な形を構成できる積木のように、汎用性の高い基本形についてしっかり覚えましょう。

アドバイス

配色についても色の3要素の理解が求められる。それぞれの配色をイメージできるようにしておこう。

check

パステル調は低彩度・高明度な色の調子である。

5

保育実習理論

⑦ 色や形の基礎知識

1 基本形

①平面（二次元）…円、三角、四角など

②立体（三次元）…立方体・四角錐・円錐・円柱・球など

③単体…1つの基本形で成り立っているもの

④複合体…複数の基本形の組み合わせで成り立っているもの

■ 立体（三次元の例）■

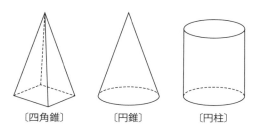

〔四角錐〕　　〔円錐〕　　〔円柱〕

2 色や形の構成要素

シンメトリー （対称）	左右・上下・放射が**対称**であること。安定感があり、まとまりがよいが、動きがない。
バランス （均衡）	異なる色や形の関係に**つり合い**が取れていること。動きとまとまりが感じられる。
リズム （律動）	**段階的に変化**するグラデーションと**規則的に繰り返す**リピテーションなどがある。
プロポーション （比例）	**全体と部分**の関係であり、長さや大きさを**比例**、**比率**、**割合**などでとらえたもの。
アクセント	**部分的**に変化をつけて**全体**を引き締める。
コントラスト	相反する色や形どうしで**互い**を強め合う。

check

　左右・上下などの対称は線対称。180度回転しても同じ放射の対称は、点対称である。

　バランスは、様々なものの関係性に広く使われる言葉です。シンメトリーは**デカルコマニー**作品の構図のほか、人の顔や身体の構造にもあります。虹のイラストは**色相**のグラデーション、墨のにじみは**明度**のグラデーションです。色や形の構成要素は、日常の様々なデザインの中でみられます。壁紙や包装紙、洋服の柄などを見たときに、その図柄がどのような要素から構成されているか、確認するとよいでしょう。

 ここで **チャレンジ**

問題 次の記述で正しいものに○、誤っているものに×をつけよ（色名は12色相環に基づく）。

1. 青と黄は色相環上近い位置にある。

2. 白や黒のことを有彩色という。

3. 光の3原色をすべて混合すると、黒になる。

4. 後期印象派の画家スーラの作品は、併置混色（点描）で描かれている。

5. 2色の絵の具を混ぜて別の色をつくることを「重色」という。

6. 緑の葉の上に黄色いレモンを置くと明度対比によりレモンが少し赤みがかって見える。

7. 補色である絵の具を混ぜ合わせると、澄んだ色になる。

 問題 次の記述で、平面構成をする際の構成美の要素に関し、正しいものに○、誤っているものに×をつけよ。

8. プロポーションは、比例、比率、割合のことである。

9. コントラストは、上下、左右、放射などの対称のことをいう。

10. シンメトリーは安定感がある。

11. 立体感は、色彩や形の大小によって表現することができる。

解答

1 × **2** × **3** × **4** ○ **5** × **6** × **7** × **8** ○ **9** × **10** ○ **11** ○

1 青と黄は補色に近い位置にある。

2 白や黒は無彩色である。

3 白になる。黒に近づくのは、絵の具などの色の3原色を混合した場合である。

5 絵の具を混ぜて色をつくることを混色という。重色とは、画面上で色を塗り重ねることをいう。

6 緑と黄色における対比は、色相対比。明度対比は明るさによる対比である。

7 補色を混色すると、濁った色になる。

9 コントラストは、対照的な色や形を対比させることで、色や形が持つ互いの特性を強め合う効果である。

section 8　表現活動の文化

出題
point
- 教材の種類
- 教材のつくり方
- 教材の材料

1　絵本

　絵本は、聞き手になる子どもの**年齢**や**人数**によって読み聞かせの形態を変えられます。読み手は子どもの反応に合わせて頁をめくったり、**表情**や**声色**で子どものイメージを膨らませます。読み終わった後はすぐに終了せず、子どものイメージを膨らませるための**余韻**を**大切**にしましょう。

■ 様々な絵本 ■

『はらぺこあおむし』	エリック・カールによる作品。コラージュによって製作されている。
『あおくんときいろちゃん』『スイミー』	レオ・レオニによる作品。フロッタージュ、スタンピング、コラージュなど、様々な技法が用いられている。
『いないいないばあ』	松谷みよ子による作品。
『キャベツくん』『ぼくのくれよん』	長新太による作品。
『おばけのてんぷら』『ねないこだれだ』	せなけいこによる作品。
『きんぎょがにげた』『さる・るるる』	五味太郎による作品。
『スーホの白い馬』	モンゴルの民話。日本では再話／大塚勇三、絵／赤羽末吉の絵本で知られる。
『おおきなかぶ』	ロシアの民話。日本では絵／佐藤忠良、訳／内田莉莎子の絵本で知られる。
『三びきのやぎのがらがらどん』	ノルウェーの民話。日本では、絵／マーシャ・ブラウン、訳／せたていじの絵本で知られる。

♡アドバイス♡
　試験では例年、絵本のタイトルと作者について出題されている。様々な絵本に触れておこう。

check
　保育現場では絵本のほかに紙芝居もよく使われる。絵本は読み手と聞き手の見ているものが同じだが、紙芝居は絵を見ながら聞くだけになるので子どもの意欲や態度が重要となる。

♡アドバイス♡
　『おおきなかぶ』の再話はトルストイのものを訳したものがよく知られている。

2 劇の種類

劇は、行事の出し物や日常の保育でよく活用されています。

■ 保育教材とその内容・特徴 ■

パネルシアター	**パネル布**（パネル板）を舞台に、**不織布製の**絵人形を貼ったり外したりして話をすすめる。
エプロンシアター	胸当てのあるエプロンを舞台に、ポケットから取り出した**布製の人形**を使って演じる。
ペープサート	**両面ある紙人形**に棒をつけて、表裏を返すことで動作を表現する。
マリオネット劇	**糸で吊る操り人形**を使って演じる。
マペット劇	マリオネットとパペット（**指人形**）の合成語。人形の中に手指や腕を入れて演じる。

 3 身体を使った表現活動

　子どもが生活や遊びの中で、興味や好奇心、憧れなどの気持ちから大人や友達の**真似**をする姿は多くみられます。真似をして何かになったつもりで行うことにより育つ心情や獲得できることがあるのです。役を演じるという**身体的表現活動**は、子どもの育ちのうえで自然な行為であり、子どもの成長発達において大きな意味があります。

■ 保育における主な表現活動 ■

ごっこ遊び	何かになった**つもり**で動作する。憧れや好奇心から真似をしたい欲求があり、自発的に行う。
劇遊び	物語に沿って登場人物の役を決まった**台詞**や**動き**によって演じる。
オペレッタ	**歌**と**対話**が混ざっている台詞で役を演じる。**音楽**が流れたり**踊り**があったりする。
リトミック	エミール・ジャック・ダルクローズ創案の音楽教育方法。**リズム**運動として保育で行われている。

　劇の教材は、なるべく保育士が自分で考えてつくり、自分で使って試すようにする。それが一番の教材研究につながる。

　真似＝模倣。幼児の模倣は、新しいことができるようになるための最初のステップとして肯定的にとらえられる。

4 美術作品と鑑賞

　保育における鑑賞活動では、美術の専門知識や技術ではなく、様々な作品に向き合ったときに感動したり面白がったりする感受性の豊かさが求められます。機会を見て様々な作品に触れるとよいでしょう。作品に出合ったときの子どもの感じ方は「面白い」「きれい」「不思議」「怖い」など、様々です。子どもたちと鑑賞する機会があったときには、子ども一人一人の感じ方を大切にしていけるとよいでしょう。近年、様々な美術館で行われている子どもが楽しく作品と関われるようなワークショップなどを活用することも有効です。

■ 代表的な西洋の美術作品 ■

時期	作者	代表作等
15～16世紀 （ルネサンス期）	レオナルド・ダ・ヴィンチ	《**モナ・リザ**》《最後の晩餐》
	ミケランジェロ	《最後の審判》《ピエタ》《ダヴィデ像》
	ラファエロ	《ベルヴェデーレの聖母（牧場の聖母）》
19世紀 （印象派の登場）	マネ	《草上の昼食》《オランピア》《笛を吹く少年》印象派の父と呼ばれた
	ゴッホ	《**ひまわり**》《星月夜》
	スーラ	《**グランド・ジャット島の日曜日の午後**》《サーカス》点描表現による製作
20世紀 （抽象表現の発展）	ピカソ	《アヴィニヨンの娘たち》《ゲルニカ》キュビズム（立体派ともいう）
	ポロック	《五尋の深み》《カット・アウト》**ドリッピング**による表現

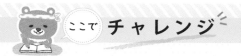

問題 次の記述で正しいものに○、誤っているものに×をつけよ。

1. 絵本は、子どもが文字を読むことができるようになってから、使用する教材である。

2. 『おばけのてんぷら』の作者は長新太である。

3. 絵本は、聞き手である子どもにとって、紙芝居よりも受け身な教材である。

4. オペレッタは歌と対話を台詞として演じる。

5. ペープサートの材料は、特殊な紙（不織布）と毛羽立った布である。

6. 《モナ・リザ》はスーラの代表作の一つである。

7. ペープサートは、裏面を見せて演じることができる。

8. 『スーホの白い馬』はノルウェーの民話である。

9. 絵本は子どもの年齢や人数などの状況に応じて読み聞かせの形態を変えることができる。

10. 絵本を読み終えたら、子どもが内容を記憶できているか直ちに質問して確認する。

解答

1 × **2** × **3** × **4** ○ **5** × **6** × **7** ○ **8** × **9** ○ **10** ×

1 絵本は文字を知らない子どもにも大切な教材である。文字のない乳児向け絵本もある。言葉がわからなくても、絵本の読み聞かせによって子どもとのコミュニケーションが生まれる。

2 作者は、せなけいこ。長新太の作品は『キャベツくん』『ぼくのくれよん』など。

3 文字を見たり読んだりすることができず、自分で絵を引き抜くことがない紙芝居の方が、子どもは受け身で聞いているといえる。

5 ペープサートの材料は、画用紙や棒（割箸など）である。特殊な布や不織布を使用するのは、パネルシアターである。

6 《モナ・リザ》はレオナルド・ダ・ヴィンチの代表作である。

8 モンゴルの民話である。ノルウェーの民話には『三びきのやぎのがらがらどん』がある。

10 子どものイメージを広げるためにも、余韻を大切にする。

保育実習実技
音楽・造形・言語

音楽　ここ数年の音楽の実技試験は、「保育現場でよく歌われる曲」を幼児に歌って聴かせることを課題として行われています。課題曲2曲があらかじめ指定されています。楽しい雰囲気で弾き歌いができるよう練習を積んでおきましょう。

⑴ 保育の一場面を想定する

　保育士が子どもたちを前にして楽器を演奏する場面で、楽譜から目を離さずにいることはありません。子ども達が楽しく歌うことができるように、笑顔と優しい眼差しを一人一人に配ります。そんな温かい保育の一場面を想定して、幼児に歌って聴かせる練習をしましょう。

⑵ 伴奏アレンジと移調のポイント

　課題曲の曲調や歌詞から場面を思い浮かべ、その曲のもつイメージを大切にして、自分が歌いやすく、また、できるだけ幼児も歌いやすい音域に移調しましょう。

⑶ しっかり声を出しましょう

　保育の現場では、楽譜の読めない子ども達に歌を教えるときに、保育士の歌をまねて覚える方法を用います。子ども達が歌詞を覚えられるように、しっかり声を出しましょう。ただし、大きすぎる必要はありません。

⑷ 最後まで弾き切りましょう

　実技試験では、人前で歌うことに慣れていない人は、かなり緊張すると思います。間違えてしまうこともあるかもしれません。できるだけそのまま弾き切りたいところですが、もしも止まってしまっても、諦めず、そこからもう一度続けるか、もし最初のほうであれば、「もう一度お願いします」と頼んでみましょう。

💬アドバイス💬
　楽譜は持ち込みできます。自分の実力に見合う楽譜を選びましょう。試験の際に使用する楽譜は練習で使用したものにすると、目が慣れていてよいでしょう。

💬アドバイス💬
　時々速さを確認し、課題曲の速さを意識して練習しましょう。慣れや緊張から、気付かぬうちに速くなっていることがあります。

ここ数年の造形の実技試験は、「保育の一場面」をテーマとして事例を読んで「絵画製作」することが課題となっています。また、解答用紙の絵を描く欄（縦横19cm）と同じ大きさの紙に描き慣れておく必要もあります。自信を持って描けるよう準備しておきましょう。

(1) 会話が弾む絵画製作を

子どもが絵を描くのはコミュニケーションの一つです。子どもの絵は見るものではなく、**聞いてあげる**ものといっても過言ではありません。保育士が参考に描く絵も子どもにとって想像力の源となります。イメージがあふれ出すような**わかりやすく、はっきりした絵**を描きましょう。そのためには、**大きさ、輪郭、バランス**を意識して表現しましょう。

(2) 楽しさが伝わる絵画製作を

保育士が**楽しそうに絵を描く姿**をまねてみるのが描画活動のはじめの一歩です。楽しんで描いた絵からは、自ずと楽しさがにじみ出ます。実技試験だからと緊張せず、楽しみながら明るく、生き生きと描けるようにしておきましょう。そのためには色彩が大切です。明るい**色彩**で描くと、**躍動感・表情**も生きてきます。

(3) テーマをしっかりとらえましょう

たとえ好感の持てる絵を描けても、テーマからずれていては台無しです。デイリープログラムを参考にして**日常生活**をテーマにしたり、**行事**を想定したりしてテーマにふさわしい場面を**具体的**に表現できるようにしておきましょう。

(4) 条件を確認しましょう

試験には必ず、**場面設定**や登場人物の**人数**などの条件が提示されます。場所はどこで背景はどうするのか、保育士や子どもの数は何人必要なのかなど、条件はしっかり確認しましょう。

(5) 模倣から始めましょう

自信が持てない人、さらなるレベルアップを目指している人は、イメージする画風に近い絵やイラストを見つけて**なぞる**ことから始めてみるのもよいでしょう。

アドバイス
時間内に描き上げられるよう練習しておきましょう。

アドバイス
保育所の一場面が課題になることが目立ちます。保育士と子どもを、それぞれ特徴をとらえて表現できるようにしておきましょう。

check
過去の課題例
・子どもと保育士の活動の一場面
・保育所内外での行事の一場面
・子どもと保育士との生活や遊びの一場面

コラム 保育実習実技

言語

言語の実技試験は、「対象年齢と対象人数」が設定され行われる形式が基本です。子どもの言葉の発達段階や、成長過程の基礎知識を深めることが重要となります。そのうえで設定にふさわしい実技が行えることが望ましいです。

(1) お話選びのポイント

近年の言語表現の試験は、15 人程度の**3 歳児クラス**の子ども達がいることを想定し、課題の４つのお話のなかから１つを選択し、**3 分間**、お話の世界を楽しめるように素話をするというものです。

課題は変わることもありますが、いずれもよく知られたお話ですから、自分の好きなお話を選び、３歳児の理解しやすい言葉や表現でアレンジしましょう。**繰り返しのパターン**があるとイメージしやすく、わくわく感が出ますが、もとのお話から離れすぎないように、**一般的なあらすじ**にします。

(2) 音声言語表現を巧みに用いる

①**強弱**、②**高低**、③**明暗**、④**早遅**、⑤**リズム**、⑥**テンポ**、⑦**間**の 7 つの要素を用いて豊かな言語表現を行います。

(3) お話の世界に子ども達を引き込むポイント

①子ども達の**顔が見渡せる**位置から一人一人に目線を配る。

②演出よりも子ども達の**興味・関心・期待**を最優先させる。

③子ども達が理解しやすい速さで**明瞭な発音・発声**を心がけ、お話に集中できるようにする。

④動物や昆虫の鳴き声やさえずりを表す**擬音語・擬声語**、感覚的印象を声で表す**擬態語**を用いる際は、**イメージ豊か**に表現し、子ども達とイメージを共有して楽しむ。

⑤お話の内容をイメージできるよう、**適切な身振り・手振り**を加える。

⑥お話全体のバランスを考えた**役作り**をする。

⑦語り手自身が、そのお話に**愛着**と**親しみ**を持つ。

♡アドバイス♡

緊張すると、早口になってしまうことがあります。適切な速さで語れるよう練習を重ねておきましょう。

♡アドバイス♡

早く終わってしまっても 3 分間は退出できません。ゆっくりと子ども達の顔を見渡すように笑顔で合図を待ちましょう。

試験にでる人名リスト

保育・教育

赤沢 鍾美	新潟静修学校に幼児を預かる託児施設を併設した。これが保育所の始まりといわれている。
アリエス	1960年に『子供の誕生』を著し、近代以前には「子ども期」というカテゴリーは存在しなかったと説いた。
エレン・ケイ	スウェーデンの女性思想家で、1900年に『児童の世紀』を著した。児童中心主義運動や「子どもの権利」論の発端の一つを作った。
オーズベル	新しい学習内容を学習者がすでに持っている知識と関連付けて学習する方法「有意味受容学習」を提唱した。
オーベルラン	公的補助を受けて運営される先駆けとして「幼児学校（幼児保護所）」を開設。「編み物学校」とも呼ばれた。
貝原 益軒	わが国初のまとまった教育書といわれる『和俗童子訓』を著し、発達段階に即した随年教法を示した。
城戸 幡太郎	1936（昭和11）年に現場の保育者と保育問題研究会を結成し、その会長を務めた。子どもを社会との関わりから捉える社会中心主義を提唱した。
キルパトリック	子どもが目的→計画→遂行→判断・評価という4段階を経て自主的に問題に取り組む学習の方法であるプロジェクト・メソッドを提唱した。
倉橋 惣三	誘導保育を実践し、東京女子高等師範学校附属幼稚園の主事を務めた。著書に『幼稚園雑草』『育ての心』『幼稚園真諦』がある。
コメニウス	あらゆる人にあらゆる物事を教授するための技法を説いた『大教授学』や、世界初の絵入りの教科書といわれている『世界図絵』を著した。
澤柳 政太郎	1917（大正6）年に成城小学校を設立し、大正自由主義教育運動の中心的な役割を担った。
鈴木 三重吉	小説家、児童文学者。1918（大正7）年「赤い鳥」を創刊。日本の児童文化運動の父とされる。
関信三	日本初の幼稚園である東京女子師範学校附属幼稚園の初代監事（園長）に就任した。翻訳『幼稚園記』（1876年）がある。
デューイ	シカゴ大学附属小学校（実験学校）を開設し、作業活動を中心とする教育活動を行った。『学校と社会』『民主主義と教育』を著した。
中江藤樹	江戸時代初期の儒学者。陽明学の始祖と言われており、「近江聖人」と称えられている。「知行合一説」を唱え、『翁問答』を著した。
橋詰 良一	1922（大正11）年、自然の中で子ども達を遊ばせるために、園舎を持たない「家なき幼稚園」を創設した。
ブルーナー	子どもが、科学的概念を思考活動のなかで自ら発見していく発見学習を提唱。著書に『教育の過程』がある。
ブルーム	診断的評価、形成的評価、総括的評価による完全習得学習を提唱した。
フレーベル	恩物と呼ばれる遊具の製作・普及に努めた。また、1840年に世界初の幼稚園である「キンダーガルテン」を創設した。
ペスタロッチ	「数・形・語」を基礎とする教授法を考案。『隠者の夕暮』や『白鳥の歌』など多くの著作を残した。

ヘルバルト	著書『一般教育学』において、「明瞭・連合・系統・方法」という4段階教授説を論じた。
本居 宣長	江戸時代の国学者で、「もののあはれを知る」心の涵養を重んじた。伊勢国松坂の書斎は鈴屋と呼ばれていた。
森 有礼	1885（明治18）年に初代文部大臣に就任し、翌年には「小学校令」「中学校令」等を公布した。
モンテッソーリ	子どもが手を使って作業をするためのモンテッソーリ教具を考案。「子どもの家」での教育実践は、モンテッソーリ・メソッドと呼ばれる。
ラングラン	「生涯にわたる教育の必要性」と「学校教育と社会教育の統合」を主張し、「生涯教育」を世界中に広めた。
ルソー	著書『エミール』で子どもの発達段階に応じた教育について論じ、「子どもの発見者」と呼ばれている。
ロック	人間は本来「白紙（タブラ・ラサ）」であると説いた。『教育に関する考察』の中の「健全な身体に宿る健全な精神」は有名な言葉である。

福祉

池上 雪枝	わが国初の感化院（現在の児童自立支援施設）である池上感化院を設立。「青少年更生事業の母」「少年感化の母」と呼ばれる。
石井 十次	無制限収容、小舎方式を採用した、わが国初の孤児院である岡山孤児院を創設。岡山孤児院12則を定めて孤児教育の実践にあたった。
石井 亮一	わが国初の知的障害児施設である滝乃川学園を創設。知的障害児支援を科学的知見に基づいて実践した。「知的障害児教育の父」と呼ばれる。
糸賀 一雄	戦後、知的障害児兼養護児童のための施設である近江学園を創設。また、重症心身障害児施設のびわこ学園など、多くの施設を設立した。
オーエン	「よい性格は、よい環境の下で形成される」という環境決定論を主張。自社工場内に保育兼教育施設である性格形成（新）学院を設立した。
笠井 信一	当時の岡山県知事であった笠井は、防貧を目的に1917（大正6）年に済世顧問制度を創設した。
柏倉 松蔵	わが国初の肢体不自由児施設となる柏学園を設立した。
小橋 勝之助	現在の児童養護施設にあたる博愛社を創設。多くの事業を展開したが、孤児院の設立は基幹事業となった。
コルチャック	ポーランドの小児科医で児童文学作家。「子どもの権利」と「完全な平等」のために活動した。
高瀬 真卿	私立予備感化院（後の東京感化院で、現在の児童自立支援施設）を東京の湯島に創設した。
留岡 幸助	感化教育事業の開拓者で、巣鴨家庭学校、北海道家庭学校を創設。非行問題を抱えた少年には、よい環境と教育を与えることが必要だと説いた。
ニィリエ	バンク＝ミケルセンの理論を基に、ノーマルな生活や自己決定、経済水準の確保等からなる8つの原則を唱えた。
野口 幽香	東京の麹町に、主に貧困児童を対象とした二葉幼稚園（後の二葉保育園）を創設。その後、母の家（母子寮）も附設した。
バーネット夫妻	イギリスの東ロンドンにトインビーホールを設立した。セツルメント運動の先駆的な施設として知られ、スラム街の貧困者支援を行った。
林 市蔵	当時の大阪府知事であった林らは、エルバーフェルト制度を参考に1918（大正7）年に民生委員制度の前身とされる方面委員制度を創設した。
バンク＝ミケルセン	ノーマライゼーションの理論（考え）を提唱したことで知られる。この理論を基に、ニィリエらがより具体化させていった。

マルサス	『人口論』を著したことで知られ、労働者の貧困原因を労働者自身の責任とした。新救貧法における「劣等処遇の原則」に反映されたといわれる。
森島峰（美根）	野口幽香とともに二葉幼稚園の創設に尽力した。
リッチモンド	ケースワークの体系化に寄与したことから、ケースワークの母と呼ばれる。主な著書に『社会診断』『ソーシャル・ケース・ワークとは何か』など。

心理

アイゼンバーグ	向社会的な道徳判断の発達段階を提唱し、特に向社会的傾向における社会化経験の影響を重視した。
ヴィゴツキー	幼児の言語発達が外言から自己中心語を経て内言に進むことから、発達の最近接領域など、発達における社会的相互作用の重要性を強調した。
エインズワース	ボウルビィのアタッチメント理論に基づき、乳児期の母子間の愛着の質を調査するための実験法、ストレンジ・シチュエーション法を開発した。
エリクソン	フロイトの精神分析に基づき、アイデンティティの概念を中核とした発達段階論である心理 – 社会的発達理論を提唱した。
エレノア・J・ギブソン	視覚的断崖の実験で知られる知覚心理学者であり、夫のジェームズ・J・ギブソンの提唱したアフォーダンス理論の構築にも貢献した。
キャンポス	乳児の気質的特徴をとらえるために、心拍数の変化を指標とする心拍テストを用いて様々な研究を行った。
ケーラー	チンパンジーがバナナを手に入れる実験を通して、洞察力により問題を解決するという洞察学習を提唱した。
ゲゼル	成熟説の立場から、学習が可能になる心身の準備状態である「レディネス（準備性）」の概念を提唱した。
コールバーグ	モラルジレンマを用いた検証によって、正義と公正さから3水準、6段階を経て進む道徳性の発達段階を提唱した。
コンドン／サンダー	新生児の同調行動について研究し、新生児であっても、大人の発声のリズムに合わせてからだを動かし反応することを示した。
サーストン	心理測定の分野に大きく貢献し、知能の因子分析的研究によって、数、空間、言語、知覚、記憶、帰納、語の流暢さの7つの因子を抽出した。
サラパテク	眼球運動に着目した視覚の発達について研究し、生後1か月の乳児では、視線が図形のある特徴に集中し、発達につれて変化することを示した。
ジェンセン	人が遺伝的にもっている特性は、環境要因から受けた影響が、ある一定の水準（閾値）に達したときに発現するという環境閾値説を提唱した。
シュテルン	発達は遺伝的要因と環境的要因が加算的に作用し、その和で決まるとする輻輳説を提唱した。
スキナー	ワトソンの行動主義を継承し、スキナー箱を用いたオペラント行動の研究を基礎に、応用行動分析を創始した。
セルマン／バイルン	道徳的判断の基礎として、「他者の立場に立ち、相手の気持ちを推測し理解する能力」を役割取得（社会的視点取得）能力と呼び、5段階に分類した。
ソーンダイク	猫の問題箱の実験で、学習は試行の積み重ねによって問題が解決するといった試行錯誤学習を提唱した。
トールマン	試行錯誤と洞察学習を統合した「認知地図説」を提唱した。
トマス／チェス	ニューヨーク在住の乳児を対象とした縦断研究を行い、子どもの行動にみられる生得的な気質的特徴を9つのレベルに分類した。
トレヴァーセン	生後3か月頃の情動的な一体関係が成り立つ一次的間主観性と、生後6か月頃からの相手の意図を把握する二次的間主観性を区別した。

341

パーテン	幼児の社会的相互交渉の表れとして、遊びを「何もしていない行動」から「協同遊び」に至る6つの発達段階に分類した。
ハーロー	アカゲザルの実験から、幼児にとっての母親が安全基地として機能することを示し、ボウルビィの愛着理論に大きな影響を与えた。
バウアー	乳児の有能さや能動性を強調し、従来は生後4～5か月頃にみられる「リーチング」が、生後まもなくの新生児にもみられることを示した。
パブロフ	「パブロフの犬」として知られる実験を行い、行動主義に大きな影響を与えた。この実験で示されている学習は、古典的条件付け（レスポンデント条件付け）と呼ばれる。
バルテス	生涯発達を、獲得と喪失が相互に関連しながら生涯にわたって進む過程であると考え、特に高齢者の「知恵」を重視した。
バンデューラ	他者の行動やその結果をモデルとして観察することで学習が成立する現象を「モデリング」と呼び、そこから社会的学習理論を提唱した。
ピアジェ	認知発達を、「同化」と「調節」による認知構造の変化と考え、様々な実験や研究法の考案によって現代の発達心理学に大きな影響を与えた。
ブラゼルトン	乳幼児と環境との関わりから、個々人の行動特徴を明らかにし、その発達を支援する「ブラゼルトン新生児行動評価」を開発した。
フロイト	精神的発達をリビドーの概念から説明する精神 – 性的発達の概念を提唱し、それを元に神経症の発生と治療に関する精神分析理論を創始した。
ブロンフェンブレンナー	子どもと環境要因との相互作用を、子どもを同心円状に取り巻いているシステムから説明した。
ボウルビィ	フロイトの精神分析に影響を受け、幼児期の母子関係について科学的に研究することを通してアタッチメント（愛着）理論を提唱した。
ポルトマン	スイスの動物学者で人間の特殊性として、「生理的早産」の概念を示した。著書に『人間はどこまで動物か』。
マーシア	エリクソンのアイデンティティの概念を拡張し、達成型、拡散型、早期完了型、モラトリアム型の4つの自我同一性地位に分類した。
メルツォフ	おしゃぶりを用いた実験から、生後1か月の乳児であっても、視覚と触覚を関連付けて把握できることを示した。
ルイス／ブルックスガン	鏡像を用いた実験により、幼児が2歳頃までに発達させる自己意識について、実存的自己とカテゴリー的自己とを区別した。
レイヴ／ウェンガー	学習は「状況に埋め込まれているもの」であるとする状況的学習論を提唱した。また、これを正統的周辺参加という考え方で説明した。
レビンソン	人生における4つの転換期（過渡期）の存在を示した。この転換期には、それまで適応的だった生活構造が変更を迫られることになる。
ローレンツ	生後まもなく見たものを親と思い込む「インプリンティング（刻印付け）」など、動物の本能的行動の成り立ちを研究する比較行動学を提唱した。
ワトソン	パブロフの条件反射の実験に影響を受け、人間の行動を、「刺激」に対する「反応」の学習という視点から研究する行動主義を提唱した。

音楽

オルフ	ドイツの作曲家・音楽教育家。持ち方や打ち方にこだわらなくても良い音が出せる丈夫なオルフ楽器を考案した。
北原 白秋	詩人、童謡作家、歌人。鈴木三重吉の『赤い鳥』の童謡面を担当し、日本の創作童謡に新分野を開拓。代表作『からたちの花』（童謡集）など。
草川 信	『赤い鳥』に参加し、童謡の作曲を手がける。「ゆりかごの唄（北原白秋・詞）」「夕焼け小焼け（中村雨紅・詞）」など。
コダーイ	ハンガリーの作曲家・音楽教育家。歌を使った音楽教育法「コダーイ・システム」を提唱した。
ダルクローズ	スイスの作曲家・音楽教育家。身体表現による音楽教育法（リトミック）の草案者。
團 伊玖磨	作曲家、エッセイスト。クラシック音楽、童謡、映画音楽などを幅広く手がけた。童謡「ぞうさん」「やぎさんゆうびん」「おつかいありさん」などを作曲。
中田 喜直	「ちいさい秋みつけた」「めだかの学校」「夏の思い出」など多くの名歌曲を創作した作曲家。
成田 為三	作曲家。大正期の『赤い鳥』運動に参加。「浜辺の歌」「かなりや」「赤い鳥小鳥」など歌曲や童謡を作曲した。
まど・みちお	詩人。童謡「ぞうさん」「やぎさんゆうびん」「ふしぎなポケット」を作詞。
野口 雨情	作曲家。北原白秋、西條八十とともに童謡の三大詩人と呼ばれた。代表作は「七つの子（本居長世・曲）」「シャボン玉（中山晋平・曲）」。
山田 耕筰	作曲家、指揮者。「待ちぼうけ（北原白秋・詞）」「ペチカ（北原白秋・詞）」「赤とんぼ（三木露風・詞）」など日本語の抑揚を活かしたメロディで多くの作品を残した。

造形

安西 水丸	イラストレーター、漫画家、作家。主な作品に『がたん　ごとん　がたん　ごとん』がある。
エリック・カール	模様を描いた紙や布切れなどを組み合わせて、貼り付ける技法であるコラージュで『はらぺこあおむし』を作製した。
佐野 洋子	主な作品に『100万回生きたねこ』『おじさんのかさ』がある。
ジョルジュ・スーラ	フランスの画家。代表作に《グランド・ジャット島の日曜日の午後》など点描の作品で知られる。
バージニア・リー・バートン	主な作品に『ちいさいおうち』『名馬キャリコ』がある。
古田 足日	主な作品に『おしいれのぼうけん』『ダンプえんちょうやっつけた』がある。
まつい のりこ	絵本・紙芝居作家。主な作品に『じゃあじゃあびりびり』『とけいのほん』がある。
松谷 みよ子	主な作品に、赤い鳥文学賞を受賞した『モモちゃんとアカネちゃん』、伝承あそびを絵本にした『いないいないばあ』がある。
レオ・レオニ	主な作品に『あおくんときいろちゃん』『スイミー』『フレデリック』がある。
レオナルド・ダ・ヴィンチ	代表作に《最後の晩餐》やルーブル美術館に収蔵される《モナ・リザ》などがある。

保育所保育指針（全文）

色字は
要注意！

（平成 29 年 3 月 31 日・厚生労働省告示第 117 号）

第 1 章　総則

　　この指針は、児童福祉施設の設備及び運営に関する基準（昭和 23 年厚生省令第 63 号。以下「設備運営基準」という。）第 35 条の規定に基づき、保育所における保育の内容に関する事項及びこれに関連する運営に関する事項を定めるものである。各保育所は、この指針において規定される保育の内容に係る基本原則に関する事項等を踏まえ、各保育所の実情に応じて創意工夫を図り、保育所の機能及び質の向上に努めなければならない。

1　保育所保育に関する基本原則

（1）保育所の役割

ア　保育所は、児童福祉法（昭和 22 年法律第 164 号）第 39 条の規定に基づき、保育を必要とする子どもの保育を行い、その健全な心身の発達を図ることを目的とする児童福祉施設であり、入所する子どもの最善の利益を考慮し、その福祉を積極的に増進することに最もふさわしい生活の場でなければならない。

イ　保育所は、その目的を達成するために、保育に関する専門性を有する職員が、家庭との緊密な連携の下に、子どもの状況や発達過程を踏まえ、保育所における環境を通して、養護及び教育を一体的に行うことを特性としている。

ウ　保育所は、入所する子どもを保育するとともに、家庭や地域の様々な社会資源との連携を図りながら、入所する子どもの保護者に対する支援及び地域の子育て家庭に対する支援等を行う役割を担うものである。

エ　保育所における保育士は、児童福祉法第 18 条の 4 の規定を踏まえ、保育所の役割及び機能が適切に発揮されるように、倫理観に裏付けられた専門的知識、技術及び判断をもって、子どもを保育するとともに、子どもの保護者に対する保育に関する指導を行うものであり、その職責を遂行するための専門性の向上に絶えず努めなければならない。

（2）保育の目標

ア　保育所は、子どもが生涯にわたる人間形成にとって極めて重要な時期に、その生活時間の大半を過ごす場である。このため、保育所の保育は、子どもが現在を最も良く生き、望ましい未来をつくり出す力の基礎を培うために、次の目標を目指して行わなければならない。

（ア）十分に養護の行き届いた環境の下に、くつろいだ雰囲気の中で子どもの様々な欲求を満たし、生命の保持及び情緒の安定を図ること。

（イ）健康、安全など生活に必要な基本的な習慣や態度を養い、心身の健康の基礎を培うこと。

（ウ）人との関わりの中で、人に対する愛情と信頼感、そして人権を大切にする心を育てるとともに、自主、自立及び協調の態度を養い、道徳性の芽生えを培うこと。

（エ）生命、自然及び社会の事象についての興味や関心を育て、それらに対する豊かな心情や思考力の芽生えを培うこと。

（オ）生活の中で、言葉への興味や関心を育て、話したり、聞いたり、相手の話を理解しようとするなど、言葉の豊かさを養うこと。

（カ）様々な体験を通して、豊かな感性や表現力を育み、創造性の芽生えを培うこと。

イ　保育所は、入所する子どもの保護者に対し、その意向を受け止め、子どもと保護者の安定した関係に配慮し、保育所の特性や保育士等の専門性を生かして、その援助に当たらなければならない。

（3）保育の方法

保育の目標を達成するために、保育士等は、次の事項に留意して保育しなければならない。

ア　一人一人の子どもの状況や家庭及び地域社会での生活の実態を把握するとともに、子どもが安心感と信頼感をもって活動できるよう、子どもの主体としての思いや願いを受け止めること。

イ　子どもの生活のリズムを大切にし、健康、安全で情緒の安定した生活ができる環境や、自己を十分に発揮できる環境を整えること。

ウ　子どもの発達について理解し、一人一人の発達過程に応じて保育すること。その際、子どもの個人差に十分配慮すること。

エ　子ども相互の関係づくりや互いに尊重する心を大切にし、集団における活動を効果あるものにするよう援助すること。

オ　子どもが自発的・意欲的に関われるような環境を構成し、子どもの主体的な活動や子ども相互の関わりを大切にすること。特に、乳幼児期にふさわしい体験が得られるように、生活や遊びを通して総合的に保育すること。

カ　一人一人の保護者の状況やその意向を理解、受容し、それぞれの親子関係や家庭生活等に配慮しながら、様々な機会をとらえ、適切に援助すること。

（4）保育の環境

保育の環境には、保育士等や子どもなどの人的環境、施設や遊具などの物的環境、更には自然や社会の事象などがある。保育所は、こうした人、物、場などの環境が相互に関連し合い、子どもの生活が豊かなものとなるよう、次の事項に留意しつつ、計画的に環境を構成し、工夫して保育しなければならない。

ア　子ども自らが環境に関わり、自発的に活動し、様々な経験を積んでいくことができるよう配慮すること。

イ　子どもの活動が豊かに展開されるよう、保育所の設備や環境を整え、保育所の保健的環境や安全の確保などに努めること。

ウ　保育室は、温かな親しみとくつろぎの場となるとともに、生き生きと活動できる場となるように配慮すること。

エ　子どもが人と関わる力を育てていくため、子ども自らが周囲の子どもや大人と関わっていくことができる環境を整えること。

（5）保育所の社会的責任

ア　保育所は、子どもの人権に十分配慮するとともに、子ども一人一人の人格を尊重して保育を行わなければならない。

イ　保育所は、地域社会との交流や連携を図り、保護者や地域社会に、当該保育所が行う保育の内容を適切に説明するよう努めなければならない。

ウ　保育所は、入所する子ども等の個人情報を適切に取り扱うとともに、保護者の苦情などに対し、その解決を図るよう努めなけ

ればならない。

2 養護に関する基本的事項

(1) 養護の理念

　保育における養護とは、子どもの生命の保持及び情緒の安定を図るために保育士等が行う援助や関わりであり、保育所における保育は、養護及び教育を一体的に行うことをその特性とするものである。保育所における保育全体を通じて、養護に関するねらい及び内容を踏まえた保育が展開されなければならない。

(2) 養護に関わるねらい及び内容

ア　生命の保持

（ア）ねらい

①一人一人の子どもが、快適に生活できるようにする。

②一人一人の子どもが、健康で安全に過ごせるようにする。

③一人一人の子どもの生理的欲求が、十分に満たされるようにする。

④一人一人の子どもの健康増進が、積極的に図られるようにする。

（イ）内容

①一人一人の子どもの平常の健康状態や発育及び発達状態を的確に把握し、異常を感じる場合は、速やかに適切に対応する。

②家庭との連携を密にし、嘱託医等との連携を図りながら、子どもの疾病や事故防止に関する認識を深め、保健的で安全な保育環境の維持及び向上に努める。

③清潔で安全な環境を整え、適切な援助や応答的な関わりを通して子どもの生理的欲求を満たしていく。また、家庭と協力しながら、子どもの発達過程等に応じた適切な生活のリズムがつくられていくようにする。

④子どもの発達過程等に応じて、適度な運動

と休息を取ることができるようにする。また、食事、排泄、衣類の着脱、身の回りを清潔にすることなどについて、子どもが意欲的に生活できるよう適切に援助する。

イ　情緒の安定

（ア）ねらい

①一人一人の子どもが、安定感をもって過ごせるようにする。

②一人一人の子どもが、自分の気持ちを安心して表すことができるようにする。

③一人一人の子どもが、周囲から主体として受け止められ、主体として育ち、自分を肯定する気持ちが育まれていくようにする。

④一人一人の子どもがくつろいで共に過ごし、心身の疲れが癒されるようにする。

（イ）内容

①一人一人の子どもの置かれている状態や発達過程などを的確に把握し、子どもの欲求を適切に満たしながら、応答的な触れ合いや言葉がけを行う。

②一人一人の子どもの気持ちを受容し、共感しながら、子どもとの継続的な信頼関係を築いていく。

③保育士等との信頼関係を基盤に、一人一人の子どもが主体的に活動し、自発性や探索意欲などを高めるとともに、自分への自信をもつことができるよう成長の過程を見守り、適切に働きかける。

④一人一人の子どもの生活のリズム、発達過程、保育時間などに応じて、活動内容のバランスや調和を図りながら、適切な食事や休息が取れるようにする。

3 保育の計画及び評価

(1) 全体的な計画の作成

ア　保育所は、1の（2）に示した保育の目標を達成するために、各保育所の保育の

方針や目標に基づき、子どもの発達過程を踏まえて、保育の内容が組織的・計画的に構成され、保育所の生活の全体を通して、総合的に展開されるよう、全体的な計画を作成しなければならない。

イ　全体的な計画は、子どもや家庭の状況、地域の実態、保育時間などを考慮し、子どもの育ちに関する長期的見通しをもって適切に作成されなければならない。

ウ　全体的な計画は、保育所保育の全体像を包括的に示すものとし、これに基づく指導計画、保健計画、食育計画等を通じて、各保育所が創意工夫して保育できるよう、作成されなければならない。

(2) 指導計画の作成

ア　保育所は、全体的な計画に基づき、具体的な保育が適切に展開されるよう、子どもの生活や発達を見通した長期的な指導計画と、それに関連しながら、より具体的な子どもの日々の生活に即した短期的な指導計画を作成しなければならない。

イ　指導計画の作成に当たっては、第2章及びその他の関連する章に示された事項のほか、子ども一人一人の発達過程や状況を十分に踏まえるとともに、次の事項に留意しなければならない。

(ア) 3歳未満児については、一人一人の子どもの生育歴、心身の発達、活動の実態等に即して、個別的な計画を作成すること。

(イ) 3歳以上児については、個の成長と、子ども相互の関係や協同的な活動が促されるよう配慮すること。

(ウ) 異年齢で構成される組やグループでの保育においては、一人一人の子どもの生活や経験、発達過程などを把握し、適切な援助や環境構成ができるよう配慮すること。

ウ　指導計画においては、保育所の生活に

おける子どもの発達過程を見通し、生活の連続性、季節の変化などを考慮し、子どもの実態に即した具体的なねらい及び内容を設定すること。また、具体的なねらいが達成されるよう、子どもの生活する姿や発想を大切にして適切な環境を構成し、子どもが主体的に活動できるようにすること。

エ　一日の生活のリズムや在園時間が異なる子どもが共に過ごすことを踏まえ、活動と休息、緊張感と解放感等の調和を図るよう配慮すること。

オ　午睡は生活のリズムを構成する重要な要素であり、安心して眠ることのできる安全な睡眠環境を確保するとともに、在園時間が異なることや、睡眠時間は子どもの発達の状況や個人によって差があることから、一律とならないよう配慮すること。

カ　長時間にわたる保育については、子どもの発達過程、生活のリズム及び心身の状態に十分配慮して、保育の内容や方法、職員の協力体制、家庭との連携などを指導計画に位置付けること。

キ　障害のある子どもの保育については、一人一人の子どもの発達過程や障害の状態を把握し、適切な環境の下で、障害のある子どもが他の子どもとの生活を通して共に成長できるよう、指導計画の中に位置付けること。また、子どもの状況に応じた保育を実施する観点から、家庭や関係機関と連携した支援のための計画を個別に作成するなど適切な対応を図ること。

(3) 指導計画の展開

指導計画に基づく保育の実施に当たっては、次の事項に留意しなければならない。

ア　施設長、保育士など、全職員による適切な役割分担と協力体制を整えること。

イ　子どもが行う具体的な活動は、生活の中

347

で様々に変化することに留意して、子ども
が望ましい方向に向かって自ら活動を展開
できるよう必要な援助を行うこと。
ウ　子どもの主体的な活動を促すためには、
保育士等が多様な関わりをもつことが重要
であることを踏まえ、子どもの情緒の安定
や発達に必要な豊かな体験が得られるよ
う援助すること。
エ　保育士等は、子どもの実態や子どもを取
り巻く状況の変化などに即して保育の過程
を記録するとともに、これらを踏まえ、指
導計画に基づく保育の内容の見直しを行
い、改善を図ること。
（4）保育内容等の評価
ア　保育士等の自己評価
（ア）保育士等は、保育の計画や保育の記録
を通して、自らの保育実践を振り返り、自
己評価することを通して、その専門性の向
上や保育実践の改善に努めなければならな
い。
（イ）保育士等による自己評価に当たっては、
子どもの活動内容やその結果だけでなく、
子どもの心の育ちや意欲、取り組む過程な
どにも十分配慮するよう留意すること。
（ウ）保育士等は、自己評価における自らの
保育実践の振り返りや職員相互の話し合
い等を通じて、専門性の向上及び保育の
質の向上のための課題を明確にするととも
に、保育所全体の保育の内容に関する認
識を深めること。
イ　保育所の自己評価
（ア）保育所は、保育の質の向上を図るため、
保育の計画の展開や保育士等の自己評価
を踏まえ、当該保育所の保育の内容等に
ついて、自ら評価を行い、その結果を公表
するよう努めなければならない。
（イ）保育所が自己評価を行うに当たっては、

地域の実情や保育所の実態に即して、適
切に評価の観点や項目等を設定し、全職
員による共通理解をもって取り組むよう留
意すること。
（ウ）設備運営基準第36条の趣旨を踏まえ、
保育の内容等の評価に関し、保護者及び
地域住民等の意見を聴くことが望ましいこ
と。
（5）評価を踏まえた計画の改善
ア　保育所は、評価の結果を踏まえ、当該
保育所の保育の内容等の改善を図ること。
イ　保育の計画に基づく保育、保育の内容の
評価及びこれに基づく改善という一連の取
組により、保育の質の向上が図られるよう、
全職員が共通理解をもって取り組むことに
留意すること。

4　幼児教育を行う施設として共有すべき事項

（1）育みたい資質・能力
ア　保育所においては、生涯にわたる生きる
力の基礎を培うため、1の（2）に示す保
育の目標を踏まえ、次に掲げる資質・能力
を一体的に育むよう努めるものとする。
（ア）豊かな体験を通じて、感じたり、気付
いたり、分かったり、できるようになったり
する「知識及び技能の基礎」
（イ）気付いたことや、できるようになったこ
となどを使い、考えたり、試したり、工夫
したり、表現したりする「思考力、判断力、
表現力等の基礎」
（ウ）心情、意欲、態度が育つ中で、よりよ
い生活を営もうとする「学びに向かう力、
人間性等」
イ　アに示す資質・能力は、第2章に示すね
らい及び内容に基づく保育活動全体によっ
て育むものである。

(2) 幼児期の終わりまでに育ってほしい姿

　次に示す「幼児期の終わりまでに育って
ほしい姿」は、第2章に示すねらい及び
内容に基づく保育活動全体を通して資質・
能力が育まれている子どもの小学校就学時
の具体的な姿であり、保育士等が指導を
行う際に考慮するものである。

ア　健康な心と体

　保育所の生活の中で、充実感をもって自
分のやりたいことに向かって心と体を十分
に働かせ、見通しをもって行動し、自ら健
康で安全な生活をつくり出すようになる。

イ　自立心

　身近な環境に主体的に関わり様々な活
動を楽しむ中で、しなければならないこと
を自覚し、自分の力で行うために考えたり、
工夫したりしながら、諦めずにやり遂げる
ことで達成感を味わい、自信をもって行動
するようになる。

ウ　協同性

　友達と関わる中で、互いの思いや考えな
どを共有し、共通の目的の実現に向けて、
考えたり、工夫したり、協力したりし、充実
感をもってやり遂げるようになる。

エ　道徳性・規範意識の芽生え

　友達と様々な体験を重ねる中で、してよ
いことや悪いことが分かり、自分の行動を
振り返ったり、友達の気持ちに共感したり
し、相手の立場に立って行動するようにな
る。また、きまりを守る必要性が分かり、
自分の気持ちを調整し、友達と折り合い
を付けながら、きまりをつくったり、守っ
たりするようになる。

オ　社会生活との関わり

　家族を大切にしようとする気持ちをもつ
とともに、地域の身近な人と触れ合う中
で、人との様々な関わり方に気付き、相手
の気持ちを考えて関わり、自分が役に立つ
喜びを感じ、地域に親しみをもつようになる。
また、保育所内外の様々な環境に関
わる中で、遊びや生活に必要な情報を取り
入れ、情報に基づき判断したり、情報を伝
え合ったり、活用したりするなど、情報を
役立てながら活動するようになるとともに、
公共の施設を大切に利用するなどして、社
会とのつながりなどを意識するようになる。

カ　思考力の芽生え

　身近な事象に積極的に関わる中で、物の
性質や仕組みなどを感じ取ったり、気付い
たりし、考えたり、予想したり、工夫した
りするなど、多様な関わりを楽しむように
なる。また、友達の様々な考えに触れる
中で、自分と異なる考えがあることに気付
き、自ら判断したり、考え直したりするな
ど、新しい考えを生み出す喜びを味わいな
がら、自分の考えをよりよいものにするよ
うになる。

キ　自然との関わり・生命尊重

　自然に触れて感動する体験を通して、自
然の変化などを感じ取り、好奇心や探究心
をもって考え言葉などで表現しながら、身
近な事象への関心が高まるとともに、自然
への愛情や畏敬の念をもつようになる。ま
た、身近な動植物に心を動かされる中で、
生命の不思議さや尊さに気付き、身近な動
植物への接し方を考え、命あるものとして
いたわり、大切にする気持ちをもって関わ
るようになる。

ク　数量や図形、標識や文字などへの関心・感覚

　遊びや生活の中で、数量や図形、標識
や文字などに親しむ体験を重ねたり、標識
や文字の役割に気付いたりし、自らの必要
感に基づきこれらを活用し、興味や関心、

感覚をもつようになる。

ケ　言葉による伝え合い

保育士等や友達と心を通わせる中で、絵本や物語などに親しみながら、豊かな言葉や表現を身に付け、経験したことや考えたことなどを言葉で伝えたり、相手の話を注意して聞いたりし、言葉による伝え合いを楽しむようになる。

コ　豊かな感性と表現

心を動かす出来事などに触れ感性を働かせる中で、様々な素材の特徴や表現の仕方などに気付き、感じたことや考えたことを自分で表現したり、友達同士で表現する過程を楽しんだりし、表現する喜びを味わい、意欲をもつようになる。

第2章　保育の内容

この章に示す「ねらい」は、第1章の1の(2)に示された保育の目標をより具体化したものであり、子どもが保育所において、安定した生活を送り、充実した活動ができるように、保育を通じて育みたい資質・能力を、子どもの生活する姿から捉えたものである。また、「内容」は、「ねらい」を達成するために、子どもの生活やその状況に応じて保育士等が適切に行う事項と、保育士等が援助して子どもが環境に関わって経験する事項を示したものである。

保育における「養護」とは、子どもの生命の保持及び情緒の安定を図るために保育士等が行う援助や関わりであり、「教育」とは、子どもが健やかに成長し、その活動がより豊かに展開されるための発達の援助である。本章では、保育士等が、「ねらい」及び「内容」を具体的に把握するため、主に教育に関わる側面からの視点を示してい

るが、実際の保育においては、養護と教育が一体となって展開されることに留意する必要がある。

1　乳児保育に関わるねらい及び内容

(1)　基本的事項

ア　乳児期の発達については、視覚、聴覚などの感覚や、座る、はう、歩くなどの運動機能が著しく発達し、特定の大人との応答的な関わりを通じて、情緒的な絆が形成されるといった特徴がある。これらの発達の特徴を踏まえて、乳児保育は、愛情豊かに、応答的に行われることが特に必要である。

イ　本項においては、この時期の発達の特徴を踏まえ、乳児保育の「ねらい」及び「内容」については、身体的発達に関する視点「健やかに伸び伸びと育つ」、社会的発達に関する視点「身近な人と気持ちが通じ合う」及び精神的発達に関する視点「身近なものと関わり感性が育つ」としてまとめ、示している。

ウ　本項の各視点において示す保育の内容は、第1章の2に示された養護における「生命の保持」及び「情緒の安定」に関わる保育の内容と、一体となって展開されるものであることに留意が必要である。

(2)　ねらい及び内容

ア　健やかに伸び伸びと育つ

健康な心と体を育て、自ら健康で安全な生活をつくり出す力の基盤を培う。

(ア)　ねらい

①身体感覚が育ち、快適な環境に心地よさを感じる。

②伸び伸びと体を動かし、はう、歩くなどの運動をしようとする。

③食事、睡眠等の生活のリズムの感覚が芽

生える。

（イ）内容

①保育士等の愛情豊かな受容の下で、生理的・心理的欲求を満たし、心地よく生活をする。

②一人一人の発育に応じて、はう、立つ、歩くなど、十分に体を動かす。

③個人差に応じて授乳を行い、離乳を進めていく中で、様々な食品に少しずつ慣れ、食べることを楽しむ。

④一人一人の生活のリズムに応じて、安全な環境の下で十分に午睡をする。

⑤おむつ交換や衣服の着脱などを通じて、清潔になることの心地よさを感じる。

（ウ）内容の取扱い

　　上記の取扱いに当たっては、次の事項に留意する必要がある。

①心と体の健康は、相互に密接な関連があるものであることを踏まえ、温かい触れ合いの中で、心と体の発達を促すこと。特に、寝返り、お座り、はいはい、つかまり立ち、伝い歩きなど、発育に応じて、遊びの中で体を動かす機会を十分に確保し、自ら体を動かそうとする意欲が育つようにすること。

②健康な心と体を育てるためには望ましい食習慣の形成が重要であることを踏まえ、離乳食が完了期へと徐々に移行する中で、様々な食品に慣れるようにするとともに、和やかな雰囲気の中で食べる喜びや楽しさを味わい、進んで食べようとする気持ちが育つようにすること。なお、食物アレルギーのある子どもへの対応については、嘱託医等の指示や協力の下に適切に対応すること。

イ　身近な人と気持ちが通じ合う

　　受容的・応答的な関わりの下で、何かを伝えようとする意欲や身近な大人との信頼関係を育て、人と関わる力の基盤を培う。

（ア）ねらい

①安心できる関係の下で、身近な人と共に過ごす喜びを感じる。

②体の動きや表情、発声等により、保育士等と気持ちを通わせようとする。

③身近な人と親しみ、関わりを深め、愛情や信頼感が芽生える。

（イ）内容

①子どもからの働きかけを踏まえた、応答的な触れ合いや言葉がけによって、欲求が満たされ、安定感をもって過ごす。

②体の動きや表情、発声、喃語等を優しく受け止めてもらい、保育士等とのやり取りを楽しむ。

③生活や遊びの中で、自分の身近な人の存在に気付き、親しみの気持ちを表す。

④保育士等による語りかけや歌いかけ、発声や喃語等への応答を通じて、言葉の理解や発語の意欲が育つ。

⑤温かく、受容的な関わりを通じて、自分を肯定する気持ちが芽生える。

（ウ）内容の取扱い

　　上記の取扱いに当たっては、次の事項に留意する必要がある。

①保育士等との信頼関係に支えられて生活を確立していくことが人と関わる基盤となることを考慮して、子どもの多様な感情を受け止め、温かく受容的・応答的に関わり、一人一人に応じた適切な援助を行うようにすること。

②身近な人に親しみをもって接し、自分の感情などを表し、それに相手が応答する言葉を聞くことを通して、次第に言葉が獲得されていくことを考慮して、楽しい雰囲気の中での保育士等との関わり合いを大切に

し、ゆっくりと優しく話しかけるなど、積極的に言葉のやり取りを楽しむことができるようにすること。

ウ　身近なものと関わり感性が育つ

身近な環境に興味や好奇心をもって関わり、感じたことや考えたことを表現する力の基盤を培う。

（ア）ねらい

①身の回りのものに親しみ、様々なものに興味や関心をもつ。

②見る、触れる、探索するなど、身近な環境に自分から関わろうとする。

③身体の諸感覚による認識が豊かになり、表情や手足、体の動き等で表現する。

（イ）内容

①身近な生活用具、玩具や絵本などが用意された中で、身の回りのものに対する興味や好奇心をもつ。

②生活や遊びの中で様々なものに触れ、音、形、色、手触りなどに気付き、感覚の働きを豊かにする。

③保育士等と一緒に様々な色彩や形のものや絵本などを見る。

④玩具や身の回りのものを、つまむ、つかむ、たたく、引っ張るなど、手や指を使って遊ぶ。

⑤保育士等のあやし遊びに機嫌よく応じたり、歌やリズムに合わせて手足や体を動かして楽しんだりする。

（ウ）内容の取扱い

上記の取扱いに当たっては、次の事項に留意する必要がある。

①玩具などは、音質、形、色、大きさなど子どもの発達状態に応じて適切なものを選び、その時々の子どもの興味や関心を踏まえるなど、遊びを通して感覚の発達が促されるものとなるように工夫すること。なお、安全な環境の下で、子どもが探索意欲を満た

して自由に遊べるよう、身の回りのものについては、常に十分な点検を行うこと。

②乳児期においては、表情、発声、体の動きなどで、感情を表現することが多いことから、これらの表現しようとする意欲を積極的に受け止めて、子どもが様々な活動を楽しむことを通して表現が豊かになるようにすること。

（3）保育の実施に関わる配慮事項

ア　乳児は疾病への抵抗力が弱く、心身の機能の未熟さに伴う疾病の発生が多いことから、一人一人の発育及び発達状態や健康状態についての適切な判断に基づく保健的な対応を行うこと。

イ　一人一人の子どもの生育歴の違いに留意しつつ、欲求を適切に満たし、特定の保育士が応答的に関わるように努めること。

ウ　乳児保育に関わる職員間の連携や嘱託医との連携を図り、第3章に示す事項を踏まえ、適切に対応すること。栄養士及び看護師等が配置されている場合は、その専門性を生かした対応を図ること。

エ　保護者との信頼関係を築きながら保育を進めるとともに、保護者からの相談に応じ、保護者への支援に努めていくこと。

オ　担当の保育士が替わる場合には、子どものそれまでの生育歴や発達過程に留意し、職員間で協力して対応すること。

2　1歳以上3歳未満児の保育に関わるねらい及び内容

（1）基本的事項

ア　この時期においては、歩き始めから、歩く、走る、跳ぶなどへと、基本的な運動機能が次第に発達し、排泄の自立のための身体的機能も整うようになる。つまむ、めくるなどの指先の機能も発達し、食事、衣

類の着脱なども、保育士等の援助の下で
自分で行うようになる。発声も明瞭になり、
語彙も増加し、自分の意思や欲求を言葉
で表出できるようになる。このように自分
でできることが増えてくる時期であること
から、保育士等は、子どもの生活の安定
を図りながら、自分でしようとする気持ち
を尊重し、温かく見守るとともに、愛情豊
かに、応答的に関わることが必要である。

イ　本項においては、この時期の発達の特
徴を踏まえ、保育の「ねらい」及び「内容」
について、心身の健康に関する領域「健
康」、人との関わりに関する領域「人間関
係」、身近な環境との関わりに関する領域
「環境」、言葉の獲得に関する領域「言葉」
及び感性と表現に関する領域「表現」とし
てまとめ、示している。

ウ　本項の各領域において示す保育の内容
は、第1章の2に示された養護における「生
命の保持」及び「情緒の安定」に関わる
保育の内容と、一体となって展開されるも
のであることに留意が必要である。

（2）ねらい及び内容

ア　健康
　　健康な心と体を育て、自ら健康で安全な
　生活をつくり出す力を養う。

（ア）ねらい

①明るく伸び伸びと生活し、自分から体を動
　かすことを楽しむ。

②自分の体を十分に動かし、様々な動きをし
　ようとする。

③健康、安全な生活に必要な習慣に気付き、
　自分でしてみようとする気持ちが育つ。

（イ）内容

①保育士等の愛情豊かな受容の下で、安定感
　をもって生活をする。

②食事や午睡、遊びと休息など、保育所にお

ける生活のリズムが形成される。

③走る、跳ぶ、登る、押す、引っ張るなど全
　身を使う遊びを楽しむ。

④様々な食品や調理形態に慣れ、ゆったりと
　した雰囲気の中で食事や間食を楽しむ。

⑤身の回りを清潔に保つ心地よさを感じ、そ
　の習慣が少しずつ身に付く。

⑥保育士等の助けを借りながら、衣類の着脱
　を自分でしようとする。

⑦便器での排泄に慣れ、自分で排泄ができ
　るようになる。

（ウ）内容の取扱い
　　上記の取扱いに当たっては、次の事項に
　留意する必要がある。

①心と体の健康は、相互に密接な関連がある
　ものであることを踏まえ、子どもの気持ち
　に配慮した温かい触れ合いの中で、心と体
　の発達を促すこと。特に、一人一人の発育
　に応じて、体を動かす機会を十分に確保し、
　自ら体を動かそうとする意欲が育つように
　すること。

②健康な心と体を育てるためには望ましい
　食習慣の形成が重要であることを踏まえ、
　ゆったりとした雰囲気の中で食べる喜び
　や楽しさを味わい、進んで食べようとする
　気持ちが育つようにすること。なお、食物
　アレルギーのある子どもへの対応について
　は、嘱託医等の指示や協力の下に適切に
　対応すること。

③排泄の習慣については、一人一人の排尿間
　隔等を踏まえ、おむつが汚れていないとき
　に便器に座らせるなどにより、少しずつ慣
　れさせるようにすること。

④食事、排泄、睡眠、衣類の着脱、身の回
　りを清潔にすることなど、生活に必要な基
　本的な習慣については、一人一人の状態に
　応じ、落ち着いた雰囲気の中で行うように

し、子どもが自分でしようとする気持ち
を尊重すること。また、基本的な生活習
慣の形成に当たっては、家庭での生活経験
に配慮し、家庭との適切な連携の下で行う
ようにすること。

イ 人間関係

　他の人々と親しみ、支え合って生活する
ために、自立心を育て、人と関わる力を養
う。

（ア）ねらい

①保育所での生活を楽しみ、身近な人と関わ
る心地よさを感じる。

②周囲の子ども等への興味や関心が高まり、
関わりをもとうとする。

③保育所の生活の仕方に慣れ、きまりの大切
さに気付く。

（イ）内容

①保育士等や周囲の子ども等との安定した
関係の中で、共に過ごす心地よさを感じる。

②保育士等の受容的・応答的な関わりの中
で、欲求を適切に満たし、安定感をもって
過ごす。

③身の回りに様々な人がいることに気付き、
徐々に他の子どもと関わりをもって遊ぶ。

④保育士等の仲立ちにより、他の子どもとの
関わり方を少しずつ身につける。

⑤保育所の生活の仕方に慣れ、きまりがある
ことや、その大切さに気付く。

⑥生活や遊びの中で、年長児や保育士等の
真似をしたり、ごっこ遊びを楽しんだりす
る。

（ウ）内容の取扱い

　上記の取扱いに当たっては、次の事項に
留意する必要がある。

①保育士等との信頼関係に支えられて生活を
確立するとともに、自分で何かをしようと
する気持ちが旺盛になる時期であることに

鑑み、そのような子どもの気持ちを尊重し、
温かく見守るとともに、愛情豊かに、応答
的に関わり、適切な援助を行うようにする
こと。

②思い通りにいかない場合等の子どもの不安
定な感情の表出については、保育士等が
受容的に受け止めるとともに、そうした気
持ちから立ち直る経験や感情をコントロー
ルすることへの気付き等につなげていける
ように援助すること。

③この時期は自己と他者との違いの認識がま
だ十分ではないことから、子どもの自我の
育ちを見守るとともに、保育士等が仲立ち
となって、自分の気持ちを相手に伝えるこ
とや相手の気持ちに気付くことの大切さな
ど、友達の気持ちや友達との関わり方を丁
寧に伝えていくこと。

ウ 環境

　周囲の様々な環境に好奇心や探究心を
もって関わり、それらを生活に取り入れて
いこうとする力を養う。

（ア）ねらい

①身近な環境に親しみ、触れ合う中で、様々
なものに興味や関心をもつ。

②様々なものに関わる中で、発見を楽しんだ
り、考えたりしようとする。

③見る、聞く、触るなどの経験を通して、感
覚の働きを豊かにする。

（イ）内容

①安全で活動しやすい環境での探索活動等
を通して、見る、聞く、触れる、嗅ぐ、味わ
うなどの感覚の働きを豊かにする。

②玩具、絵本、遊具などに興味をもち、それ
らを使った遊びを楽しむ。

③身の回りの物に触れる中で、形、色、大きさ、
量などの物の性質や仕組みに気付く。

④自分の物と人の物の区別や、場所的感覚な

ど、環境を捉える感覚が育つ。

⑤身近な生き物に気付き、親しみをもつ。

⑥近隣の生活や季節の行事などに興味や関心をもつ。

（ウ）内容の取扱い

　　上記の取扱いに当たっては、次の事項に留意する必要がある。

①玩具などは、音質、形、色、大きさなど子どもの発達状態に応じて適切なものを選び、遊びを通して感覚の発達が促されるように工夫すること。

②身近な生き物との関わりについては、子どもが命を感じ、生命の尊さに気付く経験へとつながるものであることから、そうした気付きを促すような関わりとなるようにすること。

③地域の生活や季節の行事などに触れる際には、社会とのつながりや地域社会の文化への気付きにつながるものとなることが望ましいこと。その際、保育所内外の行事や地域の人々との触れ合いなどを通して行うこと等も考慮すること。

エ　言葉

　　経験したことや考えたことなどを自分なりの言葉で表現し、相手の話す言葉を聞こうとする意欲や態度を育て、言葉に対する感覚や言葉で表現する力を養う。

（ア）ねらい

①言葉遊びや言葉で表現する楽しさを感じる。

②人の言葉や話などを聞き、自分でも思ったことを伝えようとする。

③絵本や物語等に親しむとともに、言葉のやり取りを通じて身近な人と気持ちを通わせる。

（イ）内容

①保育士等の応答的な関わりや話しかけによ

り、自ら言葉を使おうとする。

②生活に必要な簡単な言葉に気付き、聞き分ける。

③親しみをもって日常の挨拶に応じる。

④絵本や紙芝居を楽しみ、簡単な言葉を繰り返したり、模倣をしたりして遊ぶ。

⑤保育士等とごっこ遊びをする中で、言葉のやり取りを楽しむ。

⑥保育士等を仲立ちとして、生活や遊びの中で友達との言葉のやり取りを楽しむ。

⑦保育士等や友達の言葉や話に興味や関心をもって、聞いたり、話したりする。

（ウ）内容の取扱い

　　上記の取扱いに当たっては、次の事項に留意する必要がある。

①身近な人に親しみをもって接し、自分の感情などを伝え、それに相手が応答し、その言葉を聞くことを通して、次第に言葉が獲得されていくものであることを考慮して、楽しい雰囲気の中で保育士等との言葉のやり取りができるようにすること。

②子どもが自分の思いを言葉で伝えるとともに、他の子どもの話などを聞くことを通して、次第に話を理解し、言葉による伝え合いができるようになるよう、気持ちや経験等の言語化を行うことを援助するなど、子ども同士の関わりの仲立ちを行うようにすること。

③この時期は、片言から、二語文、ごっこ遊びでのやり取りができる程度へと、大きく言葉の習得が進む時期であることから、それぞれの子どもの発達の状況に応じて、遊びや関わりの工夫など、保育の内容を適切に展開することが必要であること。

オ　表現

　　感じたことや考えたことを自分なりに表現することを通して、豊かな感性や表現す

る力を養い、創造性を豊かにする。

（ア）ねらい

①身体の諸感覚の経験を豊かにし、様々な感覚を味わう。

②感じたことや考えたことなどを自分なりに表現しようとする。

③生活や遊びの様々な体験を通して、イメージや感性が豊かになる。

（イ）内容

①水、砂、土、紙、粘土など様々な素材に触れて楽しむ。

②音楽、リズムやそれに合わせた体の動きを楽しむ。

③生活の中で様々な音、形、色、手触り、動き、味、香りなどに気付いたり、感じたりして楽しむ。

④歌を歌ったり、簡単な手遊びや全身を使う遊びを楽しんだりする。

⑤保育士等からの話や、生活や遊びの中での出来事を通して、イメージを豊かにする。

⑥生活や遊びの中で、興味のあることや経験したことなどを自分なりに表現する。

（ウ）内容の取扱い

上記の取扱いに当たっては、次の事項に留意する必要がある。

①子どもの表現は、遊びや生活の様々な場面で表出されているものであることから、それらを積極的に受け止め、様々な表現の仕方や感性を豊かにする経験となるようにすること。

②子どもが試行錯誤しながら様々な表現を楽しむことや、自分の力でやり遂げる充実感などに気付くよう、温かく見守るとともに、適切に援助を行うようにすること。

③様々な感情の表現等を通じて、子どもが自分の感情や気持ちに気付くようになる時期であることに鑑み、受容的な関わりの中で

自信をもって表現をすることや、諦めずに続けた後の達成感等を感じられるような経験が蓄積されるようにすること。

④身近な自然や身の回りの事物に関わる中で、発見や心が動く経験が得られるよう、諸感覚を働かせることを楽しむ遊びや素材を用意するなど保育の環境を整えること。

（3）保育の実施に関わる配慮事項

ア　特に感染症にかかりやすい時期であるので、体の状態、機嫌、食欲などの日常の状態の観察を十分に行うとともに、適切な判断に基づく保健的な対応を心がけること。

イ　探索活動が十分できるように、事故防止に努めながら活動しやすい環境を整え、全身を使う遊びなど様々な遊びを取り入れること。

ウ　自我が形成され、子どもが自分の感情や気持ちに気付くようになる重要な時期であることに鑑み、情緒の安定を図りながら、子どもの自発的な活動を尊重するとともに促していくこと。

エ　担当の保育士が替わる場合には、子どものそれまでの経験や発達過程に留意し、職員間で協力して対応すること。

3　3歳以上児の保育に関するねらい及び内容

（1）基本的事項

ア　この時期においては、運動機能の発達により、基本的な動作が一通りできるようになるとともに、基本的な生活習慣もほぼ自立できるようになる。理解する語彙数が急激に増加し、知的興味や関心も高まってくる。仲間と遊び、仲間の中の一人という自覚が生じ、集団的な遊びや協同的な活動も見られるようになる。これらの発達の特

徴を踏まえて、この時期の保育においては、個の成長と集団としての活動の充実が図られるようにしなければならない。

イ　本項においては、この時期の発達の特徴を踏まえ、保育の「ねらい」及び「内容」について、心身の健康に関する領域「健康」、人との関わりに関する領域「人間関係」、身近な環境との関わりに関する領域「環境」、言葉の獲得に関する領域「言葉」及び感性と表現に関する領域「表現」としてまとめ、示している。

ウ　本項の各領域において示す保育の内容は、第1章の2に示された養護における「生命の保持」及び「情緒の安定」に関わる保育の内容と、一体となって展開されるものであることに留意が必要である。

（2）ねらい及び内容

ア　健康

健康な心と体を育て、自ら健康で安全な生活をつくり出す力を養う。

（ア）ねらい

①明るく伸び伸びと行動し、充実感を味わう。

②自分の体を十分に動かし、進んで運動しようとする。

③健康、安全な生活に必要な習慣や態度を身に付け、見通しをもって行動する。

（イ）内容

①保育士等や友達と触れ合い、安定感をもって行動する。

②いろいろな遊びの中で十分に体を動かす。

③進んで戸外で遊ぶ。

④様々な活動に親しみ、楽しんで取り組む。

⑤保育士等や友達と食べることを楽しみ、食べ物への興味や関心をもつ。

⑥健康な生活のリズムを身に付ける。

⑦身の回りを清潔にし、衣服の着脱、食事、排泄などの生活に必要な活動を自分です

る。

⑧保育所における生活の仕方を知り、自分たちで生活の場を整えながら見通しをもって行動する。

⑨自分の健康に関心をもち、病気の予防などに必要な活動を進んで行う。

⑩危険な場所、危険な遊び方、災害時などの行動の仕方が分かり、安全に気を付けて行動する。

（ウ）内容の取扱い

上記の取扱いに当たっては、次の事項に留意する必要がある。

①心と体の健康は、相互に密接な関連があるものであることを踏まえ、子どもが保育士等や他の子どもとの温かい触れ合いの中で自己の存在感や充実感を味わうことなどを基盤として、しなやかな心と体の発達を促すこと。特に、十分に体を動かす気持ちよさを体験し、自ら体を動かそうとする意欲が育つようにすること。

②様々な遊びの中で、子どもが興味や関心、能力に応じて全身を使って活動することにより、体を動かす楽しさを味わい、自分の体を大切にしようとする気持ちが育つようにすること。その際、多様な動きを経験する中で、体の動きを調整するようにすること。

③自然の中で伸び伸びと体を動かして遊ぶことにより、体の諸機能の発達が促されることに留意し、子どもの興味や関心が戸外にも向くようにすること。その際、子どもの動線に配慮した園庭や遊具の配置などを工夫すること。

④健康な心と体を育てるためには食育を通じた望ましい食習慣の形成が大切であることを踏まえ、子どもの食生活の実情に配慮し、和やかな雰囲気の中で保育士等や他の子

どもと食べる喜びや楽しさを味わったり、様々な食べ物への興味や関心をもったりするなどし、食の大切さに気付き、進んで食べようとする気持ちが育つようにすること。

⑤基本的な生活習慣の形成に当たっては、家庭での生活経験に配慮し、子どもの自立心を育て、子どもが他の子どもと関わりながら主体的な活動を展開する中で、生活に必要な習慣を身に付け、次第に見通しをもって行動できるようにすること。

⑥安全に関する指導に当たっては、情緒の安定を図り、遊びを通して安全についての構えを身に付け、危険な場所や事物などが分かり、安全についての理解を深めるようにすること。また、交通安全の習慣を身に付けるようにするとともに、避難訓練などを通して、災害などの緊急時に適切な行動がとれるようにすること。

イ　人間関係

他の人々と親しみ、支え合って生活するために、自立心を育て、人と関わる力を養う。

（ア）ねらい

①保育所の生活を楽しみ、自分の力で行動することの充実感を味わう。

②身近な人と親しみ、関わりを深め、工夫したり、協力したりして一緒に活動する楽しさを味わい、愛情や信頼感をもつ。

③社会生活における望ましい習慣や態度を身に付ける。

（イ）内容

①保育士等や友達と共に過ごすことの喜びを味わう。

②自分で考え、自分で行動する。

③自分でできることは自分でする。

④いろいろな遊びを楽しみながら物事をやり遂げようとする気持ちをもつ。

⑤友達と積極的に関わりながら喜びや悲しみを共感し合う。

⑥自分の思ったことを相手に伝え、相手の思っていることに気付く。

⑦友達のよさに気付き、一緒に活動する楽しさを味わう。

⑧友達と楽しく活動する中で、共通の目的を見いだし、工夫したり、協力したりなどする。

⑨よいことや悪いことがあることに気付き、考えながら行動する。

⑩友達との関わりを深め、思いやりをもつ。

⑪友達と楽しく生活する中できまりの大切さに気付き、守ろうとする。

⑫共同の遊具や用具を大切にし、皆で使う。

⑬高齢者をはじめ地域の人々などの自分の生活に関係の深いいろいろな人に親しみをもつ。

（ウ）内容の取扱い

上記の取扱いに当たっては、次の事項に留意する必要がある。

①保育士等との信頼関係に支えられて自分自身の生活を確立していくことが人と関わる基盤となることを考慮し、子どもが自ら周囲に働き掛けることにより多様な感情を体験し、試行錯誤しながら諦めずにやり遂げることの達成感や、前向きな見通しをもって自分の力で行うことの充実感を味わうことができるよう、子どもの行動を見守りながら適切な援助を行うようにすること。

②一人一人を生かした集団を形成しながら人と関わる力を育てていくようにすること。その際、集団の生活の中で、子どもが自己を発揮し、保育士等や他の子どもに認められる体験をし、自分のよさや特徴に気付き、自信をもって行動できるようにすること。

③子どもが互いに関わりを深め、協同して遊ぶようになるため、自ら行動する力を育てるとともに、他の子どもと試行錯誤しなが

ら活動を展開する楽しさや共通の目的が実現する喜びを味わうことができるようにすること。

④道徳性の芽生えを培うに当たっては、基本的な生活習慣の形成を図るとともに、子どもが他の子どもとの関わりの中で他人の存在に気付き、相手を尊重する気持ちをもって行動できるようにし、また、自然や身近な動植物に親しむことなどを通して豊かな心情が育つようにすること。特に、人に対する信頼感や思いやりの気持ちは、葛藤やつまずきをも体験し、それらを乗り越えることにより次第に芽生えてくることに配慮すること。

⑤集団の生活を通して、子どもが人との関わりを深め、規範意識の芽生えが培われることを考慮し、子どもが保育士等との信頼関係に支えられて自己を発揮する中で、互いに思いを主張し、折り合いを付ける体験をし、きまりの必要性などに気付き、自分の気持ちを調整する力が育つようにすること。

⑥高齢者をはじめ地域の人々などの自分の生活に関係の深いいろいろな人と触れ合い、自分の感情や意志を表現しながら共に楽しみ、共感し合う体験を通して、これらの人々などに親しみをもち、人と関わることの楽しさや人の役に立つ喜びを味わうことができるようにすること。また、生活を通して親や祖父母などの家族の愛情に気付き、家族を大切にしようとする気持ちが育つようにすること。

ウ　環境

　周囲の様々な環境に好奇心や探究心をもって関わり、それらを生活に取り入れていこうとする力を養う。

（ア）ねらい

①身近な環境に親しみ、自然と触れ合う中で様々な事象に興味や関心をもつ。

②身近な環境に自分から関わり、発見を楽しんだり、考えたりし、それを生活に取り入れようとする。

③身近な事象を見たり、考えたり、扱ったりする中で、物の性質や数量、文字などに対する感覚を豊かにする。

（イ）内容

①自然に触れて生活し、その大きさ、美しさ、不思議さなどに気付く。

②生活の中で、様々な物に触れ、その性質や仕組みに興味や関心をもつ。

③季節により自然や人間の生活に変化のあることに気付く。

④自然などの身近な事象に関心をもち、取り入れて遊ぶ。

⑤身近な動植物に親しみをもって接し、生命の尊さに気付き、いたわったり、大切にしたりする。

⑥日常生活の中で、我が国や地域社会における様々な文化や伝統に親しむ。

⑦身近な物を大切にする。

⑧身近な物や遊具に興味をもって関わり、自分なりに比べたり、関連付けたりしながら考えたり、試したりして工夫して遊ぶ。

⑨日常生活の中で数量や図形などに関心をもつ。

⑩日常生活の中で簡単な標識や文字などに関心をもつ。

⑪生活に関係の深い情報や施設などに興味や関心をもつ。

⑫保育所内外の行事において国旗に親しむ。

（ウ）内容の取扱い

　上記の取扱いに当たっては、次の事項に留意する必要がある。

①子どもが、遊びの中で周囲の環境と関わり、次第に周囲の世界に好奇心を抱き、そ

の意味や操作の仕方に関心をもち、物事の法則性に気付き、自分なりに考えることができるようになる過程を大切にすること。また、他の子どもの考えなどに触れて新しい考えを生み出す喜びや楽しさを味わい、自分の考えをよりよいものにしようとする気持ちが育つようにすること。

②幼児期において自然のもつ意味は大きく、自然の大きさ、美しさ、不思議さなどに直接触れる体験を通して、子どもの心が安らぎ、豊かな感情、好奇心、思考力、表現力の基礎が培われることを踏まえ、子どもが自然との関わりを深めることができるよう工夫すること。

③身近な事象や動植物に対する感動を伝え合い、共感し合うことなどを通して自分から関わろうとする意欲を育てるとともに、様々な関わり方を通してそれらに対する親しみや畏敬の念、生命を大切にする気持ち、公共心、探究心などが養われるようにすること。

④文化や伝統に親しむ際には、正月や節句など我が国の伝統的な行事、国歌、唱歌、わらべうたや我が国の伝統的な遊びに親しんだり、異なる文化に触れる活動に親しんだりすることを通じて、社会とのつながりの意識や国際理解の意識の芽生えなどが養われるようにすること。

⑤数量や文字などに関しては、日常生活の中で子ども自身の必要感に基づく体験を大切にし、数量や文字などに関する興味や関心、感覚が養われるようにすること。

エ 言葉

　経験したことや考えたことなどを自分なりの言葉で表現し、相手の話す言葉を聞こうとする意欲や態度を育て、言葉に対する感覚や言葉で表現する力を養う。

（ア）ねらい

①自分の気持ちを言葉で表現する楽しさを味わう。

②人の言葉や話などをよく聞き、自分の経験したことや考えたことを話し、伝え合う喜びを味わう。

③日常生活に必要な言葉が分かるようになるとともに、絵本や物語などに親しみ、言葉に対する感覚を豊かにし、保育士等や友達と心を通わせる。

（イ）内容

①保育士等や友達の言葉や話に興味や関心をもち、親しみをもって聞いたり、話したりする。

②したり、見たり、聞いたり、感じたり、考えたりなどしたことを自分なりに言葉で表現する。

③したいこと、してほしいことを言葉で表現したり、分からないことを尋ねたりする。

④人の話を注意して聞き、相手に分かるように話す。

⑤生活の中で必要な言葉が分かり、使う。

⑥親しみをもって日常の挨拶をする。

⑦生活の中で言葉の楽しさや美しさに気付く。

⑧いろいろな体験を通じてイメージや言葉を豊かにする。

⑨絵本や物語などに親しみ、興味をもって聞き、想像をする楽しさを味わう。

⑩日常生活の中で、文字などで伝える楽しさを味わう。

（ウ）内容の取扱い

　上記の取扱いに当たっては、次の事項に留意する必要がある。

①言葉は、身近な人に親しみをもって接し、自分の感情や意志などを伝え、それに相手が応答し、その言葉を聞くことを通して

次第に獲得されていくものであることを考慮して、子どもが保育士等や他の子どもと関わることにより心を動かされるような体験をし、言葉を交わす喜びを味わえるようにすること。

②子どもが自分の思いを言葉で伝えるとともに、保育士等や他の子どもなどの話を興味をもって注意して聞くことを通して次第に話を理解するようになっていき、言葉による伝え合いができるようにすること。

③絵本や物語などで、その内容と自分の経験とを結び付けたり、想像を巡らせたりするなど、楽しみを十分に味わうことによって、次第に豊かなイメージをもち、言葉に対する感覚が養われるようにすること。

④子どもが生活の中で、言葉の響きやリズム、新しい言葉や表現などに触れ、これらを使う楽しさを味わえるようにすること。その際、絵本や物語に親しんだり、言葉遊びなどをしたりすることを通して、言葉が豊かになるようにすること。

⑤子どもが日常生活の中で、文字などを使いながら思ったことや考えたことを伝える喜びや楽しさを味わい、文字に対する興味や関心をもつようにすること。

オ　表現

　　感じたことや考えたことを自分なりに表現することを通して、豊かな感性や表現する力を養い、創造性を豊かにする。

（ア）ねらい

①いろいろなものの美しさなどに対する豊かな感性をもつ。

②感じたことや考えたことを自分なりに表現して楽しむ。

③生活の中でイメージを豊かにし、様々な表現を楽しむ。

（イ）内容

①生活の中で様々な音、形、色、手触り、動きなどに気付いたり、感じたりするなどして楽しむ。

②生活の中で美しいものや心を動かす出来事に触れ、イメージを豊かにする。

③様々な出来事の中で、感動したことを伝え合う楽しさを味わう。

④感じたこと、考えたことなどを音や動きなどで表現したり、自由にかいたり、つくったりなどする。

⑤いろいろな素材に親しみ、工夫して遊ぶ。

⑥音楽に親しみ、歌を歌ったり、簡単なリズム楽器を使ったりなどする楽しさを味わう。

⑦かいたり、つくったりすることを楽しみ、遊びに使ったり、飾ったりなどする。

⑧自分のイメージを動きや言葉などで表現したり、演じて遊んだりするなどの楽しさを味わう。

（ウ）内容の取扱い

　　上記の取扱いに当たっては、次の事項に留意する必要がある。

①豊かな感性は、身近な環境と十分に関わる中で美しいもの、優れたもの、心を動かす出来事などに出会い、そこから得た感動を他の子どもや保育士等と共有し、様々に表現することなどを通して養われるようにすること。その際、風の音や雨の音、身近にある草や花の形や色など自然の中にある音、形、色などに気付くようにすること。

②子どもの自己表現は素朴な形で行われることが多いので、保育士等はそのような表現を受容し、子ども自身の表現しようとする意欲を受け止めて、子どもが生活の中で子どもらしい様々な表現を楽しむことができるようにすること。

③生活経験や発達に応じ、自ら様々な表現を楽しみ、表現する意欲を十分に発揮させ

ることができるように、遊具や用具などを整えたり、様々な素材や表現の仕方に親しんだり、他の子どもの表現に触れられるよう配慮したりし、表現する過程を大切にして自己表現を楽しめるように工夫すること。

(3) 保育の実施に関わる配慮事項

ア　第1章の4の(2)に示す「幼児期の終わりまでに育ってほしい姿」が、ねらい及び内容に基づく活動全体を通して資質・能力が育まれている子どもの小学校就学時の具体的な姿であることを踏まえ、指導を行う際には適宜考慮すること。

イ　子どもの発達や成長の援助をねらいとした活動の時間については、意識的に保育の計画等において位置付けて、実施することが重要であること。なお、そのような活動の時間については、保護者の就労状況等に応じて子どもが保育所で過ごす時間がそれぞれ異なることに留意して設定すること。

ウ　特に必要な場合には、各領域に示すねらいの趣旨に基づいて、具体的な内容を工夫し、それを加えても差し支えないが、その場合には、それが第1章の1に示す保育所保育に関する基本原則を逸脱しないよう慎重に配慮する必要があること。

4　保育の実施に関して留意すべき事項

(1) 保育全般に関わる配慮事項

ア　子どもの心身の発達及び活動の実態などの個人差を踏まえるとともに、一人一人の子どもの気持ちを受け止め、援助すること。

イ　子どもの健康は、生理的・身体的な育ちとともに、自主性や社会性、豊かな感性の育ちとがあいまってもたらされることに留意すること。

ウ　子どもが自ら周囲に働きかけ、試行錯誤

しつつ自分の力で行う活動を見守りながら、適切に援助すること。

エ　子どもの入所時の保育に当たっては、できるだけ個別的に対応し、子どもが安定感を得て、次第に保育所の生活になじんでいくようにするとともに、既に入所している子どもに不安や動揺を与えないようにすること。

オ　子どもの国籍や文化の違いを認め、互いに尊重する心を育てるようにすること。

カ　子どもの性差や個人差にも留意しつつ、性別などによる固定的な意識を植え付けることがないようにすること。

(2) 小学校との連携

ア　保育所においては、保育所保育が、小学校以降の生活や学習の基盤の育成につながることに配慮し、幼児期にふさわしい生活を通じて、創造的な思考や主体的な生活態度などの基礎を培うようにすること。

イ　保育所保育において育まれた資質・能力を踏まえ、小学校教育が円滑に行われるよう、小学校教師との意見交換や合同の研究の機会などを設け、第1章の4の(2)に示す「幼児期の終わりまでに育って欲しい姿」を共有するなど連携を図り、保育所保育と小学校教育との円滑な接続を図るよう努めること。

ウ　子どもに関する情報共有に関して、保育所に入所している子どもの就学に際し、市町村の支援の下に、子どもの育ちを支えるための資料が保育所から小学校へ送付されるようにすること。

(3) 家庭及び地域社会との連携

　子どもの生活の連続性を踏まえ、家庭及び地域社会と連携して保育が展開されるよう配慮すること。その際、家庭や地域の機関及び団体の協力を得て、地域の自然、高

齢者や異年齢の子ども等を含む人材、行事、施設等の地域の資源を積極的に活用し、豊かな生活体験をはじめ保育内容の充実が図られるよう配慮すること。

第3章　健康及び安全

保育所保育において、子どもの健康及び安全の確保は、子どもの生命の保持と健やかな生活の基本であり、一人一人の子どもの健康の保持及び増進並びに安全の確保とともに、保育所全体における健康及び安全の確保に努めることが重要となる。

また、子どもが、自らの体や健康に関心をもち、心身の機能を高めていくことが大切である。

このため、第1章及び第2章等の関連する事項に留意し、次に示す事項を踏まえ、保育を行うこととする。

1　子どもの健康支援

(1) 子どもの健康状態並びに発育及び発達状態の把握

ア　子どもの心身の状態に応じて保育するために、子どもの健康状態並びに発育及び発達状態について、定期的・継続的に、また、必要に応じて随時、把握すること。

イ　保護者からの情報とともに、登所時及び保育中を通じて子どもの状態を観察し、何らかの疾病が疑われる状態や傷害が認められた場合には、保護者に連絡するとともに、嘱託医と相談するなど適切な対応を図ること。看護師等が配置されている場合には、その専門性を生かした対応を図ること。

ウ　子どもの心身の状態等を観察し、不適切な養育の兆候が見られる場合には、市町村や関係機関と連携し、児童福祉法第25

条に基づき、適切な対応を図ること。また、虐待が疑われる場合には、速やかに市町村又は児童相談所に通告し、適切な対応を図ること。

(2) 健康増進

ア　子どもの健康に関する保健計画を全体的な計画に基づいて作成し、全職員がそのねらいや内容を踏まえ、一人一人の子どもの健康の保持及び増進に努めていくこと。

イ　子どもの心身の健康状態や疾病等の把握のために、嘱託医等により定期的に健康診断を行い、その結果を記録し、保育に活用するとともに、保護者が子どもの状態を理解し、日常生活に活用できるようにすること。

(3) 疾病等への対応

ア　保育中に体調不良や傷害が発生した場合には、その子どもの状態等に応じて、保護者に連絡するとともに、適宜、嘱託医や子どものかかりつけ医等と相談し、適切な処置を行うこと。看護師等が配置されている場合には、その専門性を生かした対応を図ること。

イ　感染症やその他の疾病の発生予防に努め、その発生や疑いがある場合には、必要に応じて嘱託医、市町村、保健所等に連絡し、その指示に従うとともに、保護者や全職員に連絡し、予防等について協力を求めること。また、感染症に関する保育所の対応方法等について、あらかじめ関係機関の協力を得ておくこと。看護師等が配置されている場合には、その専門性を生かした対応を図ること。

ウ　アレルギー疾患を有する子どもの保育については、保護者と連携し、医師の診断及び指示に基づき、適切な対応を行うこと。また、食物アレルギーに関して、関係機関

と連携して、当該保育所の体制構築など、安全な環境の整備を行うこと。看護師や栄養士等が配置されている場合には、その専門性を生かした対応を図ること。

エ　子どもの疾病等の事態に備え、医務室等の環境を整え、救急用の薬品、材料等を適切な管理の下に常備し、全職員が対応できるようにしておくこと。

2　食育の推進

（1）保育所の特性を生かした食育

ア　保育所における食育は、健康な生活の基本としての「食を営む力」の育成に向け、その基礎を培うことを目標とすること。

イ　子どもが生活と遊びの中で、意欲をもって食に関わる体験を積み重ね、食べることを楽しみ、食事を楽しみ合う子どもに成長していくことを期待するものであること。

ウ　乳幼児期にふさわしい食生活が展開され、適切な援助が行われるよう、食事の提供を含む食育計画を全体的な計画に基づいて作成し、その評価及び改善に努めること。栄養士が配置されている場合は、専門性を生かした対応を図ること。

（2）食育の環境の整備等

ア　子どもが自らの感覚や体験を通して、自然の恵みとしての食材や食の循環・環境への意識、調理する人への感謝の気持ちが育つように、子どもと調理員等との関わりや、調理室など食に関わる保育環境に配慮すること。

イ　保護者や地域の多様な関係者との連携及び協働の下で、食に関する取組が進められること。また、市町村の支援の下に、地域の関係機関等との日常的な連携を図り、必要な協力が得られるよう努めること。

ウ　体調不良、食物アレルギー、障害のある子どもなど、一人一人の子どもの心身の状態等に応じ、嘱託医、かかりつけ医等の指示や協力の下に適切に対応すること。栄養士が配置されている場合は、専門性を生かした対応を図ること。

3　環境及び衛生管理並びに安全管理

（1）環境及び衛生管理

ア　施設の温度、湿度、換気、採光、音などの環境を常に適切な状態に保持するとともに、施設内外の設備及び用具等の衛生管理に努めること。

イ　施設内外の適切な環境の維持に努めるとともに、子ども及び全職員が清潔を保つようにすること。また、職員は衛生知識の向上に努めること。

（2）事故防止及び安全対策

ア　保育中の事故防止のために、子どもの心身の状態等を踏まえつつ、施設内外の安全点検に努め、安全対策のために全職員の共通理解や体制づくりを図るとともに、家庭や地域の関係機関の協力の下に安全指導を行うこと。

イ　事故防止の取組を行う際には、特に、睡眠中、プール活動・水遊び中、食事中等の場面では重大事故が発生しやすいことを踏まえ、子どもの主体的な活動を大切にしつつ、施設内外の環境の配慮や指導の工夫を行うなど、必要な対策を講じること。

ウ　保育中の事故の発生に備え、施設内外の危険箇所の点検や訓練を実施するとともに、外部からの不審者等の侵入防止のための措置や訓練など不測の事態に備えて必要な対応を行うこと。また、子どもの精神保健面における対応に留意すること。

4 災害への備え

（1）施設・設備等の安全確保

ア　防火設備、避難経路等の安全性が確保
　　されるよう、定期的にこれらの安全点検を
　　行うこと。

イ　備品、遊具等の配置、保管を適切に行い、
　　日頃から、安全環境の整備に努めること。

**（2）災害発生時の対応体制及び避難への備
　　え**

ア　火災や地震などの災害の発生に備え、
　　緊急時の対応の具体的内容及び手順、職
　　員の役割分担、避難訓練計画等に関する
　　マニュアルを作成すること。

イ　定期的に避難訓練を実施するなど、必
　　要な対応を図ること。

ウ　災害の発生時に、保護者等への連絡及
　　び子どもの引渡しを円滑に行うため、日頃
　　から保護者との密接な連携に努め、連絡
　　体制や引渡し方法等について確認をしてお
　　くこと。

（3）地域の関係機関等との連携

ア　市町村の支援の下に、地域の関係機関
　　との日常的な連携を図り、必要な協力が
　　得られるよう努めること。

イ　避難訓練については、地域の関係機関
　　や保護者との連携の下に行うなど工夫する
　　こと。

第4章　子育て支援

　　保育所における保護者に対する子育て
支援は、全ての子どもの健やかな育ちを実
現することができるよう、第1章及び第2
章等の関連する事項を踏まえ、子どもの育
ちを家庭と連携して支援していくとともに、
保護者及び地域が有する子育てを自ら実践
する力の向上に資するよう、次の事項に留

意するものとする。

1　保育所における子育て支援に関す
　　る基本的事項

（1）保育所の特性を生かした子育て支援

ア　保護者に対する子育て支援を行う際に
　　は、各地域や家庭の実態等を踏まえるとと
　　もに、保護者の気持ちを受け止め、相互
　　の信頼関係を基本に、保護者の自己決定
　　を尊重すること。

イ　保育及び子育てに関する知識や技術な
　　ど、保育士等の専門性や、子どもが常に存
　　在する環境など、保育所の特性を生かし、
　　保護者が子どもの成長に気付き子育ての喜
　　びを感じられるように努めること。

（2）子育て支援に関して留意すべき事項

ア　保護者に対する子育て支援における地
　　域の関係機関等との連携及び協働を図り、
　　保育所全体の体制構築に努めること。

イ　子どもの利益に反しない限りにおいて、
　　保護者や子どものプライバシーを保護し、
　　知り得た事柄の秘密を保持すること。

2　保育所を利用している保護者に対
　　する子育て支援

（1）保護者との相互理解

ア　日常の保育に関連した様々な機会を活用
　　し子どもの日々の様子の伝達や収集、保育
　　所保育の意図の説明などを通じて、保護者
　　との相互理解を図るよう努めること。

イ　保育の活動に対する保護者の積極的な
　　参加は、保護者の子育てを自ら実践する
　　力の向上に寄与することから、これを促す
　　こと。

（2）保護者の状況に配慮した個別の支援

ア　保護者の就労と子育ての両立等を支援す
　　るため、保護者の多様化した保育の需要

365

に応じ、病児保育事業など多様な事業を実施する場合には、保護者の状況に配慮するとともに、子どもの福祉が尊重されるよう努め、子どもの生活の連続性を考慮すること。

イ　子どもに障害や発達上の課題が見られる場合には、市町村や関係機関と連携及び協力を図りつつ、保護者に対する個別の支援を行うよう努めること。

ウ　外国籍家庭など、特別な配慮を必要とする家庭の場合には、状況等に応じて個別の支援を行うよう努めること。

（3）不適切な養育等が疑われる家庭への支援

ア　保護者に育児不安等が見られる場合には、保護者の希望に応じて個別の支援を行うよう努めること。

イ　保護者に不適切な養育等が疑われる場合には、市町村や関係機関と連携し、要保護児童対策地域協議会で検討するなど適切な対応を図ること。また、虐待が疑われる場合には、速やかに市町村又は児童相談所に通告し、適切な対応を図ること。

3　地域の保護者等に対する子育て支援

（1）地域に開かれた子育て支援

ア　保育所は、児童福祉法第48条の4の規定に基づき、その行う保育に支障がない限りにおいて、地域の実情や当該保育所の体制等を踏まえ、地域の保護者等に対して、保育所保育の専門性を生かした子育て支援を積極的に行うよう努めること。

イ　地域の子どもに対する一時預かり事業などの活動を行う際には、一人一人の子どもの心身の状態などを考慮するとともに、日常の保育との関連に配慮するなど、柔軟に活動を展開できるようにすること。

（2）地域の関係機関等との連携

ア　市町村の支援を得て、地域の関係機関等との積極的な連携及び協働を図るとともに、子育て支援に関する地域の人材と積極的に連携を図るよう努めること。

イ　地域の要保護児童への対応など、地域の子どもを巡る諸課題に対し、要保護児童対策地域協議会など関係機関等と連携及び協力して取り組むよう努めること。

第5章　職員の資質向上

　第1章から前章までに示された事項を踏まえ、保育所は、質の高い保育を展開するため、絶えず、一人一人の職員についての資質向上及び職員全体の専門性の向上を図るよう努めなければならない。

1　職員の資質向上に関する基本的事項

（1）保育所職員に求められる専門性

　子どもの最善の利益を考慮し、人権に配慮した保育を行うためには、職員一人一人の倫理観、人間性並びに保育所職員としての職務及び責任の理解と自覚が基盤となる。

　各職員は、自己評価に基づく課題等を踏まえ、保育所内外の研修等を通じて、保育士・看護師・調理員・栄養士等、それぞれの職務内容に応じた専門性を高めるため、必要な知識及び技術の修得、維持及び向上に努めなければならない。

（2）保育の質の向上に向けた組織的な取組

　保育所においては、保育の内容等に関する自己評価等を通じて把握した、保育の質の向上に向けた課題に組織的に対応するため、保育内容の改善や保育士等の役割分担の見直し等に取り組むとともに、それぞれの職位や職務内容等に応じて、各職

員が必要な知識及び技能を身につけられるよう努めなければならない。

2　施設長の責務

（1）施設長の責務と専門性の向上

　　施設長は、保育所の役割や社会的責任を遂行するために、法令等を遵守し、保育所を取り巻く社会情勢等を踏まえ、施設長としての専門性等の向上に努め、当該保育所における保育の質及び職員の専門性向上のために必要な環境の確保に努めなければならない。

（2）職員の研修機会の確保等

　　施設長は、保育所の全体的な計画や、各職員の研修の必要性等を踏まえて、体系的・計画的な研修機会を確保するとともに、職員の勤務体制の工夫等により、職員が計画的に研修等に参加し、その専門性の向上が図られるよう努めなければならない。

3　職員の研修等

（1）職場における研修

　　職員が日々の保育実践を通じて、必要な知識及び技術の修得、維持及び向上を図るとともに、保育の課題等への共通理解や協働性を高め、保育所全体としての保育の質の向上を図っていくためには、日常的に職員同士が主体的に学び合う姿勢と環境が重要であり、職場内での研修の充実が図られなければならない。

（2）外部研修の活用

　　各保育所における保育の課題への的確な対応や、保育士等の専門性の向上を図るためには、職場内での研修に加え、関係機関等による研修の活用が有効であることから、必要に応じて、こうした外部研修へ

の参加機会が確保されるよう努めなければならない。

4　研修の実施体制等

（1）体系的な研修計画の作成

　　保育所においては、当該保育所における保育の課題や各職員のキャリアパス等も見据えて、初任者から管理職員までの職位や職務内容等を踏まえた体系的な研修計画を作成しなければならない。

（2）組織内での研修成果の活用

　　外部研修に参加する職員は、自らの専門性の向上を図るとともに、保育所における保育の課題を理解し、その解決を実践できる力を身に付けることが重要である。また、研修で得た知識及び技能を他の職員と共有することにより、保育所全体としての保育実践の質及び専門性の向上につなげていくことが求められる。

（3）研修の実施に関する留意事項

　　施設長等は保育所全体としての保育実践の質及び専門性の向上のために、研修の受講は特定の職員に偏ることなく行われるよう、配慮する必要がある。また、研修を修了した職員については、その職務内容等において、当該研修の成果等が適切に勘案されることが望ましい。

児童福祉施設の設備と職員の基準
（児童福祉施設の設備及び運営に関する基準より）

施設名		設備の基準	職員の基準
乳児院	乳幼児10人以上入所	寝室、観察室、診察室、病室、ほふく室、相談室、調理室、浴室、便所	医師又は嘱託医、看護師、個別対応職員、**家庭支援専門相談員**、栄養士、調理員（調理業務の全部を委託する施設では調理員を置かなくてもよい）
		寝室の面積：乳幼児1人につき2.47m² 以上 観察室の面積：乳児1人につき1.65m² 以上	医師又は嘱託医：小児科の診療に相当の経験を有すること 乳幼児又はその保護者10人以上に心理療法を行う場合：**心理療法担当職員** 看護師の数：乳児及び満2歳に満たない幼児おおむね1.6人につき1人以上、満2歳以上満3歳に満たない幼児おおむね2人につき1人以上、満3歳以上の幼児おおむね4人につき1人以上（合計数が7人未満のときは、7人以上）（看護師は保育士又は児童指導員に代えることができるが、乳幼児10人の場合は2人、おおむね10人増すごとに1人以上看護師を置く） 乳幼児20人以下入所の施設：**保育士**を1人以上
	乳幼児10人未満入所	乳幼児の養育のための専用の室及び相談室	嘱託医、看護師、**家庭支援専門相談員**及び調理員又はこれに代わるべき者
		乳幼児の養育のための専用の室の面積：1室につき9.91m² 以上、乳幼児1人につき2.47m² 以上	看護師の数：7人以上（その1人を除き、**保育士**又は**児童指導員**に代えることができる）
母子生活支援施設		母子室、集会、学習等を行う室、相談室	**母子支援員**、嘱託医、少年を指導する職員及び調理員又はこれに代わるべき者
		母子室：調理設備、浴室及び便所を設け、1世帯につき1室以上で、面積は、30m² 以上 乳幼児30人未満入所：静養室 乳幼児30人以上入所：医務室及び静養室 乳幼児を入所させる場合で、付近にある保育所又は児童厚生施設が利用できない等必要があるとき：保育所に準ずる設備	母子10人以上に心理療法を行う場合：**心理療法担当職員** DV等を受けたために個別に特別な支援を行う場合：個別対応職員 母子10世帯以上20世帯未満入所：**母子支援員**2人以上 母子20世帯以上入所：**母子支援員**3人以上、少年を指導する職員2人以上
保育所	乳児又は満2歳未満の幼児入所	乳児室又はほふく室（保育に必要な用具を備える）、医務室、調理室及び便所	**保育士**、嘱託医、調理員（調理業務の全部を委託する施設では調理員を置かなくてもよい）
		乳児室の面積：乳児又は満2歳未満の幼児1人につき1.65m² 以上 ほふく室の面積：乳児又は満2歳未満の幼児1人につき3.3m² 以上	**保育士**の数：乳児おおむね3人につき1人以上、満1歳以上満3歳に満たない幼児おおむね6人につき1人以上、満3歳以上満4歳に満たない幼児おおむね15人につき1人以上、満4歳以上の幼児おおむね25人につき1人以上 保育所1か所につき2人を下回ることはできない
	満2歳以上の幼児入所	保育室又は遊戯室（保育に必要な用具を備える）、屋外遊戯場、調理室及び便所	
		保育室又は遊戯室の面積：満2歳以上の幼児1人につき1.98m² 以上 屋外遊戯場の面積：満2歳以上の幼児1人につき3.3m² 以上	

施設名	設備の基準	職員の基準
児童厚生施設	屋外の児童厚生施設には、広場、遊具及び便所 屋内の児童厚生施設には、集会室、遊戯室、図書室及び便所	**児童の遊びを指導する者**
児童養護施設	児童の居室、相談室、調理室、浴室、便所、入所児童の年齢・適性等に応じて職業指導に必要な設備	**児童指導員**、嘱託医、**保育士**、個別対応職員、**家庭支援専門相談員**、栄養士及び調理員、乳児が入所している施設では看護師（児童 40 人以下を入所させる施設では栄養士を、調理業務の全部を委託する施設では調理員を置かなくてもよい）
	児童の居室：1 室の定員 4 人以下、面積は 1 人につき 4.95m² 以上で、年齢等に応じて男女別 乳幼児のみの居室：1 室の定員 6 人以下、面積は、1 人につき 3.3m² 以上 児童 30 人以上入所：医務室及び静養室 便所：男女別（少数の児童を対象とする施設では別にしなくてもよい）	心理療法を行う児童 10 人以上：**心理療法担当職員** 実習設備を設けて職業指導を行う場合：職業指導員 **児童指導員**及び**保育士**の総数：通じて、満 2 歳に満たない幼児おおむね 1.6 人につき 1 人以上、満 2 歳以上満 3 歳に満たない幼児おおむね 2 人につき 1 人以上、満 3 歳以上の幼児おおむね 4 人につき 1 人以上、少年おおむね 5.5 人につき 1 人以上（児童 45 人以下を入所させる施設では、更に 1 人以上を加える） 看護師の数：乳児おおむね 1.6 人につき 1 人以上（1 人を下ることはできない）
福祉型障害児入所施設	※すべての施設に必要な設備 児童の居室、調理室、浴室、便所、医務室及び静養室 （児童 30 人未満入所で主に知的障害児入所の施設では医務室を、児童 30 人未満入所で主に盲ろうあ児入所の施設では医務室及び静養室を設けなくてもよい）	嘱託医、**児童指導員**、**保育士**、栄養士、調理員、児童発達支援管理責任者（児童 40 人以下入所の施設では栄養士を、調理業務の全部を委託する施設では調理員を置かなくてもよい） 児童 5 人以上に心理支援を行う場合は心理担当職員 職業指導を行う場合は職業指導員
	児童の居室：1 室の定員 4 人以下、面積は 1 人につき 4.95m² 以上で、年齢等に応じて男女別 乳幼児のみの居室：1 室の定員 6 人以下、面積：1 人につき 3.3m² 以上 便所：男女別 ※入所者によって異なる設備 ◆ 主に知的障害児入所の施設：職業指導に必要な設備 ◆ 主に盲児入所の施設：遊戯室、支援室、職業指導に必要な設備及び音楽に関する設備、浴室及び便所の手すり並びに特殊表示等身体の機能の不自由を助ける設備、階段の傾斜を緩やかにする ◆ 主にろうあ児入所の施設：遊戯室、支援室、職業指導に必要な設備及び映像に関する設備 ◆ 主に肢体不自由のある児童入所の施設：支援室及び屋外遊戯場、浴室及び便所の手すり等身体の機能の不自由を助ける設備、階段の傾斜を緩やかにする	※入所者によって必要となる職員 ◆ 主に知的障害児（自閉症児を除く）入所の施設 嘱託医：精神科又は小児科の診療に相当の経験を有する者 **児童指導員**及び**保育士**の総数：通じておおむね児童の数を 4 で除して得た数以上（児童 30 人以下入所の施設では更に 1 以上を加える） ◆ 主に自閉症児入所の施設：医師、看護職員 医師：児童を対象とする精神科の診療に相当の経験を有する者 看護職員の数：児童おおむね 20 人につき 1 人以上 嘱託医：精神科又は小児科の診療に相当の経験を有する者 **児童指導員**及び**保育士**の総数：通じておおむね児童の数を 4 で除して得た数以上（児童 30 人以下入所の施設では更に 1 以上を加える） ◆ 主に盲ろうあ児入所の施設 嘱託医：眼科又は耳鼻咽喉科の診療に相当の経験を有する者 **児童指導員**及び**保育士**の総数：通じて児童おおむね 4 人につき 1 人以上（児童 35 人以下入所の施設では、更に 1 人以上を加える） ◆ 主に肢体不自由のある児童入所の施設：看護職員 **児童指導員**及び**保育士**の総数：通じておおむね児童の数を 3.5 で除して得た数以上

施設名	設備の基準	職員の基準
医療型障害児入所施設	※すべての施設に必要な設備 医療法上の病院として必要な設備、支援室、浴室 ※入所者によって異なる設備 ◆ 主に自閉症児入所の施設：静養室 ◆ 主に肢体不自由児入所の施設：屋外遊戯場、ギブス室、特殊手工芸等の作業を支援するに必要な設備、義肢装具を製作する設備（義肢装具を製作する設備は他に適当な設備がある場合は不要） 階段の傾斜を緩やかにするほか、浴室及び便所の手すり等身体の機能の不自由を助ける設備	※入所者によって必要となる職員 ◆ 主に自閉症児入所の施設 医療法上の病院として必要な職員、**児童指導員**、**保育士**、児童発達支援管理責任者 **児童指導員**及び**保育士**の総数：通じておおむね児童の数を 6.7 で除して得た数以上 ◆ 主に肢体不自由のある児童入所の施設：理学療法士又は作業療法士 施設長及び医師：肢体の機能の不自由な者の療育に関して相当の経験を有する医師 **児童指導員**及び**保育士**の総数：通じて乳幼児おおむね 10 人につき 1 人以上、少年おおむね 20 人につき 1 人以上 ◆ 主に重症心身障害児入所の施設：理学療法士又は作業療法士、心理支援を担当する職員 施設長及び医師：内科、精神科、医療法施行令の規定により神経と組み合わせた名称を診療科名とする診療科、小児科、外科、整形外科又はリハビリテーション科の診療に相当の経験を有する医師
児童発達支援センター	※すべての施設に必要な設備 発達支援室、遊戯室、屋外遊戯場（児童発達支援センターの付近にある屋外遊戯場に代わるべき場所を含む）、医務室、相談室、調理室、便所、静養室並びに児童発達支援の提供に必要な設備及び備品等 発達支援室：1 室の定員はおおむね 10 人、面積は児童 1 人につき 2.47m² 以上 遊戯室：面積は、児童 1 人につき 1.65m² 以上 ※場合に応じて必要な施設 ◆ 肢体不自由のある児童に対して治療を行う場合は医療法に規定する診療所として必要な設備	※すべての施設に必要な職員 嘱託医、児童指導員、保育士、栄養士、調理員及び児童発達支援管理責任者、日常生活を営むのに必要な機能訓練を行う場合には機能訓練担当職員、日常生活及び社会生活を営むために医療的ケアを恒常的に受けることが不可欠である障害児に医療的ケアを行う場合には看護職員 ※場合に応じ置かなくてもいい職員 ◆ 児童 40 人以下が通う施設では栄養士 ◆ 調理業務の全部を委託する施設では調理員 ◆ 医療機関等との連携により、看護職員を児童発達支援センターに訪問させ、当該看護職員が障害児に対して医療的ケアを行う場合は看護職員 ◆ 医療的ケアのうち喀痰吸引等のみを必要とする障害児に対し喀痰吸引等業務を行う場合は看護職員 ◆ 医療的ケアのうち特定行為のみを必要とする障害児に対し特定行為業務を行う場合は看護職員 ※場合に応じて必要な職員 ◆ 肢体不自由のある児童に対して治療を行う場合は医療法に規定する診療所として必要な職員 児童指導員、保育士、機能訓練担当職員及び看護職員の総数は、通じておおむね児童の数を 4 で除して得た数以上（そのうち半数以上は児童指導員又は保育士） 嘱託医は精神科又は小児科の診療に相当の経験を有する者 保育所、家庭的保育事業所等、幼保連携型認定こども園に入園している児童と児童発達支援センターに入所している障害児を交流させるときは、障害児の支援に支障がない場合に限り、障害児の支援に直接従事する職員はこれら児童への保育に併せて従事させることができる

施設名	設備の基準	職員の基準
児童心理治療施設	児童の居室、医務室、静養室、遊戯室、観察室、心理検査室、相談室、工作室、調理室、浴室及び便所	医師、**心理療法担当職員**、児童指導員、**保育士**、看護師、個別対応職員、**家庭支援専門相談員**、栄養士及び調理員（調理業務の全部を委託する施設では、調理員を置かなくてもよい）
児童心理治療施設	児童の居室：1室の定員は4人以下、面積は1人につき4.95m²以上で、男女別 便所：男女別（少数の児童を対象とする施設では別にしなくてもよい）	医師：精神科又は小児科の診療に相当の経験を有する者 **心理療法担当職員**の数：おおむね児童10人につき1人以上 **児童指導員**及び**保育士**の総数：通じておおむね児童4.5人につき1人以上
児童自立支援施設	学科指導に関する設備は、小学校、中学校又は特別支援学校の設備の設置基準に関する学校教育法の規定を準用（学科指導を行わない場合はこの限りでない） 学科指導に関する設備以外の設備は、児童養護施設の規定を準用。ただし、居室は男女別	児童自立支援専門員、**児童生活支援員**、嘱託医、精神科の診療に相当の経験を有する医師又は嘱託医、個別対応職員、**家庭支援専門相談員**、栄養士並びに調理員（児童40人以下入所の施設では栄養士を、調理業務の全部を委託する施設では調理員を置かなくてもよい）
児童自立支援施設		児童10人以上に心理療法を行う場合：**心理療法担当職員** 実習設備を設けて職業指導を行う場合：職業指導員 児童自立支援専門員及び**児童生活支援員**の総数：通じておおむね児童4.5人につき1人以上
児童家庭支援センター	相談室	専門的な知識及び技術を必要とする相談を担当する職員（児童福祉司の要件に該当する者）
里親支援センター	事務室、相談室等の里親等が訪問できる設備、その他事業を実施するために必要な設備	里親制度等普及促進担当者、里親等支援員、里親研修等担当者

さ く い ん（下巻）

さくいん

さくいん

さくいん

さくいん

さくいん

■ 監修：近喰 晴子
和田実学園学事顧問、東京教育専門学校副校長、目白幼稚園長。前秋草学園短期大学学長。日
名子太郎に師事し、保育学に関する研究を重ねる。保育内容、保育者論、実習関係等のテキス
トを執筆。

■ 執筆者〔担当科目〕

1章　教育原理
　酒井 真由子
　上田女子短期大学教授

2章　社会的養護
　岡田 恵
　松山東雲短期大学准教授

3章　子どもの保健
　向笠 京子
　昭和女子大学准教授

4章　子どもの食と栄養
　正宗 三枝
　元玉川大学非常勤講師

5章　保育実習理論
　〔保育所保育指針等〕
　岡本 かおり
　洗足こども短期大学准教授

　〔音楽表現〕
　谷上 公子
　洗足こども短期大学非常勤講師

　〔造形表現〕
　中尾泰斗
　鳥取大学准教授

■ 編著：コンデックス情報研究所
1990 年 6 月設立。法律・福祉・技術・教育分野において、書籍の企画・執筆・編集、大学お
よび通信教育機関との共同教材開発を行っている研究者・実務家・編集者のグループ。

■本文イラスト：オブチミホ、服部ゆみ〔子どもの保健〕

■企画編集　成美堂出版編集部

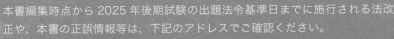

本書編集時点から 2025 年後期試験の出題法令基準日までに施行される法改正や、本書の正誤情報等は、下記のアドレスでご確認ください。
http://www.s-henshu.info/hogt22407/

上記掲載以外の箇所で正誤についてお気づきの場合は、書名・発行日・質問事項（該当ページ・行数・問題番号などと誤りだと思う理由）・氏名・連絡先を明記のうえ、お問い合わせください。
・web からのお問い合わせ：上記アドレス内【正誤情報】へ
・郵便または FAX でのお問い合わせ：下記住所または FAX 番号へ
※電話でのお問い合わせはお受けできません。

［宛先］　**コンデックス情報研究所**
『保育士合格テキスト（下）'25 年版』係
住所　　：〒 359-0042　所沢市並木 3-1-9
FAX 番号：04-2995-4362　（10:00 ～ 17:00　土日祝日を除く）

※本書の正誤以外に関するご質問にはお答えいたしかねます。また受験指導などは行っておりません。
※ご質問の受付期限は、2025 年の各筆記試験日の 10 日前必着といたします。
※回答日時の指定はできません。また、ご質問の内容によっては回答まで 10 日前後お時間をいただく場合があります。
あらかじめご了承ください。

コンデックス情報研究所では、合格者の声を募集しています。
試験にまつわる様々なご意見・ご感想をお待ちしております。
こちらのアドレスよりお進みください。　http://www.condex.co.jp/gk

いちばんわかりやすい保育士合格テキスト[下巻] '25年版

2024年9月10日発行

監　修　近喰晴子（こん じき はる こ）

編　著　コンデックス情報研究所（じょうほう けんきゅうしょ）

発行者　深見公子

発行所　成美堂出版
　　　　〒162-8445　東京都新宿区新小川町1-7
　　　　電話(03)5206-8151 FAX(03)5206-8159

印　刷　壮光舎印刷株式会社

©SEIBIDO SHUPPAN 2024 PRINTED IN JAPAN
ISBN978-4-415-23883-8